현대어본 명주보월빙

현대어본
명주보월빙
2
역주
최길용

이 저서는 2010년도 정부재원(교육부 인문사회연구역량강화사업비)으로 한국연구재단의 지원을 받아 연구되었음(NRF-2010-327-A00283)

This work was supported by the National Research Foundation of Korea Grant funded by the Korean Government(NRF-2010-327-A00283)

서문

텔레비전이나 라디오가 없던 시절, 소설은 우리 선인들에게 무료한 일상을 달래며 인간사의 다양한 문제들에 대한 여러 생각들을 공유하게 해주던 매우 유용한 미디어였다. 아낙네들의 길쌈하던 일자리나 밤 마실 자리에도, 고관대가 귀부인들의 침실이나 근엄한 사대부들의 책상위에서도, 길가는 사람들로 붐비던 남대문이나 종로거리에서도, 소설은 오늘의 TV나 라디오처럼 사람들의 눈과 귀를 사로잡았다. 그리하여 아낙네들은 소설 없는 밤을 견디지 못하여 금반지나 쌀자루를 들고 세책가를 뻔질나게 들락거렸고, 먹고살 길이 막막했던 어느 곱상한 총각은 여자 강독사로 변장을 하고 판서대감댁 마님 방을 드나들며 소설을 읽어주다 불륜사실이 들통 나 죽음을 당하기도 했다. 그런가하면 공청에서 소설 삼매경에 빠져있던 어느 대감님은 갑작스러운 방문객에 화들짝 놀라 공문서로 소설책을 덮어놓고 시치미를 떼기가 다반사였는가 하면, 종로의 한 담뱃가게 점원 녀석은 전기수가 들려주던 삼국지에 팔려 있다가, 악한 조조가 착한 유비를 몰아붙이는 대목에서 화가나, 담배 썰던 칼을 들고 나와 애꿎은 전기수를 찔러 죽이는 살인사건이 일어나기도 했다.

이렇듯 18-19세기 조선사회는 온통 소설열독에 빠져 있었다. 글을 아는 사람이든 모르는 사람이든, 양반이든 평민이든, 남자든 여자든, 노인이든 젊은이든 할 것 없이 삼천리 방방곡곡이 소설열풍에 휩싸여 있었다. 그렇게 될 수 있었던 것은 무엇보다도 소설이란 장르의 문학적 특성 곧 이야기 문학이 갖는 접근의 무제한성에 있다. 우리 모두가 알고 있는 바와 같이, 이야기는 사건의 흐름을 통해서 이해되는 것이지, 꼭 글자를 통해서만 이해되는 것이 아니다. 비록 글자로 쓰인 이야기라 하더라도, 그것을 누군가가 대신 읽어주거나, 먼저 읽은 사람이 읽은 내용을 말해주는 것을 듣고도, 얼마든지 그 이야기의 내용을 이해할 수가 있고 공감을 가질 수가 있다. 이러한 특성 때문에, 당시에는 글자를 모르는 사람이나 책읽기를 고역스럽게 여기는 사람을 위해, 책을 대신 읽어주는 강독사나, 책을 먼저 읽고 그 내용을 구수한 입담으로 풀어 이야기해주는 전기수와 같은 새로운 직업인이 나타나기도 하였다.

그러나 이 시대를 한국문학사에서 소설의 시대로 꽃피우게 한 것은 뭐니 뭐니 해도 한글필사본소설들의 범람이다. 한글필사본소설들은 한글의 쓰기 쉽고 빨리 쓸 수 있다는 장점과, 필사본의 간편하면서도 저렴한 제책 방식이 갖는 장점을 최대한 활용한 것으로서, 가정이나 궁중 세책가 등에서 다투어 소설들을 베껴 돌려가며 읽었었다. 특히 세책가에서는 여러 종의 한글필사본들을 다량으로 확보해 놓고 본격적으로 소설대여업에 나섬으로써, 이 시대 소설열풍에 더 큰 불을 지폈다.

이 작품 〈명주보월빙〉연작 235권(〈명주보월빙〉100권, 〈윤하정삼문취록〉105권, 〈엄씨효문청행록〉30권)은 위에서 말한 바의 18세기 말 한국고소설의 전성시대에 나왔다. 그 작품분량은 원문 글자 수가 도합 332만3천여 자(〈보월빙〉1,475,000, 〈삼문취록〉1,455,000, 〈청행록〉393,000)에 이를 만큼 방대하여, 당대 조선조 소설문단의 창작적 역량을 한눈에 보여주는 대작이다. 이 연작은 한국고소설사상 최장편소설로 꼽히는 작품일 뿐 아니라, 동시대 세계문학사에서도 그 유례를 찾아볼 수 없는 대장편서사체이다. 그 분량이 하루에 3-4시간을 들여 하루 한권씩을 꼬박꼬박 읽어낼 수 있는 아주 성실한 독자라고 할 때, 무려 235일간을 읽어야 다 읽어낼 수 있는 분량이니, 이 작품이 당시 궁중에서도(낙선재본), 일반대중들 사이에서도(박순호본: 이것은 세책본이다) 널리 읽혀졌던 사실을 염두에 둔다면, 당대 우리사회의 소설열독 풍조와 세책가의 활황이 어느 정도였을 지를 가히 짐작하고도 남게 한다.

양식 면에서, 《명주보월빙 연작》은 중국 송나라를 무대로 하여 윤·하·정 3가문의 인물들이 대를 이어 펼쳐가는 삶을 다룬 〈보월빙〉·〈삼문취록〉과, 윤문과 연혼가인 엄문의 인물들이 펼쳐가는 삶을 다룬 〈청행록〉으로 이루어져, 그 외적양식 면에서는 〈보월빙〉-〈삼문취록〉-〈청행록〉으로 이어지는 3부 연작소설이며, 내적양식 면에서는 윤·하·정·엄문이라는 네 가문의 가문사가 축이 되어 전개되는 가문소설이다.

내용면에서 보면, 이 연작에는 모두 787명(〈보월빙〉275, 〈삼문취록〉399, 〈청행록〉113)에 이르는 수많은 인물군상이 등장하여, 군신·부자·부부·처첩·형제·친구 등 다양한 인간관계에서 벌어지는 숱한 사건들을 펼쳐가면서, 충·효·열·화목·우애·신의 등의 주제를 내세워, 인륜의 수호와 이상적인 인간 공동체의 유지, 발전을 위한 선적가치(善的價値)들을 권장하고 있다. 아울러 주동인물군의 삶을 통해 고귀한 혈통·입신양명·전지전능한 인간·일부다처·오복향수·이상향의 건설 등과 같은 사대부귀족계급의 현세적 이상을 시현해놓고 있다.

필자는 이 책 『현대어본 명주보월빙』의 편찬에 앞서 『교감본 명주보월빙』(全5권, 학고방, 2014.2)을 편찬 간행한 바 있다. 이 교감본 명주보월빙』은 〈명주보월빙〉의 두 이본, 곧 100권100책으로 필사된

'낙선재본'과 36권36책으로 필사된 '박순호본'을 원문내교(原文內校)와 이본대교(異本對校)의 2단계 원문교정 과정을 거쳐 각 텍스트의 필사과정에서 생긴 원문의 오자·탈字·오기·연문·결락들을 교정하고, 여기에 띄어쓰기와 한자병기 및 광범한 주석을 가해 편찬한 것으로써, 컴퓨터 문서통계 프로그램이 계산해준 이 책의 파라텍스트(para-text)를 제외한 본문 총글자수는 539만자(낙본 2,778,000자, 박본2,612,000자)에 이른다.

이 책은 위 두 이본 중 선본인 낙선재본 교감본(2,778,000자)을 대본으로 하여 이를 현대어로 옮긴 것으로, 그 총분량은 282만자에 달한다. 앞의 교감본이 연구자를 위한 전문학술도서 국배판 전5권으로 편찬된데 비해, 이 현대어본은 중·고·대학생과 일반대중을 위한 교양도서(소설)로 성격을 전환하고, 그 규격을 경량화 하여 신국판 전10권으로 편찬함으로써, 책의 부피가 주는 중압감과 지나치게 작고 빽빽한 글자가 주는 눈의 피로를 해소하기 위해 노력했다.

이 현대어본의 편찬 목적은 고어표기법과 한자어·한자성어·한문문장체 표현 위주의 문어체 문장으로 되어 있는 원문을, 현대철자법과 현대어법에 맞게 번역하거나, 한자병기, 주석, 띄어쓰기를 가해 가독성(可讀性)이 높은 텍스트로 재생산하여, 일반 독자들에게 '읽기 쉬운 책'을 제공하는데 있다. 그리고 이렇게 함으로써 독자들이 누구나 쉽게 우리의 고전문학에 접근할 수 있게 하고, 일찍이 세계 최고수준의 소설문학을 창작하고 향유했던 민족문학에 대한 이해와 자긍심을 높이 갖도록 하는 데 있다.

아무쪼록 이 책의 출판을 계기로 이 작품이 더 많은 독자들과 연구자,

문화계 인사들의 사랑과 관심을 받게 되고, 영화나 TV드라마 등으로 제작되어 민족의 삶과 문화가 더 널리 전파되어 갈 수 있기를 기대한다. 이 작품들 속에 등장하는 앵혈・개용단・도봉잠・회면단・도술・부적・신몽・천경 등의 다양한 상상력을 장착한 소설적 도구들은 민족을 넘어 세계인들의 사랑과 흥미를 이끌어내기에 충분할 것으로 믿어 의심치 않는다.

끝으로 어려운 출판 여건 속에서도 『교감본 명주보월빙』(全5권)에 이어, 전10권이나 되는 이 책의 출판을 흔쾌히 맡아주신 도서출판 학고방의 하운근 대표님과, 편집과 출판을 맡아 애써주신 직원 여러분께 깊은 감사를 드린다.

2014년 4월 20일

최길용

(전북대학교겸임교수)

일러두기

이 책 『현대어본 명주보월빙』은 필자가 〈명주보월빙〉의 두 이본, 곧 100권100책으로 필사된 '낙선재본'과 36권36책으로 필사된 '박순호본'을, 원문내교(原文內校)와 이본대교(異本對校)의 2단계 원문교정 과정을 거쳐, 각 텍스트의 필사과정에서 생긴 원문의 오자・탈자・오기・연문・결락들을 교정하고, 여기에 띄어쓰기와 한자병기 및 광범한 주석을 가해 편찬한 『교감본 명주보월빙』(全5권, 학고방, 2014.2.)의, '낙선재본 교감본'을 대본(臺本)으로 하여, 이를 현대어로 옮긴 것이다.

그 방법은 원문 가운데 들어 있는 ①난해한 한자어나, ②한문문장투의 표현들, ③사어(死語)가 되어버려 현대어에 쓰이지 않는 고유어들을, 1.현대어로 번역하거나, 2.한자병기(漢字倂記)를 하거나, 3.주석을 붙여, 독자가 그 뜻을 쉽게 이해할 수 있도록 하되, 그 이외의 모든 고어(古語)들은 4.표기(表記)만 현대 현대철자법에 맞게 고쳐 표기하는 방식으로 이 책 『현대어본 명주보월빙』을 편찬하였다.

여기서는 위 1.-4.의 방법에 대해 한 두 개씩의 예를 들어 두는 것으로, 본 연구의 현대어본 편찬방식을 간단하게 밝혀두기로 한다.

1. 번역

한문문장투의 표현이나 사어(死語)가 된 고어는 필요한 경우 현대어로 번역하였다.

㉠ '조디장ᄉᆞ(鳥之將死)ᄋᆡ 기셩(其聲)이 쳐(悽)ᄒᆞ고, 인지장ᄉᆞ(人之將死)의 기언(其言)이 션(善)ᄒᆞ다.' ᄒᆞ니, 슉뫼 반ᄃᆞ시 별셰(別世)ᄒᆞ시려 이리 니르시미니

⇒ '새가 죽을 때면 그 소리가 슬프고, 사람이 죽을 때면 그 말이 착하다' 하니, 숙모 반드시 별세(別世)하시려 이리 이르심이니,

㉡ 그대 집 변고는 불가사문어타인(不可使聞於他人)이라. 우리 분명이 질녜 무사히 돌아감을 보아시니, 그 사이 변괴 있음이야 어찌 몽리(夢裏)의나 생각하리오마는

⇒ 그대 집 변고는 남이 들을까 두려운지라. 우리 분명히 질녀가 무사히 돌아감을 보았으니, 그 사이 변괴 있음이야 어찌 꿈속에서나 생각하였으리오마는

㉢ 안비(眼鼻)를 막개(莫開)'라

⇒ 눈코 뜰 사이가 없더라.

㉣ 셩각이 망지소위중(罔知所爲中) 차언(此言)을 듣고

⇒ 성각이 당황하여 어찌해야 할지를 알지 못하는 가운데 이 말을 듣고

㉤ 기불미새(豈不美之事)리오?

⇒ 어찌 아름다운 일이 아니겠는가?

ⓑ 사어(死語)가 된 고어는 필요에 따라 번역하였다.

예)ᄯᅥ지우다/처지게 하다 떨어지게 하다 다ᄅᆡ다/당기다

-도곤/-보다 아/아우 아이/아우 동생 남다/넘다

아쳐ᄒᆞ다/흠을 잡다 싫어하다 미워하다 ᄲᆡ다/뽑다

무으다/쌓다 만들다 흉ᄒᆡ(胸海)/가슴 나/나이

2. 한자병기(漢字併記)

어려운 한자어 가운데 한자만 병기하여도 그 뜻을 쉽게 이해할 수 있는 말은 구태여 주석을 붙이지 않고 한자만 병기하였다.

㉠ 신부의 화용월ᄐᆡ(花容月態) 찬연쇄락(燦然灑落)ᄒᆞ여 창졸의 형용ᄒᆞ여 니르지 못ᄒᆞᆯ디라.

⇒ 신부의 화용월태(花容月態) 찬연쇄락(燦然灑落)하여 창졸에 형용하여 이르지 못할지라.

3. 주석(註釋)

한자병기만으로 뜻을 이해할 수 없는 한자어나, 사어(死語)가 된 고어는, 주석을 붙여 그 뜻을 밝혀 두어, 독자가 쉽게 이해할 수 있게 하였다.

㉠ 윤태위 ᄇᆡᆨ의소ᄃᆡ(白衣素帶)로 죄인의 복ᄉᆡᆨ을 ᄒᆞ여시나, 화풍경운(和風慶雲)이 늠연쇄락(凜然灑落)ᄒᆞ여 뇽미봉안(龍眉鳳眼)이며 연함호뒤(燕頷虎頭)오 월면단슌(月面丹脣)이니

⇒ 윤태우 백의소대(白衣素帶)1)로 죄인의 복색을 하였으나, 화풍경운(和風慶雲)이 늠연쇄락(凜然灑落)ᄒᆞ여, 용미봉안(龍眉鳳眼)2)이며 연함호두(燕頷虎頭)3)요 월면단순(月面丹脣)4)

이니

주) 1) 백의소대(白衣素帶) : 흰 옷과 흰 띠를 함께 이르는 말로 벼슬이 없는 사람의 옷차림을 말함.

2) 용미봉안(龍眉鳳眼) : '용의 눈썹'과 '봉황의 눈'이란 뜻으로, 아름다운 눈 모양을 표현한 말.

3) 연함호두(燕頷虎頭) : 제비 비슷한 턱과 범 비슷한 머리라는 뜻으로, 먼 나라에서 봉후(封侯)가 될 상(相)을 이르는 말.

4) 월면단순(月面丹脣) : 달처럼 환하게 잘생긴 얼굴에 붉고 고운 입술을 가짐.

㉡ 촌촌(寸寸) 젼진ᄒᆞ여 걸식 샹경ᄒᆞ니, 대국 인물의 셩ᄒᆞᆷ과 번화ᄒᆞ미 번국과 ᄂᆡ도ᄒᆞᆫ디라.

⇒ 촌촌(寸寸) 전진하여 걸식 상경하니, 대국 인물의 성함과 번화함이 번국과 내도한지라1).

주) 1)내도하다 : 매우 다르다. 판이(判異)하다.

㉢ ᄌᆞ녀를 셩취(成娶)ᄒᆞ여 영효(榮孝)를 보미 극히 두굿거오나 내 스ᄉᆞ로 ᄆᆞᄋᆞᆷ이 위황 (危慌)ᄒᆞ니

⇒ 자녀를 성취(成娶)하여 영효(榮孝)를 봄이 극히 두굿거우나1) 내 스스로 마음이 위황(危慌)하니

주) 1) 두굿겁다 : 자랑스럽다. 대견스럽다.

4. 현행 한글맞춤법 준용

고어는 그것을 단순히 현대철자법으로 고쳐 표기하는 것만으로도 그

90% 이상이 현대어로 전환된다. 따라서 현대어본 편찬 작업의 중심은 고어를 현대철자법으로 바꿔 표기하는 작업에 있다 할 것이다. 이 책에서의 현대어 전환표기 작업은, 번역을 해야 할 말을 제외한 모든 고어 원문을, 현행 한글맞춤법을 준용하여, 현대 철자법으로 고쳐 표기하는 방식으로 진행하였다. 그리고 그 작업에는 다음의 몇 가지 원칙이 적용되었다.

① 원문의 아래아 (·)는 'ㅏ'로 적음을 원칙으로 한다.
(ᄌᆞ녀⇒자녀, 잉ᄐᆡ⇒잉태, 영ᄋᆞ⇒영아, 이 ᄀᆞᆺ흔⇒이 같은, 예외; 업거ᄂᆞᆯ⇒ 없거늘)

② 원문의 연철표기는 현대어법을 따라 분철표기를 원칙으로 한다.
(므어시⇒무엇이, 본바들⇒본받을, 슬프믈⇒슬픔을, 고으믈⇒고움을, 아라⇒알아)

③ 원문의 복자음은 현행 맞춤법 규정을 따라 표기한다.
(ᄡᅣᆼ뇽⇒쌍룡, ᄯᅳᆺ⇒뜻, ᄡᅩ아⇒쏘아, ᄭᆡᄃᆞᆺ디⇒깨닫지, ᄲᆞᆯ니⇒빨리, ᄯᆞᆯ오더니⇒따르더니)

④ 원문의 표기가 두음법칙·구개음화·원순모음화·단모음화 등의 음운변화로 인해 달라진 말들은 현행 맞춤법 규정을 따라 표기 한다.
(뉴시⇒유씨, 녕아⇒영아, 텬죠⇒천조, 뎐상뎐하⇒전상전하, 믈⇒물, 쥬쥬⇒주주)

5. 종결·연결·존대어미 등의 원문 준용

문어체 위주의 원문 문장은 구어체 위주의 현대문장과 현격한 문체적 차이를 갖고 있다. 특히 문장의 종결어미나 연결어미, 존대어미는 글의 문체적 특성을 드러내는 매우 중요한 요소들이기 때문에 역자가 이를 현대문의 문체로 고쳐 표현하는 것은 한계가 있을 수밖에 없다. 그것은 문어체 문장이 갖고 있는 장중(莊重)하고도 전아(典雅)하면서 미려(美麗)하고 운률적(韻律的)인 여러 미감(美感)들을 깨트려놓음으로써, 원전의 작품성을 크게 훼손할 수가 있기 때문이다. 따라서 이 책에서는 원문의 종결·연결·존대어미들을 원문의 형태를 준용하여 옮기되, 앞의 원칙(4. 현행 한글맞춤법 준용)에 따라 철자법만 현대 철자법으로 고쳐 옮겼다. 다만 연결어미의 반복적 사용으로 문장이 매끄럽지 못하거나 지나치게 길어진 경우에는 이를 적절히 교정하였다.

목차 • •

ჵ

명주보월빙 권지십일

화설 선시에 윤추밀이 여아를 데리고 몽숙으로 더불어 서촉(西蜀)으로 향하매, 험준한 길이 여자의 행도(行途) 극난(極難)한지라. 월여(月餘)에 길기(吉期)를 삼사일을 격하고 촉지에 이르니, 본읍 태수 한흡이 십리정(十里程)[1]에 영접하여 관아(官衙)로 감을 청한데, 추밀이 사양하고 하부(河府) 곁에 하처(下處)[2]를 잡아 달라 하고, 하공의 있는 곳을 물으니, 한태수 성(城) 남문(南門) 밖에 있음을 고(告)하고, 그 곁에 광활한 하처를 잡아 일행을 안둔(安屯)할 새, 공이 시녀를 명하여 소저를 떠나지 말고 모셔 있으라 하고, 즉시 하부를 찾아가니, 때 중춘회간(仲春晦間)이라. 빙설(氷雪)이 스러지고 방초(芳草)는 처음으로 푸르고자 하니, 만물이 생기를 맹동(萌動)[3]하는지라. 하공 처소에 시문(柴門)[4]이 잦아져[5] 사람이 비비여[6] 겨우 출입할만하고, 모옥(茅屋)이 소조(蕭條)하여 땅에 붙었는지라, 칠척장신(七尺長身)을 용납지 못하니 공이 철석장부(鐵石丈夫)나 길게 한탄하고 타루(墮淚)함을 깨닫지 못하여, 광수

---

1) 십리정(十里程) : 십리쯤 되는 거리.
2) 하처(下處) : ≒사처. 손님이 길을 가다가 묵음. 또는 묵고 있는 그 집
3) 맹동(萌動) : ①초목의 싹이 틈. ②어떤 생각이나 일이 일어나기 시작함
4) 시문(柴門) : 사립문. 싸리문. 싸리나무가지를 엮어 만든 문
5) 잦아지다 : 닳다. 오래 사용해서 낡아지거나, 크기나 두께 따위가 줄어들다.
6) 비비다 : 좁은 틈을 비집거나 헤집다.

(廣袖)로 눈물을 훔치고, 시자(侍者)로 사람을 불러 왔음을 통하니, 하공 부자 외실(外室)에 있다가 반겨 공자로 맞아 들어올 새, 하공이 적거한 지 어느덧 삼재(三載) 되어 공자 십삼춘광(十三春光)을 맞은지라. 추포갈건(麤布葛巾)[7]에 관례(冠禮[8])를 갓 이뤄 완연(完然)한 촌인(村人)이로되 빼어난 신장이 팔척이요, 아아(峨峨)한 양익(兩翼)은 봉조(鳳鳥)가 나는 듯, 이리[9] 허리에 무색(無色)한 띠를 두르고, 초리(草履)[10]를 끌어 윤공을 영접하니, 추밀이 반가우미 무궁하여 연망(連忙)이 집수(執手) 입실(入室)하여 하공을 보매, 양인의 반가움과 슬픔이 교집(交集)하여, 집수연비(執手連臂)[11]하여 일장(一場)을 비읍(悲泣)하니, 원광이 윤공께 절하고 야야를 위로 왈,

"무익지비(無益之悲)를 과히 하시어 성체(聖體)를 손상치 마소서."

윤공이 눈물을 거두고 하공이 체읍하기를 그치매, 피차 정회(情懷) 탐탐(貪貪)하니 무슨 말을 먼저 하리오. 윤공은 공자 보는 눈이 새로이 황홀하고, 그 의복이 무색할수록 풍광은 빛나니, 추월명광(秋月明光)과 유성봉안(流星鳳眼)에 일월천정(日月天庭)이 준열(峻烈) 씩씩하여 대장부의 행사(行事) 청천백일(青天白日) 같음을 알리라. 윤공이 길게 탄 왈,

"형이 촉지에 유찬(流竄)한 지 삼년이라 조운모우(朝雲暮雨)에 사상(思想)하는 정이 창연(悵然)하여, 형의 고적(古跡)을 임할 때는, 회포 더욱 감창함이 일시를 잊지 못하되, 봉친지하(奉親之下)에 관사(官事) 다

---

7) 추포갈건(麤布葛巾) : 발이 굵고 거칠게 짠 베옷과 칡베로 만든 두건(頭巾).

8) 관례(冠禮) : 예전에, 남자가 성년에 이르면 어른이 된다는 의미로 상투를 틀고 갓을 쓰게 하던 의례(儀禮). 유교에서는 원래 스무 살에 관례를 하고 그 후에 혼례를 하였으나 조혼이 성행하자 관례와 혼례를 겸하여 하였다.

9) 이리 : 늑대.

10) 초리(草履) : ≒초혜(草鞋). 짚신.

11) 집수연비(執手聯臂) : 손을 잡고 서로 포옹함

첩(多疊)하니, 누천리(累千里)를 발섭(發涉)할 길이 없어, 한갓 심곡(心曲)에 못 잊는 정이 은우(隱憂) 되었더니, 영랑(令郎)의 연기 이륙(二六)이 지나고 소녀와 동년(同年)이라. 사귀신속(事貴迅速)인 고로, 금년에 친사(親事)를 이루고자, 택일하여 먼저 형에게 보하고, 여아를 데려 이의 왔나니, 형의 신관[12]이 쇠패(衰敗)치 아니하고, 영윤의 장성기이(長成奇異)함은 경성(京城) 고루화각(高樓畵閣)의 부귀를 띤 이보다 더하니 행희(幸喜)함을 이기지 못할지라. 겸하여 양개(兩個) 기린(騏驎)을 얻다 하니, 하늘이 자안 등의 원사(寃死)함을 측은이 여겨 형에게 다시 보내어 부귀를 얻게 함이라, 어찌 기특치 않으리오."

하공이 척연(慽然) 사왈,

"소제 명완불사(命頑不死)하여 남의 없는 참경을 견디고, 원억(冤抑)한 망아(亡兒) 등의 자취 깁고 멀어 옛 사람이 되었는지라. 소제 아비 되어 빈념(殯殮)함을 보지 못하고, 임망(臨亡)에 영결(永訣)치 못하여 믿고 바란 바 형과 정형이라. 하늘 같은 대은으로 저희 백골을 궁진(窮塵)에 장(葬)하매, 소제 저희를 묻으나 다르지 않아 그밖에 더할 일이 없는지라, 감골(感骨)하여 갚을 바 없어, 지하(地下)에 함환결초(銜環結草)[13]할 뿐이니, 혼사는 이미 정약행빙(定約行聘)하였는지라, 외람하나

---

12) 신관 : 얼굴.

13) 함환결초(銜環結草) : '남에게 입은 은혜를 꼭 갚는다' 의미를 가진 '함환이보(銜環以報)'와 '결초보은(結草報恩)'이라는 두 개의 보은담(報恩譚)을 아울러 이르는 말로, '남에게 받은 은혜를 살아서는 물론 죽어서까지도 꼭 갚겠다.'는 보다 강조된 의미가 담긴 뜻으로 쓰인다. 두 보은담의 유래를 보면, '함환이보'는 중국 후한 때 양보(楊寶)라는 소년이 다친 꾀꼬리 한 마리를 잘 치료하여 살려 보낸 일이 있었는데, 후에 이 꾀꼬리가 양보에게 백옥환(白玉環)을 물어다 주어 보은했다는 남북조 시기 양(梁)나라 사람 오균(吳均)이 지은 『續齊諧記』의 고사에서 유래한 말이다. 또 '결초보은'은 중국 춘추 시대에, 진나라의 위과(魏顆)가 아버지가 세상을 떠난 후에 서모를 개가시켜 순사(殉死)하지 않게 하였더니, 그

형의 남다른 의기(義氣)와 현심(賢心)을 아는 고로, 영아소저(令兒小姐)를 바삐 슬하(膝下)에 두고자 뜻이 급하여 사정을 고하였더니, 형이 즉시 발행하여 원로에 무사 득달하니, 다행함은 이르지도 말고 형의 전후대덕(前後大德)을 생각하니 어찌 언어로 다하리오."

윤공이 추연 탄 왈,

"형이 어찌 이런 말을 하여 소제지심을 불안케 하느뇨? 우리 양가 정분이 세대벌열(世代閥閱)로 자녀를 바꾸는 바, 피차 좋은 일이라. 어찌 '외람' 두자를 일컬어 아심(我心)을 몰라주느뇨?"

하공 왈,

"관례는 상원일(上元日)[14]에 하고 자는 자의라 하였으니 촌중우맹(村中愚氓)[15]의 자호를 또한 무엇 하리오."

추밀이 공자를 집수 왈,

"너희 문장재화(文章才華)를 모름이 아니로되 이곳의 온 후, 고요함을 타 공부를 착실히 하였을지라. 한 번 시구(詩句)를 보고자 하노라."

공자 몸을 굽혀 대 왈,

"참화여생이 촉지 수졸(戍卒)이 되매 만사여몽(萬事如夢)하여 경사에서 수학하던 일이 춘몽 같사온지라. 오직 전야에 호미를 잡으며 소를 먹여 잠기[16] 들기를 익혔으니 작시(作詩)함이 없나이다."

원래 공자 주야 학문을 부지런히 하되 일수 시를 짓지 아니하고, 독서

뒤 싸움터에서 그 서모 아버지의 혼이 적군의 앞길에 풀을 묶어 적을 넘어뜨려 위과가 공을 세울 수 있도록 하였다는 『춘추좌전』 〈선공(宣公)〉15년 조(條))의 고사에서 유래하였다.

14) 상원일(上元日) : 정월대보름날 곧 1월 15일을 달리 이르는 말.

15) 촌중우맹(村中愚氓) : 시골의 어리석은 백성.

16) 잠기 : 쟁기. 연장.

의 소리를 없이하여 몸 가지기를 농부와 다름이 없이 하니, 하공이 역시 말리지 아니하고, 부재 갈건(葛巾)을 벗으면 저른[17] 옷이라.

윤공이 하공의 쌍자(雙子) 보기를 청하니, 공이 즉시 시녀로 양아를 내어오라 하니, 원래 조부인이 거추(去秋) 기망(旣望)에 분산(分産)할 새, 몽중에 문관(文官) 무관(武官)이 손의 백옥주미(白玉麈尾)[18]를 들고 나아와 이르대,

"문창성(文昌星)[19]과 무곡성(武曲星)[20]이 비명원사(非命寃死)하였으매 상천(上天)[21]께 발원하고 세존(世尊)[22]께 복을 빌며 북두(北斗)[23]의 수(壽)를 빌어 환도인세(還道人世)하나니, 부인은 삼자(三子)의 참사를 슬퍼 마르시고 명년에 남창성(南昌星)이 마저 환생(還生)하여 부인 슬하 되리니, 사자의 무궁한 영효를 받으라."

언필에, 양학(兩鶴)이 부인 품으로 날아드는지라. 꿈을 깨매 양자를 생하니, 산실에 향운이 어리고 부인의 기운이 씩씩하여, 먼저 난 아이는 원경 같고 후의 난 아이는 원보 같아서 대소(大小) 다르나 형용이 방불하니, 공의 부부 차후는 심사를 적이 위로하여, 선아(先兒)는 원상이라

---

17) 저르다 : 짧다.
18) 백옥주미(白玉麈尾) : 백옥으로 손잡이를 한 총채 곧 먼지떨이.
19) 문창성(文昌星) : 북두칠성의 여섯째 별인 '개양(開陽)'을 달리 이르는 말. 학문을 맡아 다스린다고 한다.
20) 무곡성(武曲星) : 구성(九星: 탐랑성, 거문성, 녹존성, 문곡성, 염정성, 무곡성, 파군성, 좌보성, 우필성) 가운데 여섯째 별
21) 상천(上天) : 천제(天帝). 하늘을 주재하는 신.
22) 세존(世尊) : '석가모니'의 다른 이름. 세상에서 가장 존귀한 존재라는 뜻이다.
23) 북두(北斗) : 북두칠성(北斗七星). 탐랑(貪狼), 거문(巨門), 녹존(祿存), 문곡(文曲), 염정(廉貞), 무곡(武曲), 파군(破軍) 따위 일곱 개의 별. 인간의 수명을 관장하는 별자리로 이것을 섬기면 인간의 각종 액(厄)과 천재지변 따위를 미리 막을 수 있다고 여겼다.

하고 후아(後兒)는 원창이라 하고 자를 재환 재순이라 하여, 그 준매(俊邁)함이 날로 더하니, 윤공이 양아를 보건대 옥면(玉面) 명안(明眼)에 유미(柳眉) 단순(丹脣)이 수려하여 십분 범아와 다를 뿐 아니라, 원경 원보로 다름이 없어 황연이 살아옴 같아서, 윤공이 칭찬 왈,

"양아의 비상함이 이 같으며, 자안 형제 의연이 돌아온 듯하니, 반드시 환세하여 다시 형의 슬하 되고 느꺼이[24] 마침을 슬퍼 부귀를 타났을지라. 자의 한 사람도 타인의 십자를 부러워 않으려든, 양아의 준수함이 이렇듯 기이하니, 형이 삼순(三旬)을 갓 넘은지라. 장래(將來) 복경이 만리 같으니, 지난 슬픔은 족히 이를 바 아니로다."

하공이 추연하루(惆然下淚)하고 인하여 몽사를 이르고 탄 왈,

"장부 허탄한 몽사를 취신(取信)할 바 아니로되 차아 등이 망아 등과 다름이 없으니 볼 적마다 반갑고 슬픔이 더하도다."

윤공이 기이히 여겨 칭하(稱賀) 왈,

"형의 복경이 타일 융융(融融)함을 이로조차 알리로다. 성명(成命)[25]이 한번 부운(浮雲)을 헤치고 광채를 토하면, 형의 원억(冤抑)이 거울같이 신설되리라."

하공이 탄식하며 삼년 이정(離情)을 펴매, 금평후와 임시랑의 서간을 반김이 무궁한 중, 임공은 생녀(生女)하여 얼굴이 망녀(亡女) 같음을 베풀어 길이 슬퍼하였는지라. 하공이 일마다 몽사 맞음을 기이히 여기고 슬퍼하여 탄식함을 그치지 않더니, 어둡기를 인하여, 윤공 왈,

"아녀 어미를 떠나 누천리(累千里)에 외로이 이르매 심사 즐겁지 못하리니, 소제 돌아가 명일 다시 오리이다."

---

24) 느껍다 : 서럽다. 원통하고 슬픈 마음이 북받치다.

25) 성명(成命) : 임금이 신하의 신상(身上)에 관하여 결정적으로 내리는 명령.

공이 떠날 뜻이 없으나 소저를 위하여 하처로 가게하고, 내실에 들어와 윤공의 신의를 새로이 일컬으며 초초(草草)히 신부 보는 예(禮)를 차리라 하고, 촉처(觸處)에 감창(感愴)함을 이기지 못하더라.

추밀이 하처에 돌아와 여아를 어루만져 석반을 권하며, 소탈하고 잔걱정 없는 성정이로되, 여아 부귀호화 중 생장(生長)하여 고초를 모르다가 견디지 못할까 두려하여 왈,

"초공주(楚公主) 백정(白丁)에게 하가(下嫁)함이 있으니, 여자의 절의는 백행지원(百行之元)이라. 구개(舅家) 한갓 빈잔기아(貧孱飢餓)할 것이 아니로되, 스스로 참화여생이로라 하여 처신을 촌인같이 하니, 그 거처를 이르면, 석일(昔日) 하부(河府) 우마 매는 곳도 그렇지 아니하고, 음식이 반드시 채근(菜根)을 먹으며 모맥(麰麥) 삶은 것이니, 여아(女兒) 화미진찬(華味珍饌)을 염(厭)하다가 견디기 어려우려니와, 입향순속(入鄕循俗)[26]이오 습여성성(習與性成)[27]이라. 마음에 참으려 하면 못 견딜 일이 없고, 호화한 마음을 고쳐 간초(艱楚)한 데 머무르고, 고진감래(苦盡甘來)로 좋은 시절이 있을 것이니, 오아(吾兒)는 본디 여중군자(女中君子)라. 여부의 경계를 저버리지 말고 구고를 효봉(孝奉)하고 군자를 승순하여 숙녀의 사덕(四德)[28]을 힘쓰고, 일호(一毫)도 교앙자득(驕昂自得)[29]하기를 말지어다."

소제 누천리(累千里) 애각(涯角)에 즈음쳐[30] 아득히 촌사(村舍)에 와

26) 입향순속(入鄕循俗) : 다른 지방에 들어가서는 그 지방의 풍속을 따름.
27) 습여성성(習與性成) : 습관이 오래되면 마침내 천성이 됨.
28) 사덕(四德) : 여자로서 갖추어야 할 네 가지 덕. 마음씨[婦德], 말씨[婦言], 맵시[婦容], 솜씨[婦功]를 이른다.
29) 교앙자득(驕昂自得) : 교만하여 뽐내며 우쭐거림.
30) 즈음치다 : 가로막히다. 격(隔)하다.

앉았으니, 경사(京師)가 망망하여 꿈에 넋을 인하여 본부를 볼지언정, 날아갈 길이 없는지라. 촌인의 봉두귀면(蓬頭鬼面)[31]과 기괴한 의복을 보매 사람의 모양 같지 않아 우맹(愚氓) 같으니, 벽난 등이 하부(河府)를 밖으로 보아 머리를 흔들어, '측간이라도 그대도록 괴이함을 보지 않았노라'는 말을 들으니, 전정(前程)이 무광함을 어찌 모르리오마는, 사람됨이 천균(千鈞)[32]같고 견고함이 금옥 같은지라, 사색을 바꾸지 아니하더니, 야야의 경계하심을 들으매 오직 배사수명(拜謝受命)할 뿐이요, 하가 빈부를 언두(言頭)에 올리지 않고 성녀를 끼치지 않으려, 석반을 예사로이 진식(盡食)하니, 공이 그 효순함을 사랑하여 만금(萬金)에 지나더라.

구생은 윤공으로 더불어 동행하되 소저를 얼핏도 보지 못함은, 공이 구태여 보라 않으며, 또 행하기를 일찍 나고 어둡게 들어 소저를 볼 연고 없고, 소저는 장신함을 극진히 하여 구생을 한번 본 일도 뉘우쳐, 저를 피함이더라. 이미 촉에 이르러는 몽숙의 선세묘소(先世墓所)가 하공집과 멀지 않고 묘소를 수호하는 노복이 있으니, 윤공께 묘막으로 감을 청한대, 공이 흔연 허지(許之)하고 갈 적은 노비 더욱 넉넉하니 한가지로 가자 한데, 몽숙이 사사하고 묘소에 나아가 선영(先塋)에 배알하고 이에 머물러, 윤씨를 저의 기물(奇物)을 삼고자, 상량(商量)하기를,

"윤공이 신의를 굳이 잡아 여아를 데려 촉지까지 왔으니 하가의 큰 은혜 되거늘, 하가에서 수삼일 격한 혼인을 스스로 물리는 지경이면 공의 성도(性度) 고격(固激)하니 반드시 대로하여 타처에 구혼할지라. 그때를

---

31) 봉두귀면(蓬頭鬼面) : 헝클어진 머리와 귀신의 얼굴처럼 험상궂은 모습.
32) 천균(千鈞) : 매우 무거운 무게 또는 그런 물건을 비유적으로 이르는 말. '균'은 예전에 쓰던 무게의 단위로, 1균은 30근이다.

타 내 구혼하면 취하리라. 먼저 하가를 격동하여 혼인을 못하게 작희(作戱)하리라."

하고, 차야에 몸을 흔들어 변하여 흉장(凶壯)한 역사(力士) 되어 비수를 끼고 하부 초실 중에 들어가니, 하공자 촉을 물리고 바야흐로 눕고자 하는지라. 몽숙이 칼을 들고 문을 열치며 여성(厲聲) 왈,

"하진 역추(逆酋)의 부자 천하 영웅 진공암을 아는다? 나의 천금 미인 윤씨 현아는 날로 더불어 천금 언약을 두매, 아직 이성(二姓)의 친(親)을 맺지 못하였으나 부부의 정이 오륜대의(五倫大義)를 밝혔으니, 원광적자(賊者) 미인을 앗는 지경이면, 한 칼로 육장을 만들리라."

언필의 바로 하공자를 향하여 지르려 하니, 공자 바야흐로 눕다가 분연이 벌떡 일어나 원비를 늘여 칼을 막을 새, 몽숙이 공자의 용력을 모르고 하공을 먼저 하수(下手)[33]하려 하더니, 공자 섬수(纖手)를 들어 장검을 앗되 날램이 신기하여 몽숙이 헛되이 놓아버린지라. 공자 칼을 아사 정히 지르고자 하더니 몽숙이 놀라 몸을 솟구쳐 공중으로 올라가니, 공자 그 손을 질렀는지라, 피 흐르되, 몽숙이 요술이 기이하므로 자취를 감추니, 공자 분완하여 '야야 매우 놀라신가?' 급히 들어오니, 공이 본디 기운이 송백 같은지라. 흉적의 패설에 대단이 놀라지 않아 언연이 누었더니, 공자 들어와 기운을 묻자오니, 공이 답왈,

"그 사이 기운 상할 일이 없으니 어찌 묻느뇨? 다만 흉적(凶賊)의 패설(悖說)이 한심한지라. 반드시 윤가를 미워하는 자가 혼인을 작희함이라."

공자 분완통해하여 한 칼에 죽이지 못함을 한하며, 부친이 윤가를 미워하는 이 있어 혼인을 작희한다 하심을 답답하여, 차라리 자기 몸을 피

33) 하수(下手) : 손을 대어 사람을 죽임.

하여 윤씨를 취치 말고자 하니, 원광의 신명함으로 홀로 흉적의 패설을 깨닫지 못하니, 또한 금슬을 희짓는 액(厄)이라, 천수를 인력으로 할 바 아닐러라. 공자 부전에 고 왈,

"윤 연숙(緣叔)의 대은인즉, 소자 쇄신하여 갚을 바이오나, 도적의 흉언을 들어서는, 기녀 대음찰녀(大淫刹女)[34]인줄 알지라. 소자 일생을 환거(鰥居)하오나 음녀는 취지 못하올지니, 대인은 윤공을 대하시어 소유를 이르시고 차혼을 물리소서."

하공이 청필의 신색(身色)이 차악하여 금금(錦衾)을 걷어 치고 번연이 일어 앉아 탄 왈,

"내 너를 평일 가장 총명 특이한 줄로 알았더니 어찌 지식이 천단하고 과격함이 이다지도 하뇨? 흉적의 패언을 취신하여 명강의 천금농주(千金弄珠)[35]를 의심함이 이 같음을 알리오. 여부 명도 기구하여 여형 삼인을 참망하고, 비록 유아 양아(兩兒) 있으나 오직 너를 믿고 바람이 중여태악(重如泰岳)[36]이라. 나이 차지 못하였으나 대사를 특달할까 하였더니, 이 말로 보아는 소견이 돈견(豚犬)이나 다르지 아니하니 어찌 한심치 않으리오. 오애(吾兒) 저에게 수은한 바 그 어떠하며, 명강이 누천리 험도(險道)에 그 딸을 데리고 화가여생을 찾아 이름이 신의를 금석(金石)같이 함이라, 석에 진평(陳平) 처 다섯 번 개가(改嫁)하되 평의 중대하는 부인이 되었으니, 마음에 비록 측할지라도[37] 중대하여 그 부형의 은혜를 저버리지 않음이 옳고, 윤씨 또한 그럴 리 없으니 네 마음에 음부로 알되 내 마음에는 열녀로 알아 취할지니, 흉적의 패설은 놀랍지

---

34) 대음찰녀(大淫刹女) : 매우 음란한 여귀(女鬼).
35) 천금농주(千金弄珠) : 천금처럼 귀한 딸.
36) 중여태악(重如泰岳) : 태산처럼 무거움. .
37) 측하다 : 께름칙하다. 언짢다. 마땅치 않다.

않고 너의 불명 용우함을 경악하노라."

언파에 기위(氣威) 늠름하니 견시자(見視者) 불감앙시(不敢仰視)[38]라. 공자 꿇어 부교(父敎)를 듣자오매 비록 자가의 소견과 다르나 인자(人子)의 태만치 못할 바라. 하물며 화란을 겪은 후로 부모 성의(聖意)를 일분이나 어길까 주야 동촉(洞屬)하는지라. 화기이성(和氣怡聲)으로 재배 사죄 왈,

"아해 지식이 천단(淺短)하와 흉적의 패설을 분히 여겼사옵더니, 엄교지당(至當)하시니 아득히 흉격(胸膈)에 막힌 바가 쾌(快)하온지라. 삼가 엄교를 받자와 다시 불명(不明) 과격(過激)한 바를 고쳐 봉행하리이다."

하공이 재삼 경계하여 괴이한 뜻을 두지 말라 하니, 공자 순순 수명하여 불평한 사색을 두지 않으나, 심리에 불승분격(不勝奮激)하더라.

명일 윤부에 이르러 종용이 담화하되 하공이 작야 변고를 이르지 아니하고, 공자 화기 전일하니 추밀이 능히 알지 못하고, 오직 원광을 사랑함이 친자나 다르지 아니하여, 희천이 숙성하니 수년 후 혼사 이룸을 의논하니, 하공 왈,

"혼인은 이미 정약(定約) 행빙(行聘)하였으니 조만간 지내려니와, 소제 영녀(令女)로 신부를 삼고 영랑을 여서(女壻)를 삼아, 누인(陋人)으로 하여금 외람함이 많으니 공구한 염려 없지 아니타."

하니, 윤공이 하공의 말이 너무 겸양하여 친친지의(親親之義) 상함을 일컫고 세월이 뒤이져[39] 희천의 입장하기를 바라더라.

수일이 지나매 길례(吉禮)[40]를 지닐 새 촉군 태수 향관사유(鄕官士

---

38) 견시재(見視者) 불감앙시(不敢仰視) : 보는 사람이 감히 눈을 들어 바라보지 못함.
39) 뒤이지다 : 뒤집히다. 바뀌다.
40) 길례(吉禮) : 혼례.

儒)로 더불어 나와 위의를 도우니 하공이 사사 왈,

"수졸(戍卒)의 입장(入丈)이 무슨 대사라, 토주(土主) 친히 나오시어 누실(陋室)의 광채를 도우시니 불안 감사하여이다."

태수 읍사 왈,

"소관이 스스로 나와 존공께 현알할 것이로되, 매번 과도(過度)히 겸양하시니, 체면의 손상하심을 불안하여 감히 정성을 펴지 못하더니, 금일은 영윤 공자의 길석(吉席)이라 한번 참여함을 폐하리까?"

하공이 재삼 불감함을 사사하고, 날이 늦으매 원광 공자 길의(吉衣)를 입을 새, 당당한 예복을 폐치 못하나 초초하며 검소하여, 어찌 경사 재상의 입장하는 영광이 있으리오. 태수와 인리향당(隣里鄕黨)이 그 뜻을 알아 추연히 여기더라.

태수 길복을 입히기를 마치매 원광 공자 안에 들어가 모부인께 뵈오니, 조부인이 아자의 길일을 당하여 석사를 상감(傷感)하여 슬픈 심사를 이기지 못하더라. 하공자 위의를 거느려 윤공 하처에 나아와 옥상(玉床)에 홍안을 전하고 인리향당이 요객(繞客)이 되어 신부 상교하매 하생이 봉교(封轎)하여 돌아올 새, 윤공이 뒤에 좇아 행하니 위의 정제(整齊)하더라.

본부에 이르러 내사(內舍)에 들어가 교배(交拜)하니 남풍여채(男風女彩) 발월(發越)하여 일월(日月)이 공투(共鬪)하고 주옥이 빛을 사랑하여 난봉(鸞鳳)이 여수(麗水)[41]에 노는 듯하니 [42]천정일대(天定一對)며 백세가위(百世佳偶)라. 예파(禮罷)에 하생은 밖으로 나아가고 벽난 등이

---

41) 여수(麗水) : 중국의 지명. 〈천자문〉 '금생여수(金生麗水)'에서 말한 금(金)의 산지(産地)로 유명.

42) 천정일대(天定一對) : 하늘이 정해준 한 쌍.

소저를 붙들어 현구고지례(見舅姑之禮)를 행할 새, 백태만광(百態萬光)이 조요(照耀)하여 중추망월(中秋望月)이 만당에 밝았으며 춘일(春日)이 옥란(玉欄)에 다사한 듯, 녹파향련(綠波香蓮)이 추수를 무릅쓴 듯, 흐억한 태도와 윤택한 기부(肌膚) 미옥을 채색하며 명주를 다듬은 듯, 팔채봉미(八彩鳳眉)에 천자(天姿) 수출(秀出)한 기운을 모아 복록을 감추었으며, 쌍성추파(雙星秋波)[43]는 숙덕이 출어외모(出於外貌)하니 월액화시(月額花顋)와 운환무빈(雲鬟霧鬢)이 천연(天然) 수려(秀麗)하며, 육척향신(六尺香身)의 신중한 체모와 단엄한 위의(威儀), 소소아녀(小小兒女)의 품질이 아니라. 진선진미(盡善盡美)한 거동이 득중(得中)한지라, 하공 부부 대희과망(大喜過望)하여 폐백(幣帛)[44]을 받고 예를 마친 후, 신부를 나오게 하여 옥수를 잡고 운환을 어루만져 사랑함을 이기지 못하는 중, 석년에 학사를 입장하여 임소저를 보던 일을 생각고 인사의 변역(變易)함과 기구(崎嶇)[45]의 내도함을 슬퍼, 공이 추연 탄 왈,

"석자(昔者)에 아부(我婦)를 삼세 유아로 백화헌 가운데서 내 친히 보고 혼인을 뇌약(牢約)하니, 신부의 팔위에 글자를 쓰고 돌아와 신부의 자라기를 기다리더니, 오문이 천만 의외의 참화를 만나 촉지에 유찬(流竄)하되, 영존의 의기 현심이 화가여생을 버리지 아니하고 동상(東床)을 삼아 아부 우리 슬하에 임하니, 외모 기질이 장성하매 더욱 아름다우니 어찌 과망(過望)치 않으리오. 연이나 신부 부귀에 생장하여 촉지 수졸(戍卒)의 며느리와 아내 되니, 일생이 무광함을 차석하노라."

---

43) 쌍성추파(雙星秋波) : 맑고 아름다운 미인의 눈길.

44) 폐백(幣帛) : 신부가 처음으로 시부모를 뵐 때 큰절을 하고 올리는 물건. 또는 그런 일. 주로 대추나 포 따위를 올린다.

45) 기구(崎嶇) : 길이 험준함. 세상살이가 순탄하지 못하고 가탈이 많음을 비유적으로 표현한 말.

부인이 연애하는 가운데 누하여우(淚下如雨)[46]하니 신부 인심의 감동하여 낯빛을 고치더라. 하공 부부의 탐혹 과애함이 영주소저와 일반이요, 작인이 초출비상(超出非常)함이 견주어 비길 데 없으며, 향리촌맹(鄕里村氓)의 무리 윤소저 같은 용색을 몽리에나 구경하였으리요. 바라보는 눈이 황홀하여 정신을 잃으니, 비자 등이 번요하여 좌우로 물리치나 초실을 메웠으니, 조부인이 참화이후로 사람 보기를 원치 아니하고, 혼례를 지내나 경황이 없어 인리(隣里)[47]를 모음이 없으니, 내객이 모이지 않고 외객도 청하지 않았으되, 외객(外客) 군공(郡公)[48]을 태수가 거느려 왔더라.

영주소저 신부로 상견할 새, 소저 방년이 십일세라. 백태천광(百態千光)이 빙정요라(氷晶嫋娜)하여 해상 명월이 보광(寶光)을 토하고 추택옥련(秋澤玉蓮)이 봉오리를 벌지 못하였으니, 황홀한 자태 오히려 신부에 일배승(一倍勝)이오, 화(和)하고 어위차고[49] 너르고 유열함은 신부에 두어 층 더한지라. 하공 부부 여부(女婦)[50]를 슬전(膝前)에 벌여 세우매 두굿기고 아름다움을 이기지 못하나, 삼자와 임씨의 옥골선풍을 생각하니 흉장(胸臟)이 일만 칼에 찔리는 듯, 춘풍에 부치는 소장(素帳)[51]과 네 낱 목주(木主) 볼 적마다 궁천원상(窮天寃傷)[52]을 더할 뿐이라. 부인은 오열비읍(嗚咽悲泣)하고 하공은 소매를 들어 양항루(兩行淚)를 제어

46) 누하여우(淚下如雨) : 눈물이 비 오듯 흘러내림.
47) 인리(隣里) : 이웃 마을. 이웃과 마을 사람들.
48) 군공(郡公) : 고려 문종 때 둔 다섯 등급의 작위(국공・군공, 현후, 현백, 개국자, 현남) 중 하나.
49) 어위차다 : 넓고 크다. 너그럽거나 넉넉하다. =어위다.
50) 여부(女婦) : 딸과 며느리.
51) 소장(素帳) : 장사 지내기 전에 궤연(几筵) 앞에 치는 하얀 포장.
52) 궁천원상(窮天寃傷) : 하늘에 사무치는 원한과 슬픔.

하고 밖으로 나가니, 태수 이하(以下) 대례(大禮)를 무사히 지냄을 하례하고 윤공이 가로되,

"불초녀의 용잔미질(庸孱微質)이 영윤의 풍채를 욕할까 두려워하노라."

하공이 사왈,

"신부의 재용을 처음 봄이 아니로되 자라매 숙성기이(淑性奇異)함은 아시(兒時)에 더한지라. '돈아가 무슨 복으로 이 같은 현처를 취(娶)한고?' 과망하거늘 형언(兄言)이 의외로다."

추밀이 불감(不敢) 사사(謝辭)하고 만좌 하공의 현부 얻음과 윤공의 쾌서 얻음을 치하하여 분분하되, 하공은 비회 만단이라. 일모도원(日暮途遠)하매 태수와 제객이 돌아가고, 하·윤 양공이 동숙(同宿)할 새, 하공이 아자를 신방으로 보내니, 생이 만사에 친의(親意)를 승순(承順)하는 고로 수명하고, 양공의 취침하심을 보고 안에 들어가 모친께 뵈옵고, 촉하에서 양제(兩弟)를 유희하며 소매로 담론하여 나갈 뜻이 사연(捨然)[53]하니, 부인 왈,

"신부 상문교와(相門嬌瓦)[54]로 초옥모실(草屋茅室)에 처음으로 이르러, 사좌(四座)의 친한 이 없고, 약질 귀골이 불안하리니 편히 쉬게 하고 예로 대접하여, 그 부형의 대은을 저버리지 말라."

생이 묵묵 수명하고 신방의 이르니, 차시 몽숙이 하공 부자를 놀래어 중히 상하게 하고자 하다가 하생에게 손을 잘리고 패주하여, 묘막(墓幕)으로 돌아와 손을 보니, 장심(掌心)이 찔려 거의 꿰뚫어졌으되, 대간대

53) 사연(捨然) : 집착을 버려 어떤 생각이 전혀 없음.

54) 상문교와(相門嬌瓦) : 재상가의 귀염둥이 딸. '와(瓦)'는 딸을 비유한 말. ☞농와지경(弄瓦之慶).

악(大奸大惡)이 아픈 것을 참고 약을 붙여 조리하며 칭병 불출하더니, 하부에서 혼례를 지냄을 듣고 통완 분해하여 하가의 다시 장난코자 하여, 야심 후 하부의 이르러 사기를 탐관(探觀)하매, 윤공이 하처에 돌아가지 않고 하공과 동처하는지라. 요란이 굴다가 패루하면 추밀이 죽일까 겁하여 하공자의 용력이 비상함을 안 고로, 금슬이나 희지어 윤씨를 내치도록 하고자, 의사 일어나 윤소저의 신방을 찾아 화(化)하여 나는 새 되어 방에 들어가 벽에 붙어있었더니, 야심 후 하생의 들어오는 양을 보고 몸을 흔들어 흉녕(凶獰)한 남자 되어 문을 열치고 달아나는지라. 수일 전 서당에서 작란하던 한자(漢子)[55] 같은지라. 분연 대로하여 바삐 잡고자 할 제 문득 공중에 치달아 경각에 불견거처(不見去處)터라. 해연망측(駭然罔測)[56]함을 이기지 못하여 도로 나가고자 하되, 엄훈(嚴訓)을 지극히 받자왔으니 감히 나가지 못하여, 측한[57] 것을 서리 담고 분한 것을 이겨 들어와 소저를 대하니, 윤씨 노주(奴主) 무망(無妄)에 흉적의 뛰어나감을 보니 놀라움은 이르지 말고, 하생이 들어오는 때에 이러함이 자기 전정(前程)을 끊는 줄 헤아려 불승차악(不勝嗟愕)하나, 사람됨이 하해지량(河海之量)이요 춘풍화기(春風和氣)라. 스스로 마음이 빙옥 같으니 불수성색(不垂聲色)[58]하고 하생을 일어 맞아 동서분좌(東西分坐)하니, 생이 목전 흉변을 본 고로 어찌 눈이나 거듭 떠보리오. 늠연정좌(凜然正坐)하여 미우(眉宇)에 설풍이 은은 씩씩하니, 견자(見者) 한출첨배(汗出沾背)하더라. 양구 묵묵이러니 날호여 웃옷과 띠를 그르며 소저를 향하여 편히 쉬라 하되, 그 얼굴을 살핌이 없어 타문부녀(他

55) 한자(漢子) : 놈. 남자를 낮잡아 이르는 말.
56) 해연망측(駭然罔測) : 너무 뜻밖에어서 놀랍고 어이가 없다.
57) 측하다 : 께름칙하다. 언짢다. 마땅치 않다.
58) 불수성색(不垂聲色) : 말소리와 얼굴빛에 당황함을 들어내지 않음.

門婦女)를 상견함 같으니, 벽난 등이 우러러 기색을 살피고 원통하고 애달음이 비길 데 없더라.

생이 분을 참고 밤을 겨우 새워 새배[59]를 기다려 나가고, 소저는 종야토록 앉아 새와 구고께 문안하니, 공의 부부 두굿김을 형상치 못하고 하생은 윤공 섬김을 야야와 같이 함은 그 은덕을 감격함이요, 빙악(聘岳)으로 아는 바 없더라.

하공이 윤공을 청류(請留)하여 일순을 머물러 날마다 여아를 불러 보더니, 일일은 하공이 윤공으로 더불어 신부 침소에서 종용이 한담할 새, 추밀이 하공의 자부 사랑이 지극함을 감사하여 오래도록 말씀하고, 하생은 외당에 있더니 문득 한낱 청의차환(叉鬟)[60]이 초실에 들어와 안을 기웃거려 보며 손에 일봉서(一封書)를 가졌는지라. 공자 문 왈,

"네 어떤 아이관데 무슨 서간을 뉘게 전하러 왔느뇨?"

기녀(其女) 부답하고 머리를 긁적여 거동이 당황하여 나갔다가 도로 들어오기를 서너 번이나 하거늘, 생이 괴이 여겨 우문 왈,

"네 서간을 누구를 주려하느뇨? 날더러 이르라."

기애 가로되,

"진상공이 부디 윤부 시녀를 주고 오라 하였으니 윤부 시녀를 불러 주소서."

하니, 거동이 미거하여 인사를 모르는 거동이니, 생 왈,

"네 그 서간을 두고 가면 내 전하여 주리라."

기애 가장 머뭇거리다가 드리고 가거늘 생이 서간을 보니 '진고암은 윤소저 장대 하의 올리노라' 하였고, 사의 음란 흉패하니 이에 빼고, 대

59) 새배 : 새벽.
60) 차환(叉鬟) : 주인을 가까이에서 모시는 젊은 계집종.

개 하진 부자를 죽이고 윤추밀을 모르게 산곡에 도망하여 살기를 도모한 사연이요, 신혼야(新婚夜)에 하자를 질러 죽이려 하다가 외실에 윤추밀이 있기로 놀라 물러난 사연이라. 하생이 간필(看畢)에 불을 가져 소화하고 본 줄을 뉘우쳐 자책 왈,

"비례물시(非禮勿視)[61]와 비례물청(非禮勿聽)[62]이 성교(聖敎)의 경계거늘, 음란한 글을 눈으로 살핌이 행신이 전도(顚倒)함이라. 차후는 윤씨 음녀를 한 구석에 들이쳐[63] 두고 아는 체 마는 것이 엄교를 승순함이요, 윤공의 은혜를 저버리지 않음이라. 음녀(淫女) 간부(姦夫) 아무리 날을 죽이고자 한들, 내 명이 하늘의 달렸으니 제 손에 있으리오. 차라리 간부 놈이 윤씨를 데리고 달아나면 측한 마음이 없으리로다."

하매, 윤소저에게 은정(恩情)은 몽매(夢寐)에도 없고, 더럽고 측히 여기는 뜻뿐이라. 문득 하·윤 양공이 나오니 생이 하당영지(下堂迎之)하여 모셔 말씀하니, 사기 여일하여 윤씨를 염하는 사색이 없으니, 추밀이 어찌 알리오. 다만 누천리 궁향의 두고 가는 심사 비열(悲咽)하되, 대체장부(大體丈夫)라. 부유(浮儒)의 설설함이 없더라.

구몽숙이 변신하여 스스로 인가청의(人家靑衣)[64] 되어 음참한 서간을 가져 하생을 속이고, 다시 윤소저의 성자광휘(聖姿光輝)를 구경코자 하여, 푸른 새 되어 청사(廳舍)에 어른거릴 새, 문득 윤씨 곁에 일위 규수가 병좌하였으니, 동풍에 웃는 화왕(花王)[65]과 부상(扶桑)[66]에 돋는 신

---

61) 비례물시(非禮勿視) : 예(禮)가 아닌 것은 보지 않음.
62) 비례물청(非禮勿聽) : 예(禮)가 아닌 말은 듣지 않음.
63) 들이치다 : 처박다. 마구 쑤셔 넣거나 푹 밀어 넣다.
64) 인가청의(人家靑衣) : 남의 집의 하인. *청의(靑衣) : '푸른 빛깔의 옷'이라는 뜻으로, 천한 사람을 이르는 말로 쓰인다. 예전에 천한 사람이 푸른 옷을 입었던 데서 유래한다.
65) 화왕(花王) : 화중왕(花中王). 여러 가지 꽃 가운데 왕이라는 뜻으로, '모란꽃'을

월(新月) 같아서, 윤택수려(潤澤秀麗)하여, 윤씨의 한없는 광염은 이르지 말고, 아소저는 애애찬란(皚皚燦爛)[67]하여 선원(仙苑)의 금봉(禽鳳)[68] 같으니, 자세히 살피건대 액여반월(額如半月)[69]이며, 미여춘산(眉如春山)[70]이요, 목여양성(目如兩星)[71]이요, 협여도화(頰如桃花)[72]요, 순여단사(脣如丹砂)[73]라. 어여쁜 거동이 눈 옮기기 아깝고 오히려 윤씨에게 나은 듯하니, 몽숙이 윤소저를 독보절염(獨步絶艶)으로 알았다가 하소저를 보매 대경 황홀하여, 즉시 묘막에 돌아와 생각하되 부디 윤씨를 취하려 하였더니 벌써 하원광에게 빼앗김이 되고, 금슬을 희짓고자 하나 하가가 버릴 뜻이 없고, 설사 윤씨를 앗으나 이성(二姓)을 섬기는 잓[74]이니 측한지라. 윤씨 곁에 앉은 모양이 규수요, 반드시 하진의 딸이라. 전자에 들으니 하가 녀(女) 희천과 정혼하였다 하더니, 분명이 그 여자라. 각별 묘계로 하씨를 겁측하여 기물(奇物)을 삼고, 하원광이 윤씨를 버리는 일이 있거든 재취함이 옳다.

하고, 간계 백출(百出)하더니, 맞추어 괴이한 요정(妖精)을 만나니, 차(此)는 서촉 청성산 아래에 한 암자 있고 일개 여도사 있으니 삼천년 묵은 여우라. 전후에 사람 잡아먹은 것이 백이 넘고, 변화불측하여 사람의 소원이 있은 즉, 원을 좇으며, 사람의 화복길흉(禍福吉凶)과 전정만

달리 이르는 말.

66) 부상(扶桑) : 해가 뜨는 동쪽 바다.

67) 애애찬란(皚皚燦爛) : 몹시 희고 빛남.

68) 금봉(禽鳳) : 봉황새.

69) 액여반월(額如半月) : 이마가 반달 같음.

70) 미여춘산(眉如春山) : 눈썹이 봄 동산 같음.

71) 목여양성(目如兩星) : 눈이 두 별과 같음.

72) 협여도화(頰如桃花) : 뺨이 복숭아꽃과 같음.

73) 순여단새(脣如丹砂) : 입술이 단사와 같이 붉음.

74) 잓 : 모양. 꼴.

리(前程萬里)를 거의 다 알아 크게 신통한지라. 촉인이 받들기를 부처같이 하여, 법호(法號)를 금선법사라 하고, 별호를 신묘랑이라 하니, 상한천류(常漢賤流)의 허박(虛薄)한 무리와 호방(豪放)한 향환(鄕宦) 여자(女子)들이 우환(憂患)을 당하거나 자녀를 못 얻어 하는 무리, 다 신묘랑에게 청하여 효험을 보니, 몽숙의 선묘 수호하는 노자(奴子) 제 딸이 병들어 오래 신고(辛苦)하므로 교자를 가지고 묘랑을 청하여 제 집으로 데려오니, 몽숙이 곁방에 있다가 '교자에 누구를 데려 오는고?' 물으니, 노자 묘랑의 기특한 말을 일일이 전하니, 몽숙이 제 팔자를 묻고자 보기를 구하니, 묘랑이 처음은 사양하더니 몽숙이 찼던 금장도(金粧刀)를 끌러 예단을 삼으니, 묘랑이 장도에 욕심을 내어 구생을 보니 구생이 사주(四柱)를 일러 전정을 물으니, 묘랑이 손가락을 곱작거려 점복하더니 눈썹을 찡겨 왈,

"상공이 유하(乳下)에 양친을 쌍망하고 일신 의탁이 없어 남의 문하에서 자라 의식은 있으나 고혈무의(孤孑無依)[75]하고, 오래지 않아 청운에 올라 어향(御香)을 쏘이려니와, 팔자에 화패(禍敗)를 많이 타나고, 풍신재화(風神才華)는 하등이 아니로되 일신에 매명(罵名)이 무궁하여, 매한테 쫓긴 꿩 같고 괴[76]를 본 쥐 같으니, 남의 덕을 많이 입으리다."

몽숙이 섬뜩하여 이르대,

"어인 팔자 그리 호화치 못하여 내 평생 선(善)을 힘쓰고 악을 피하거늘 매명을 면치 못하리라 하느뇨?"

묘랑이 소왈,

"천지 귀신은 속이려니와 나는 속이지 못하리다. 상공이 밖으로 어지

---

75) 고혈무의(孤孑無依) : 가족이나 친척이 없어 외롭고 의탁할 데가 없음.
76) 괴 : 고양이.

시대 마음은 칼을 서리고, 말씀은 빛나대 의논인즉 부정음일(不正淫佚)하시니, 사류(士類)의 의관(衣冠)을 차려 계시나, 벌써 못할 일을 많이 하였나이다."

몽숙이 가장 신기히 여겨 문을 닫고 곁에 나아가 가만히 이르되,

"내 속에 먹은 바를 이루면 머리를 베일지라도 은혜를 갚고, 경사에 올라가 상문귀가로 다녀 높은 재주를 펴게 하리라."

묘랑이 사례하고 나직이 말하여 왈,

"상공이 색을 탐하여 남의 금슬을 희지은 듯하며, 원간 투현질능(妬賢嫉能)하고 배은망덕 할 뜻이라. 지금도 부정한 일을 많이 생각하는 얼굴이라. 빈도의 상법과 점사(占辭)는 전정 길흉을 거울 비추 듯하니 감출 길이 없나이다."

몽숙 왈,

"과연 옳으니 원간 나에게 별 재주 없느냐?"

묘랑이 소왈,

"어찌 별 재주 없으리오. 반드시 도법의 변화하는 일이 있으리니, 이러하매 매명(罵名)의 말이 되었나이다."

몽숙이 듣기를 다하고 왈,

"내 변화지재(變化之才)를 가졌으되 다만 남을 이끌어 공중에 오르는 술(術)이 없으니 사람을 끼고 공중의 오르는 술을 마저 배우고자 하노라."

묘랑이 다만 제 재주 천하에 독보하고자 하니 어찌 가르치리오. 웃고 왈,

"빈도는 한 번에 사오 인씩 끼고 공중의 왕래하기와 하루 천리를 행하려니와, 남은 가르치지 못할 일이 있으니 상공은 괴이히 여기지 마소서."

몽숙이 일어나 절하고 왈,

"내 심곡의 간절한 소회 있으니 다른 일이 아니라, 지금 숙녀를 만나지 못하고 평생 절색을 흠모하는 바더니, 마침 선세 능침에 배알하러 왔다가 이곳에 적거한 하공의 딸을 보매, 천만고(千萬古)에 희한(稀罕)한 색광(色光)이라. 사부 하씨를 앗아 나를 줄진대 은덕을 수심명골(樹心銘骨)하리라."

묘랑이 들으매 가장 깃거[77], 제 재주로 하씨를 겁측하여 주고 값을 많이 구색(求索)고자 하되, 잠간 빗새와[78] 사양 왈,

"빈도 좀 재주 있사오나 저 하씨를 어찌 가벼이 하수(下手)하리까?"

몽숙이 꿇어 빌기를 마지않고 '몰신(歿身)토록 은혜를 갚으마.' 하니, 묘랑이 소왈,

"하 간청하니 못하겠다 말은 못하거니와, 하소저를 겁측하여 어느 곳으로 데려오라 하시니까?"

몽숙이 양구침사(良久沈思)하다가 이르되,

"선산 뒤쪽 금사강가에 선조가 세운 정자가 있는데, 그곳이 정쇄(精灑)하고 유벽(幽僻)하여 사람이 왕래치 않으니, 법사도 거의 들었으리라, 금사강변의 그 구성암 정자로 데려오라."

묘랑 왈,

"서촉 제강 중에 금사강이 으뜸이오. 정자류(亭子類)에 구노야의 지으신 정자가 제일이라. 빈도도 여러 번 구경하였으니 어찌 모르리까? 아지못게라![79] 어느 날 행사할꼬?"

---

77) 깃거하다 : 기뻐하다.

78) 빗새오다 : 비싸게 굴다. 다른 사람의 요구에 쉽게 응하지 아니하고 도도하게 행동하다.

79) 아지못게라! : '모르겠도다!' '모를 일이로다! '알지못하겠도다!' 등의 감탄의 뜻

몽숙이 천만 사례하고 명일로 허락하니, 묘랑 왈,

"빈도(貧道) 하가의 가서 잠간 보고 오리이다."

하고, 즉시 변화하여 공중의 소사 올라 하부에 가, 내외 형세를 자세히 보니, 하공과 부인이 다 정기(精氣) 범인과 다르고, 하공자는 천지의 수출한 정기와 일월의 광채를 가졌는데, 아소저는 성녀의 덕이 가작하고 미우(眉宇)에 비취는 바 성자 기맥이요, 윤소저 또한 복덕이 가작하고 성덕이 자연(自然)하여 하나도 범인이 아니라. 심하에 놀람을 마지아니 터라.

차설 하부에서 윤소저의 특이한 효행과 만전한 성덕이 초출 비상하여 구고를 섬기매 봉영집옥(奉盈執玉)[80]이 진선진미(盡善盡美)하여 하공부부 탐혹과애(耽惑過愛)함이 친자녀의 감치 않고, 여부(女婦)를 곁에 두어 비회를 위로하더니, 일야는 원상 등의 보채믈 인하여 부인이 먼저 취침하고, 영주소저 윤소저로 담화하다가 윤소저 사실(私室)로 퇴하고, 소저 이에 촉을 장외로 물리고 시아 초벽으로 침금을 포설하라 하더니, 소저 문득 가로되,

"금야(今夜)에 심사 어찌 놀라우뇨?"

초벽이 대 왈,

"이 따해 거하신 지 삼재(三載) 거의로되 별로 무서운 일이 없삽는데 어찌 심사 놀라우실 리 있으리까? 일찍 취침하소서."

소제 미급답(未及答)에 홀연 난데없는 호표(虎豹) 당전하였으니, 이

을 갖는 독립어로 작품 속에서 관용적으로 쓰이고 있어, 이를 본래말 '아지못게라'에 감탄부호 '!'를 붙여 독립어로 옮겼다.

80) 봉영집옥(奉盈執玉) : 효자는 가득찬 물그릇을 받들어 드는 것처럼, 보배로운 옥을 집는 것처럼 조심하고 삼가며 부모를 섬겨야 한다는 뜻. 『예기(禮記)』〈祭儀〉편의 "효자여집옥여봉영(孝子如執玉如奉盈)…"에서 나온 말.

곳 묘랑이라. 묘랑이 술을 베풀어 큰 범이 되어 뛰어들어 소저를 업으려 하니, 초벽이 소저를 붙들고 소리를 높여 부인과 장외 시녀를 깨오며, 노주 혼도(昏倒)하니, 묘랑이 초벽을 떨어치지 못하여 한가지로 들쳐 없고 내다르니, 부인이 수매중(睡寐中)에 초벽의 소리에 놀라 눈을 들어 보니, 대호(大虎)가 여아를 당전(當前)하였는지라. 참화지후(慘禍之後) 궁천지통(窮天之痛)에 원상(寃傷)이 주주야야(晝晝夜夜)에 칼을 삼켜 장리(腸裏)를 헤집는 듯, 급한 소리를 들으면 혼백이 경월(驚越)하던 심사로써 이 경색을 보매, 겨우 한 소리 '어찐 일이냐?' 하고 엄홀(奄忽)하니, 장외의 수개 숙직 시녀 이 경색을 보고 크게 소리하여 '소저와 초벽을 범이 물어간다.' 혼동(混動)하니, 촌사(村舍)가 내외 연접하였는지라. 공의 부자와 윤공이 차언을 듣고 경황하여, 공이 옷을 더듬지 못하여 심신이 떨리는지라. 공자 윤공을 청하여 부친을 진정케 하고 급급히 내당에 이르니, 벌써 거처 망망하고 부인이 엄홀 기절하였으매, 윤소저 붙들어 구호하는지라. 공자 창황 망극하여 노복을 헤쳐 찾아보라 하고, 부인을 구호하고 윤소저는 원상 등을 안아 달래더니, 하공이 입내(入內)하여 차경을 보고 더욱 심붕담렬(心崩膽裂)[81]하여,

"범을 보냐?"

물으니, 소제 보지 못함으로써 고하니, 부인이 이에 정신을 차려 범이 여아의 앞에 앉았던 줄 전하고 호곡하니, 하공이 화란 후로 심원(心源)이 초갈(焦渴)하였더니, 자연 세월이 오래되매 양아를 완롱(玩弄)하더니, 천만몽상지외(千萬夢想之外)에 만금 여아를 호표에게 맡겨 보내고, 시신도 찾지 못하게 되매 신우구한(新憂舊恨)이 격발(激發)하여 흉장이 뛰놀고 심사 베는 듯함을, 무엇에 비하리오. 심신이 경월하여 손을 쳐

---

81) 심붕담렬(心崩膽裂) : 마음이 무너지고 담이 찢어짐.

가로되,

"하늘이여, 하늘이여! 이 무슨 까닭이니까!!"

언파에 방성대곡(放聲大哭)하니 공자 천만 수한(愁恨)이 어찌 부모와 다르리오마는, 스스로 심신을 진정하고 재삼 참아 부모를 붙들어, 천만 관위(款慰) 왈,

"고금이래에 나는 범이 있음은 듣지 못한 바라. 소매를 물고 공중의 오르더라 하오니, 차는 결하여 호표의 무리 아니요, 별물요종(別物妖種)이라. 매제(妹姐)의 일시 액회(厄會) 비상하와 요얼(妖孽)이 침노하오나, 저의 상모 범상치 아니하오니 수화(水火)에 드나 필연 요몰조사(夭沒早死)치 아니 하오리니, 복망(伏望) 야야는 관심비회(寬心悲懷)하시어 타일 단취(團聚)하는 경사를 보소서."

공의 부부 통상(痛傷)을 그치지 않으니, 공자 심혼(心魂)이 비월(飛越)하여 만사 부운 같으나 이성낙색(怡聲樂色)하여 재삼 간걸(懇乞)하고, 윤공의 청함을 인하여 공이 밖으로 나가니, 부인이 통곡하여 자분필사(自憤必死)하려 하니, 공자 우황(憂惶)하여 모친의 손을 받들고 애걸 왈,

"소매는 복록이 완전지상(完全之相)이라, 천신이 한가지로 보호하리니, 엎드려 비오니, 자위는 심신을 관비(寬庇)하시어 후일을 보시면 소자의 말씀이 헛되지 않음을 아시리이다."

부인이 호곡 왈,

"화가여생이 명완투생(命頑偸生)하매 신명이 밉게 여김이라. 차라리 죽어 설움을 잊으리니, 너는 다시 이르지 말라."

생이 이에 다다라는 혈읍비통(血泣悲痛)하여 읍고(泣告) 왈,

"삼형과 이수의 참망지시(慘亡之時)에도 오히려 대의를 잡으사 소자 남매를 고렴(顧念)하며 관비하여 계시니, 도금(到今)하여 실리지화(失離之禍)가 비록 참절하오나 소자와 양아를 버리시며, 대인의 천비만한(千

悲萬恨)이 자위와 다르심이 없사온데, 이렇듯 우환삼기를 더하시니 태태 성덕으로써 어찌 이렇듯 하시니까? 소자 먼저 세상을 잊고자 하나이다."

부인이 묵연하여 베개를 취하여 누어 애곡(哀哭)이 처절하고, 공자 만단 애걸하여 밤을 새우니, 춘야(春夜) 고단(固短)함으로 계성(鷄聲)이 악악할 제, 모든 비복이 자취를 얻지 못하고 헛되이 돌아왔는지라. 부인은 소저를 부르짖어 망망히 따를 듯하고, 공은 희허 비도하여 아자를 불러 여아를 허장(虛葬)[82]하라 한데, 생이 피석 궤고(跪告) 왈,

"성교 (聖敎) 마땅하시나 허장(虛葬)이 예 아니라. 허탄(虛誕) 하오나 상격(相格)을 의논할진대, 소매 당당이 귀격달상(貴格達相)이요, 수한(壽限)이 또한 칠십이 넘을 듯하던 것이오니, 정말 범이 물어갔어도, 또 요얼(妖孼)의 작해함이 있다 하여도, 자연 보전(保全)함이 있으리니, 유액(有厄)하여 일시 흘려 갔사오나, 소매의 태양정기 온전하오니 어찌 범하리까? 자연 생도 있어 일 년을 기약 하여 기쁜 소식이 있으리이다."

윤공이 이어 가로되,

"자의의 말이 옳으니, 소제 영녀를 유시에 자로 보았으니, 지감(知鑑)이 비록 사광(師曠)[83] 같지 못하나, 청천백일(靑天白日)은 역지기명(亦知其明)이니, 어찌 영녀의 귀복달수(貴福達壽)할 격(格)을 모르리오. 가정(家丁)을 사면에 헤쳐 심방함이 올토다."

하공이 좇아 허장지설(虛葬之說)을 그치나 스스로 신세를 한하여 앙천통호(仰天痛乎)하매, 누수(淚水) 하수(河水) 같아서 장염(長髥)에 맺힐

---

82) 허장(虛葬) : 오랫동안 생사를 모르거나, 시체를 찾지 못하는 경우에 시체 없이 그 사람의 옷가지나 유품으로써 장례를 치름. 또는 그 장례.

83) 사광(師曠) : 춘추시대 진나라 음악가로, 소리를 들으면 이를 잘 분별하여 길흉을 점쳤다. 따라서 소리를 잘 분별하는 것을 '사광의 총명'이라 한다.

사이 없으니, 스스로 탄 왈,

"원경 등 삼아를 참망하고 일녀를 실리(失離)하니 천하 궁민이라, 원광 등 삼아(三兒) 또한 두렵지 아니랴?"

윤공이 추연 위로 왈,

"형의 인의대덕으로써 영복이 무흠할 바이거늘 자안 등의 참사가 천지간에 없는 바요, 영녀를 실리하나 자연한 성덕은 신명이 보호하리니, 형은 모름지기 관심(寬心)하여 천도의 순환함을 볼지어다."

하공이 체루(涕淚) 묵묵하여 답언이 없으니, 생이 부모를 관위(款慰)하여 이성낙색(怡聲樂色)으로 위로하되, 부인이 회심함이 없어 죽기를 원하니, 공이 해유(解諭)하여 대의로 절책 왈,

"석년에 경아 등을 참망하여 내 거두어 풍진(風塵)에 장치 못하고, 서촉 수졸이 되어 내려올 적도 능히 살았거늘, 금일 여아의 참변이 석년에 비길 바 아니라. 다시 쌍아를 얻었고 윤현부의 특이함이 도리어 여아를 대신하여 심사를 위로하리니, 이다지도 과도하리오. 하물며 여아의 작성기질(作性氣質)이 요몰(夭沒)하여 호표(虎豹)의 복장(腹臟)을 채울 바 아니라. 망망한 천수를 예탁(豫度)기 어려우니 일이 되어 감을 볼지라, 어찌 일녀를 위하여 몸을 마치리오. 원광 부부의 정사를 고렴(顧念)하며 양아의 고고(孤孤)함을 염려치 않아 세사(世事)를 저버리고자 하니, 차는 불찰대의(不察大義)로다. 모름지기 관심하여 원광의 초황한 심사를 위로하고, 여아의 생환함을 기다려 복(僕)으로 하여금 근심을 더하게 마소서."

부인이 읍읍유체(泣泣流涕)하여 가로되,

"여아의 실리함이 첩의 팔자 흉험함이니, 어찌 원경 등의 원사(寃死)에 비길 바이리까마는, 차후 또 무슨 변고를 볼 줄 모르나,이 다 첩(妾)의 명박궁험(命薄窮險)함이라. 구구히 투생함을 원치 아니 하나이다."

공이 탄 왈,

"이른 바 천의(天意)라. 인력으로 미칠 바 아니니, 변이 온 즉 당하고, 없은즉 관심(寬心)하여 살리니, 어찌 구태여 오지 아닌 변을 이르리오. 슬픔이 복으로 더불어 일체(一體)니, 학생이 죽기에 당하여도 부인이 사생을 같이 못 하리이다."

부인이 공의 말이 이의 미처는 죽기도 또한 임의로 못 할지라. 오직 체읍(涕泣) 무언(無言)한데, 생이 시좌하여 화성유어(和聲柔語)로 감히 비색을 못하나, 석년 참화에 간장을 녹이는 통원이 칼을 삼킨 듯, 차라리 벽을 쳐 통곡함만 같지 못하여, 의형(儀形)이 환탈(換奪)하여 수일지내의 옥골이 표연(飄然)하고, 윤소저 한가의 모셔 황황초조(惶惶焦燥)하는 거동이 인심을 감동하는지라. 공이 자부의 여차경색(如此景色)을 자닝하여[84] 작화(作和)하고, 부인이 또한 고렴하여 식음을 나오나[85] 침와(寢臥)에 위돈(危頓)하여 자연이 세렴이 돈연(頓然)하더라.

어시에 신묘랑이 하소저 비주(婢主)를 업고 공중에 솟아오르니 처음은 가벼워 아아히 오르더니, 하소저의 당당한 정기 요정을 탄로(綻露)하니, 두려움이 극한 가운데 소제 처음은 호표로 알았더니, 자기를 업고 공중으로 오름을 보니 괴(怪)한 요정(妖精)인 줄 깨달아 일분 구겁(懼怯)함이 없어, 묘랑의 등을 쥐어뜯어 유혈이 임리(淋漓)하고 무거움이 태산이 누른 듯하니, 스스로 혜오대

"하씨 불과 십여 세 소아거늘 무엇이 그대도록 무거우리오마는, 대개 성신(星辰)의 정기로 사람을 이뤄 그 주성(主星)이 천중(天中)에 있어, 그 몸을 보호하는 고로 나의 법술을 행함이 어렵도다."

---

84) 자닝하다 : 애처롭고 불쌍하여 차마 보기 어렵다.

85) 나오다 : (음식을) 내오다. (음식을) 드리다. (음식을) 들다.

거의 놓아버릴 듯하다가 마음을 단단이 하고 담을 크게 하여 참기를 양구히 하다가 금사 강정(江亭)에 이르니, 몽숙이 촉을 밝혀 바야흐로 기다리다가, 천만 행심(幸甚)하여 방중에 맞아들이니, 묘랑이 방중에 놓고 몸을 화하여 여승이 되어 소저의 곁에 앉으니, 소저 비주 차경을 당하여 요괴롭고 차악경심하더니, 몽숙이 묘랑을 대하여 재배 칭은(稱恩)하고 소저의 곁에 앉으니, 소제 대경하여 초벽으로 앞을 가리오니, 몽숙이 이에 말을 펴 왈,

"소생은 경사 사람이라. 전(前) 승상(丞相) 구경암의 손이요, 전 시랑 구공의 자(子)라. 소저의 성화를 듣고 비록 일이 정도 아니나 신법사(法師)를 보내어 모셔 왔나니, 하늘이 인연을 가르치고 피차 고문벌열(高門閥閱)이라. 소제 가운이 불리하여 누얼을 신설치 못하였으나, 소생은 애매함을 알아 혐의치 않고 다만 소저를 흠복하나니, 원컨대 놀란 것을 진정하여 생의 말씀을 들으소서."

이리 이르며, 일변 눈을 들어 소저를 보니, 천교백미(千嬌百美) 쇄연기려(灑然奇麗)하여 계궁소월(桂宮素月)이 운간(雲間)에 광채를 흘림이요, 천화(天花)[86] 일지(一枝) 옥호(玉壺)에 꽂혔는 듯, 신채(身彩) 오오(旿旿)[87]하고 서광(瑞光)이 애애(靄靄)하여 일실(一室)에 도요(照耀)하니, 몽숙이 정신이 미란하여 점점 가까이 다가오니, 묘랑이 웃고 가로되,

"소제 많이 놀라 계시나 빈도는 도승이라 부처의 정과(正果)를 얻어 사람의 길흉을 아나니, 소제 구상공과 천연이 중하니 소제 능히 벗어나지 못하리이다."

86) 천화(天花) : 하늘에서 내리는 꽃이라는 뜻으로, '눈[雪]'을 달리 이르는 말.
87) 오오(旿旿) : 밝고 맑음.

소제 차언을 들으매 경악통해(驚愕痛駭)함을 이기지 못하니, 신묘랑은 각별한 요정이라, 하소저를 구생의 청으로 데려 왔으나 인연을 맺지 못할 줄 밝히 알되, 짐짓 소저를 공동(恐動)하나 몽숙이 겁박(劫迫)할 뜻이 급하여 묘랑을 눈 준대, 묘랑이 즉시 나가고 몽숙이 또한 초벽을 나가라 하니, 하소저 이를 당하여 죽음이 영화롭고 살고자 한즉 목전의 참욕이 급하니, 차시 망극(罔極) 초우(焦憂)한 심장이 경각에 사라져, 뒤돌아 생각건대 삼형이 함원참망(含怨慘亡)하고 자기 남매 서촉 한 가에 부모를 시봉하여 고적하심을 위로하거늘, 자기(自己) 불의에 요정에게 후리여 이곳의 와 유체(遺體)[88]를 누하(樓下)에 던지매 진실로 사람의 지통(之痛)이라. 꾀를 양평(良平)[89]에게 빌고 지혜를 제갈(諸葛)[90]에게 빌려도 살아 돌아갈 길이 없는지라. 망지소위(罔知所爲)하여 다만 초벽을 굳게 붙들고 눈을 들어 보니 후창(後窓)이 있어 고리를 걸지 아니하였는지라. 소제 급히 일어 후창을 열고 경홍(鶊鴻)[91]같이 내다르니, 초벽이 울며 또 급히 따르는지라. 소제 앞뒤를 살피지 못하고 총망이 뛰어 달아나니, 차시 월광이 낮같은데, 소저 노주 죽기는 혜지 아니하고 전지도지(顚之倒之)하여 사오 리를 내다르니, 원래 이 정자는 금사강변이라. 은은이 푸른 물결이 잔잔하여 흐르는 소리 은은하니, 소제 더욱 닫기를 급히 하여 이미 강변에 다다랐더니, 이때 몽숙과 요인(妖人)이 소저의 닫는 양을 보고 심하에 혜오대, '대강(大江)이 가렸으니 어린

88) 유체(遺體) : 부모가 남겨 준 몸이라는 뜻으로, 자기의 몸을 이르는 말.

89) 양평(良平) : 중국 한(漢)나라 때의 책사(策士) 장량(張良)과 진평(陳平)을 함께 이르는 말.

90) 제갈량(諸葛亮) : 181-234. 중국 삼국시대 촉한(蜀漢)의 정치가. 자 공명(孔明). 시호 충무(忠武). 뛰어난 군사 전략가로, 유비를 도와 오(吳)나라와 연합하여 조조(曹操)의 위(魏)나라 를 대파하고 파촉(巴蜀)을 얻어 촉한을 세웠다.

91) 경홍(鶊鴻) : 꾀꼬리와 기러기.

여자 어디로 가리오.' 하고, 완완이 웃으며 긴긴(緊緊)히[92] 따라가며 이르대,

"소저는 수고로이 닫지 말라. 승천입지(昇天入地)를 못한즉 이 구생의 수단을 면치 못하리라."

소제 듣는 말마다 통완함을 이기지 못하여 보보전지(步步前之)[93]하여 물가에 다다르매, 일성(一聲) 애호(哀呼)[94]에 물 가운데 뛰어드니, 초벽이 크게 울며 따라 소저 익수한 데 빠지니, 문득 슬픈 바람이 소소하며 수세(水勢) 흉용(洶湧)하여 경각에 간 곳이 없으니, 몽숙이 다다라 차경을 보매 어이없어 강심(江心)을 향하여 돈족(頓足) 통곡하기를 마지않으니, 묘랑이 역시 할일 없어 도리어 몽숙을 백단 위로하여 정자에 돌아오니, 속절없이 가슴을 두드려 밤새도록 애쓸 뿐이러라.

어시에 하공이 외당에 나오니 추밀이 역시 아끼고 경악함이 얻은 며느리와 다름이 있으리오. 양공이 악수체희(握手涕噫)하여 죽엄을 곁에 놓은 듯하니, 얼핏한 사이에 날이 가고 밤이 올수록 상하(上下)의 비만(悲滿)한 수운(愁雲)이 일광을 가리오니, 부인은 침석(寢席)에 몸을 던져 눈물이 오월장수(五月長水)[95]같아서 밤을 새와 낮에 이르니, 하생과 윤소저 감히 좌하를 떠나지 못하고 마음에 없는 한담으로 양제를 유희하여, 소매의 복록완전지상(福祿完全之相)이 요몰(夭沒)치 않을 바를 고하여 위로하더니, 이미 윤공의 환귀지속(還歸遲速)이 다다르니 장차 행리(行李)를 타점(打點)하여[96] 행도를 서두는지라. 하공이 여아를 실산

92) 긴긴(緊緊)히 : 느슨하게 사이나 틈을 두지 않고 바짝 따라붙거나 죄는 모양.
93) 보보전지(步步前之) : 급한 걸음 앞으로 나아감.
94) 애호(哀呼) : 슬프게 하소연 함.
95) 오월장수(五月長水) : 오월 장마로 불어난 큰물.
96) 타점(打點)하다 : 준비하다. 꾸리다.

하고 만사 무렴(無念)하되, 윤공으로 더불어 담화하여 천만 비회를 위로 하더니, 금일 이별하매 참연한 회포 자동(自動)하니 능히 금치 못하더라.

임별에 소저를 사실로 불러 슬하에 무애하여 이정을 이르니, 소제 연약한 촌장(寸腸)이 여삭(如削)하되, 엄구와 하생이 재좌하였으니 천만 강인(强忍)하여 나직이 모셔 비색(悲色)을 감추니, 추밀이 비록 쾌대(快大)한 장부나 만금 애녀(愛女)를 누천리 타향의 머무르고 가는 심사가 어찌 처창치 않으리오. 여아의 손을 잡고 생을 돌아보아 왈,

"불민한 소녀를 누천리에 머무르고 돌아가는 심사 비절하나, 여자 일생이 장부에게 있으니 자의는 모름지기 관인후덕(寬仁厚德)하여 '가옹(家翁)[97]의 눈 어두움과 귀 먹음'[98]으로써 불민한 아녀의 용둔(庸鈍)함을 용사(容恕)하여 길이 화락(和樂)하며, 이친(離親)하는 심사를 고렴하고 금일 나의 구구한 자애를 생각하여 저버리지 말지어다."

하생이 화락(和樂) 두자를 심리의 우이 여기나, 공의 추연한 낯빛을 보고 심중에 생각하되, 그 여아의 음악한 행사를 알지 못하고 저렇듯 연연함을 웃으나, 사사 왈,

"소생이 대인의 천지 같은 은혜를 수심명골하옵나니, 영녀 설사 칠거지악(七去之惡)이 있은들 어찌 불평함을 두리이까? 대인은 물우(勿憂)하시고 이측(離側)이 어려울진대, 명년 사이 데려가셔도 무방하도소이다."

공이 본디 자상치 못한지라. 하생의 언사를 무심히 듣고 의심치 않아

---

97) 가옹(家翁) : ①'옛 시대의 남편'을 뜻하는 보통명사. ②예전에, 나이 든 자기 남편을 이르던 말.

98) 가옹(家翁)의 눈 어둡고 귀 먹음 : 옛 시대의 남편들이 아내의 행실이나 말을 보고도 못 본 듯이 하고, 듣고도 못들은 듯이 했던 것을 본받으라는 말로, 아내의 행동과 말에 시시콜콜 참견하지 말라는 뜻.

가로되,

"여자유행(女子有行)이 원부모형제(遠父母兄弟)요, 내 어찌 구구한 사정으로써 대의를 폐하리오. 천도(天道) 순환(循環)하나니 복분(覆盆)[99]의 원(寃)을 신설하고 하문이 상경할 날이 있을 것이요, 설령 귀환이 더딘들 어찌 여자로서 부도(婦道)를 폐하리오. 스스로 행하여 보리니, 자의는 군자대도를 힘쓰고 여아는 부도를 힘써 삼가 만리에 기쁜 소식을 전케 하라."

하공이 결연한 회포 도리어 화기 사라져 묵묵무언이러니, 홀연 탄식 왈,

"금일 명강으로 활별(闊別)하매 하일 하시에 서로 봄을 얻으리오. 소제 적앙(積殃)이 미진하여 일녀에게 미쳤는지라. 영랑으로 더불어 언약을 정하였으니, 형의 명주(明珠)와 혼서(婚書) 협사(篋笥)에 있으니, 이번 행도에 찾아가려거든 가져가고, 식부는 누천리 애각에 상리(相離)하는 정이 연연하려니와, 우제(愚弟) 사랑함이 어찌 친녀에 다름이 있으며 신상의 불평함이 있게 하리오."

윤공이 답왈,

"불행하여 영녀(令女)를 실리 하였으나, 반드시 길신(吉神)이 보호하여 생환하는 기약이 있을 것이요, 돈아 유충(幼沖)하여 취실(娶室)의 조만(早晩)이 바쁘지 않고, 수삼 년을 기다려 길흉간(吉凶間) 정녕(丁寧)함을 들은 후 다시 상의하리니, 다만 형은 쾌대(快大)한 장부의 체위(體威)를 일치 말고 길이 보중하라."

하공이 함비칭사(含悲稱謝)하고 작별하기를 인하여 당에 내리니, 생

---

99) 복분(覆盆) : 동이가 뒤집혀진 채로 있어 속을 볼 수 없음을 뜻하는 말로, 죄를 뒤집어쓰고 밝히지 못하고 있음을 나타낸 말.

이 배알(拜謁) 송지(送之)할 새, 소저 한가지로 따른지라. 생이 한번 숙시하매 숙덕 현행이 현저(顯著)하니, 그 얼굴을 본 일이 없더니, 공의 체체한[100] 자애 안동(顔動)하매, 심리(心裏)에 생각하되, 윤공은 훤대(喧大)한 장부거늘 기녀의 음악(淫惡)함을 모르고 저렇듯 하는고? 의사이에 미처는 하염없이 백안(白眼)을 길게 하여 찰시하니, 기상이 화홍(和弘)함은 혜풍(惠風)[101]의 화(和)한 도량이요, 팔자(八字) 분명(分明)함은 미우(眉宇)의 둘러 성덕(聖德)을 이뤘으니, 유이수이(幽而秀而)[102]하여 가히 진선진미(盡善盡美)하였으니, 일천 가지 고운 빛이 빼어나되 교치(驕侈)롭지 아니하여, 탁월하고 유한(幽閑)함이 결군(結裙)[103]한 사군자(士君子)라. 이 대음(大淫)이 있은즉 외모에 현출(顯出)할 바거늘, 차인은 어찌하여 외모의 내도함이 여차하뇨? 내 평생에 지감(知鑑)이 있고 상법(相法)이 밝음을 자부하더니, 차인이 덕기 완전하고 오복(五福)[104]이 구전(俱全)하여 뵈니 이 어찐 까닭인가? 신혼 초일(初日)도 참지 못하여 음악(淫惡)을 지어 내 눈에 현출(顯出)하고, 도금하여 사기(辭氣) 완연(完然)하니 대간대독(大奸大毒)이라. 내 흉(凶)하여 실기국망기가(失其國亡其家)하는 뉴(類)를 의혹하더니, 차인(此人)이 어찌 그러하여 내 알아보지 못 함인가? 하고, 다시 보고 고쳐 생각하여 심리(心裏)에 우환(憂患)이 되어 상성위광(喪性爲狂)할 듯하되, 부모를 위하여 천생효의(天生孝義)로 사사의견(私私意見)이 없으되, 부모 음부를 사랑

---

100) 체체하다 : 행동이나 몸가짐이 너절하지 아니하고 깨끗하며 트인 맛이 있다.
101) 혜풍(惠風) : 온화하게 부는 봄바람.
102) 유이수이(幽而秀而) : 그윽하고 빼어남.
103) 결군(結裙) : 치마를 입음.
104) 오복(五福) : 수(壽), 부(富), 강녕(康寧), 유호덕(攸好德), 고종명(考終命) 등 유교에서 이르는 다섯 가지 복.

하시어 비회를 위로하시니 어찌 괴이치 않으리오. 생각이 이에 미쳐는 도리어 태연무심(泰然無心)하더라. 재삼 연연하다가 피차 분수하니, 거류양정(去留兩情)[105]이 의의(依依)하여 수거서(數車書)[106]에 기록하기 어렵더라.

차설, 하소저 노주 한번 천척(千尺) 강심(江心)에 떨어지니 연연약질(軟軟弱質)이 어찌 생도(生道)를 바라리오. 죽음이 당당하고 삶이 망연(茫然)하거늘, 하늘이 비록 높고 멀어 앎이 없다 하나 반드시 길인을 돕는 도리 떳떳한지라. 하씨 노주 문득 물에 들지 아니하고 한 조각 널 위에 올라 앉으니, 양풍(良風)[107]이 슬슬[108]하고 수파(水波) 고요하나 닫기를 살같이 하니, 소제 앙천 탄 왈,

"죽고자 하되 얻지 못하고 널에 의지하여 이렇듯 행하니 나중이 어찌 될꼬? 이 또한 신기(神祇)[109] 죄벌을 주시미라."

하고, 초벽은 하늘을 우러러 생도에 나아감을 빌더라.

봄밤이 심히 짧아 날이 밝되 물에 흘러 행하니, 하루 얼마를 행하는 줄 모를러라. 주즙(舟楫) 행선(行船)도 만나지 못하고 이렇듯 닫기를 주야 달리니 기갈이 심하고 정신이 어질하여 여취여치(如醉如痴)[110]하더니, 제삼일에 홀연 한낱 채선(彩船)이 비단 풍범(風帆)을 달고 표연(飄然)이 소저 앉은 널조각을 향하여 오는지라. 비주(婢主) 놀라 정신을 정하여 보니 주중(舟中)에 일위 소년이 흑사당건(黑紗唐巾)[111]을 쓰고 청

---

105) 거류양정(去留兩情) : 떠나는 사람과 남는 사람사이의 이별의 정.
106) 수거서(數車書) : 여러 수레에 실을 만큼의 많은 글.
107) 양풍(良風) : 순풍(順風). 순하게 부는 바람.
108) 슬슬 : 바람이 부드럽게 부는 모양
109) 신기(神祇) : =천신지기(天神地祇). 천신과 지기를 아울러 이르는 말. 곧 하늘의 신령과 땅의 신령을 이른다.
110) 여취여치(如醉如痴) : 취한 듯 멍한 듯.

사포(靑紗袍)[112]를 입어 유생(儒生)의 거동이로되, 추종(騶從)[113]이 부려(富麗)하고 소년의 연기 이팔(二八)은 하나 귀격(貴格)이 당당하니 이 사람은 누구인가? 하회(下回)를 끝까지 보라.

이 때에 간의태우 문연각태학사 표기장군 정천흥이 선묘(先墓) 태주 송추(松楸)[114]에 배알하고 돌아오는 길이 금사강을 지나는 고로, 수일을 행선(行船)하여 수심(水心)[115]에 이르렀더니, 문득 보니 상류(上流)로 좇아 한 잎 널조각이 살 쏘듯 내려와 서로 마주치니, 정태우 괴이히 여겨 눈을 들어 살피니 널 위에 두 소녀자(小女子)가 앉아 있으되 얼굴에 전혀 생기가 없는데, 한 여자는 홍상채의(紅裳彩衣)로 나이 십여 세는 하고, 용모(容貌) 가려(佳麗)하여 선원(仙苑)의 꽃봉오리 채 피지 못한 듯하니, 한낱 절염소아(絶艶小兒)요, 한 여자는 인가(人家) 청의(靑衣) 복색이로되 재용(才容)이 소려(昭麗)한지라. 태우 괴이히 여겨 바삐 연고를 무른대, 초벽이 울며 고 왈,

"천첩(賤妾)은 서촉에 적거하신 하상서댁 비자 초벽이러니, 소저를 모셔 요정(妖精)에게 후린[116] 바 되어 강심(江心)에 떨어져 죽게 되었사오니, 상공은 크게 자비(慈悲)를 베푸시어 사지(死地)에서 구하심을 바라나이다."

---

111) 흑사당건(黑紗唐巾) : 검은 비단으로 만든 당건. 당건은 예전에 중국에서 쓰던 관(冠)의 하나로, 당나라 때에는 임금이 많이 썼으나, 뒤에는 사대부들이 사용하였다.

112) 청사포(靑紗袍) : 푸른 비단으로 지은 도포(道袍). 도포는 예전에 예복으로 입던 남자의 겉옷.

113) 추종(騶從) : 윗사람을 따라다니는 종.

114) 송추(松楸) : ①산소 둘레에 심는 나무를 통틀어 이르는 말. 주로 소나무와 가래나무를 심는다. ②'무덤'을 비유적으로 이르는 말.

115) 수심(水心) : 강이나 호수 따위의 한가운데.

116) 후리다 : 잡아채다. 재빠르게 잡고서 당기거나 추켜올리다.

태우 청필(聽畢)에 대경차악(大驚且愕)하여 바삐 구할 새, 선인(船人)을 분부하여 바를 빨리 저어 널조각을 따르되, 널 잎이 닫기를 한없이 하니, 선인이 배를 그같이 저을 길이 없거늘, 태우 심사 착급하여 분연이 웃옷을 벗어 후리치고 친히 배를 저으매, 두 팔 가운데 만부부당지용(萬夫不當之勇)이 있고, 재주 만사(萬事)에 신이하니, 선인이 등에 땀이 흐르며 소리 요란하여 진력히 배를 저음에 비기리오. 경각에 살 가듯 널 잎을 따라 서로 닿으니, 정태우 하소저를 향하여 절하고, 가로되,

"소저의 복색이 사문 규수니 외간 남자가 감히 한 배에 오르기를 청함이 예(禮)에 불가하나, 예전에, '아자미 물의 빠지매 아자비 손으로 건짐'은 성인의 이르신 바라. 소생이 결단코 소저에게 유해한 사람이 아니요, 화란지시(禍亂之時)에 구함이 혐의 없을 것이니, 바라건대 소저는 이 배에 오르소서."

소제 정생의 비상한 표치풍광(標致風光)과 어진 말씀을 들으매 의심이 적되, 오히려 구몽숙에게 속은 심신(心身)이라, 남자를 무섭게 여겨 저의 성시와 근본을 모르고 일선(一船)의 올랐다가 또 무슨 변고를 볼 줄 알리오? 하여 주저하고 답지 아니니, 태우 그 위태함을 착급하여, 왈,

"소생은 태우 정천흥이라. 생의 집이 비의(非義)를 원수같이 여기나니, 태양이 하늘에 떠 있고 신명(神明)이 곁에 있으니, 생이 일분도 소저에게 해로운 의사 없나이다."

하며 배를 저어 널에 대고 자기 배에 나아가 원비(猿臂)를 늘여 널 채 붙들어 선창(船艙) 안으로 가벼이 들여놓고, 하리추종(下吏追從)을 다 선창 밖으로 내어 보내니, 하소저 노주 널 위에 올라 정태우 위력으로 붙들어 선중에 들이기를 당하니, 물에 빠지지 않으면 피할 길이 없을 뿐 아니라, 정천흥 세 자(字)를 들으매 이 분명 금평후의 아들인 줄 깨달

아, 오히려 야야(爺爺)의 동기 같은 친우의 자제(子弟)니, 타인보다는 낫고 결약남매(結約男妹)하기를 제 이르니, 혐의(嫌疑)로움이 없을지라. 부끄러움과 슬픔을 강인하여 선중 안에 앉으니 수일을 굶은 정신이 아득하고, 양일을 널 위에 올라 일시도 그칠 사이 없이 수파(水波)의 출몰(出沒)하였다가, 천만 의외에 의기 군자의 구활함을 입어 선창 안에 오르니, 처음 투강할 적과 달라, '어느 때 잠닉(潛溺)하여 어별(魚鼈)의 밥이 되어 부모께 불효를 어느 곳에 쌓을꼬?' 하여, 비회 천만가지로 촌단(寸斷)하다가, 편한 선창(船艙)에 오르매, 죽을까 염려는 사라지고 온몸이 아프고 요요(搖搖)한 심사 형상키 어려우니, 정태우 결약(結約)하기를 이르며 소저의 성시(姓氏)와 거주(居住)를 초벽더러 물으니, 초벽이 대 왈,

"아주(我主)는 서촉에 적거하신 하상서의 딸이라. 일야지내(一夜之內)에 여차여차(如此如此)한 변을 만나 구몽숙이라 하는 원수놈을 만나 금사강에 뛰어들매, 가라앉지 아니하고 널 위에 올라 두 날과 밤을 지내되 능히 사람을 만나지 못하였더니, 상공의 대은을 입사와 노주 살 길을 얻었나이다."

정태우 놀라 낯빛을 고치고 소저를 향하여 왈,

"영존당(令尊堂) 연숙대인(緣叔大人)은 가친과 문경지교 (刎頸之交)시니 생 등의 앙성(仰誠)이 숙질(叔姪) 같은지라. 일가지친(一家之親)과 다름이 있으리오. 소저는 생으로써 '불인한 의사 있는가?' 염려치 마시고, 소생이 소저를 구함이 혐의에 가까우니, 서로 맺어 남매(男妹) 되면 친동기와 다름이 있으리오."

소저 나이 어리나 정태우의 특이한 위인을 항복하여 자기를 구함이 잡의사(雜意思) 없음을 깨달아, 누수(淚水)를 드리워 은혜를 사례하고, 즉시 결약남매 됨을 신명(神明)께 고하고, 하소저 정태우에게 두 번 절

하여 제매(弟妹) 되고, 태우는 형남(兄男)이 되매, 태우 길이 탄하여 왈,

"하늘이 현매를 인도하여 나를 만나게 함이 우연한 일이 아니라. 구몽숙자는 표숙(表叔)이 그 고혈(孤孑)함을 자닝히 여겨 거두어 교학(敎學)하시고, 가친이 구시랑과 친하시던 고로 의식을 고휼(顧恤)하시기를 아등(我等)과 같이 하시되, 행실이 마침내 불미하고 정직치 못함을 애달아하시더니, 현매를 그대도록 해할 줄 알았으리요. 이제 촉으로 내려가고자 하나, 약질이 험로에 득달키 어렵고, 인심(人心)은 불가측(不可測)이라, 중로(中路)에서 변을 만날 줄 어찌 알리오. 현매 날과 취운산에 가 부모께 뵈옵고 노자(奴子)를 촉에 보내어 영당(令堂)[117]에 생존한 희사(喜事)를 고함이 마땅하도다."

소제 읍읍(泣泣) 사례 왈,

"거거의 구활대은(救活大恩)으로 사자(死者) 부생(復生)하였으니 지교(指敎)를 받들지 않으리오. 다만 부모 참척(慘慽)을 남의 없이 보신지라. 소매를 잃으시고 과상하시리니, 생존하였음을 급히 통코자 하나이다."

태우 왈,

"이곳이 경사 사오일이 격하였으니 바삐 행하여 우리 부모께 뵈옵고 촉에 사람을 보내어 결약남매 함을 하연숙께 고하리라."

소제 사사하고 태우 즉시 님산 이학사께 채교(彩轎)를 빌려 소저를 채교에 올리고 자기 호행하여 경사로 바삐 올라갈 새, 이학사 정태우를 와자고 가라 하여 청함이 사오 차에 미치니, 태우 행도 하루가 바쁘나 부형의 친우가 여러 번 청하니, 인사에 마지못하여 벽화촌으로 나아가나, 하소저 행차와 좇은 하리 등은 다 집 잡아 머무르게 하고, 자기는 노마

117) 영당(令堂) : 영자당(令慈堂). 모친(母親).

(奴馬)만 거느려 이부로 나아오니, 원래 이학사는 금평후의 아시 고구(故舊)라. 명은 춘이오 자는 덕보니 세대 명문이러라.

ഀ

명주보월빙 권지십이

익설(益說) 원래 이학사는 금평후의 아시 고구(故舊)라. 명은 춘이요, 자는 덕보니, 세대 명문이오. 학사 위인이 청고하여 소년등과 하되 작록을 구치 아니하고, 사환(仕宦)에 뜻이 낙낙(落落)[118]하여, 일찍 태학사를 지내고 부모상을 만나 선릉이 남산인 고로 시묘(侍墓) 삼년을 지내고, 인하여 조정이 벼슬을 높이되 죽기로써 사양하여 나지 아니하고, 임천(林泉)에 한가한 몸이 되었더라.

부인 단시는 요조숙녀니 동주(同住) 이십년에 일자 삼녀를 두었으되 여자 다 위더라. 장녀 수빙과 차녀 연빙은 쌍태(雙胎)요, 연기 십유삼(十有三)에 성행(性行)이 가즉하여[119] 유한정정(幽閑貞靜)하되 수빙은 용모 의논할 바 아니라. 신장이 칠 척을 다하고 검은 살이 와석(瓦石) 같고, 가월천정(佳月天庭)[120]에 일월(日月)[121]이 각각 서고, 높은 코와 '걷어든 턱'[122]이요, 좌우에 드러난 혹이 귀 밑에 있어 바로 보기 어렵되, 다만 일쌍봉안(一雙鳳眼)에 영기(靈氣) 당당하여 추수(秋水)의 정기

---

118) 낙낙(落落) : ①남과 서로 어울리지 않다. ②작은 일에 얽매이지 않고 대범하다.
119) 가즉하다 : 가지런하다. 고루 다 갖추다.
120) 가월천정(佳月天庭) : 달처럼 둥근 이마.
121) 일월(日月) : 해와 달처럼 생긴 짝눈.
122) 걷어든 턱 : 턱이 걷어 올린 것처럼 정상적인 턱보다 짧고 안쪽으로 들어간 턱.

(精氣)를 머금었고, 긴 눈썹은 천창(天窓)을 떨쳤으되 상활(爽闊)한 격조(格調) 대장부(大丈夫)의 틀이 있으니, 학사 그 위인을 강인하나 그 상모(相貌)를 우민(憂悶)하더니, 금년 춘에 두역(痘疫)[123]을 험이 하였으니 부모 더욱 우민하되, 차 소저 연빙의 천향이질(天香異質)이 백태기려하여 눈 옮기기 아까운 태도요, 여행(女行)이 온유정정(溫柔貞靜)하여 만사 진선진미(盡善盡美)하니, 부모 만금에 비기지 못하나, 장녀의 험준한 상모는 농부에게 이가(貽嫁)함도 오히려 불가하니, 택서(擇壻)하는 뜻이 일시도 한가치 못하더니, 정태우 등과 소분하는 행도 자기를 찾아보는 고로 그 위인의 관홍함과 출범 비상함을 흠애하더니, 다시 지경(地境)을 지난다 하니, 일찍 반기고자 뜻이 있어 청래하였더니, 이르러 예필(禮畢) 한훤(寒喧)에 이공이 소왈,

"창백이 이 땅을 지나며 찾지 아니하니 박정함을 거의 알려니와 절긴(切緊)한 소회 있어 청하였나니 군이 능히 우회(愚懷)를 청납하랴?"

정태우 공수(拱手) 대 왈,

"소생이 비록 불민하오나 어찌 장자지명(長者之命)을 불수(不受)하리까? 원컨대 한번 이르심을 아끼지 마소서."

이공이 또한 웃고 왈,

"연즉(然則) 창백은 날을 위하여 싫은 것과 무서운 것을 참을진대 이르고, 그렇지 아닌즉 처음부터 토설치 않으리라."

태우 그 언사 수상함을 의혹하여 대 왈,

"소생이 무서운 것은 참으려니와 싫은 것은 가히 강인치 못하리이다."

---

123) 두역(痘疫) : 천연두(天然痘). 천연두 바이러스가 일으키는 급성의 법정 전염병. 열이 몹시 나고 온몸에 발진(發疹)이 생겨 딱지가 저절로 떨어지기 전에 긁으면 얽게 된다.

공이 소왈,

"네 말이 옳다."

하고, 손을 이끌어 내당 통한 협문을 열고 가르쳐 이르대,

"창백은 저를 보라."

태우 눈을 드니 적은 당사에 일위 규수 사창(紗窓)을 의지해 손에 책을 들었으니, 그 용모의 추악함이 본 바 처음이라. 체용이 정숙하고 복덕이 유명하여 뵈니 태우의 별출(別出)한 안광으로 어찌 지기함이 없으리오. 즉시 눈을 낮추고 번신퇴좌(翻身退坐)[124] 왈,

"대인이 무슨 연고로 소생을 핍(逼)하여 내사(內舍)를 뵈시니 심리(心裏)의 그윽이 불안하여이다."

공이 소왈,

"그대 추용누질(醜容陋質)을 보냐?"

태우 정색 왈,

"소생이 행신이 독경(篤敬)치 못하와 규수를 규견(窺見)함이 되니 종신누덕(終身陋德)이 되리로소이다."

공이 좌우를 물리고 태우의 손을 잡고 탄식 왈,

"내 진실로 절박한 소회 있어 금일 창백에게 고하나니, 행여 허물치 말고 청납(淸納)하라. 아까 본 여자는 곳 나의 장녀라. 추용누질이 여차한 고로 촌부농한(村夫農漢)의 배위(配位)도 불사(不似)하되[125] 다만 천성이 화열하고 덕행이 고인을 흠모하니, 위부모자(爲父母者)[126] 그 성행을 저버려 용부속자(庸夫俗子)에게 돌아 보내어 규리(閨裏)에 폐치함

124) 번신퇴좌(翻身退坐) : 몸을 돌이켜 자리에서 일어남.

125) 불사(不似)하다 : 닮지 않다. 격에 맞지 않다.

126) 위부모자(爲父母者) : 부모 된 자.

이 가련한지라. 대개 대군자의 화홍한 도량 곳 아니면 불가하고, 또 창백을 헤아리매 위로 양위 숙녀를 배하여 실중에 빛을 갖추었고, 군의 성정이 화홍 관대하니 거의 와룡(臥龍)[127]의 황발부인(黃髮夫人)[128] 후대하는 덕량(德量)이 있을지라. 고로 금일 거조를 행하였나니, 아녀의 더러움을 보지 말고, 제삼 부빈에 취하면 내 또한 고인의 결초보은(結草報恩)을 기약하리라."

태우 이의 사례 왈,

"소생의 부재 박덕을 물시(勿視)하시고 동상(東床)을 허코자 하시니, 지우(知遇)를 감사하오나, 소생이 연기 유미하거늘, 범사 과람(過濫)하여 두 번 취함도 외람 불안하거늘, 대인의 소교로써 삼위에 굴하리까? 하물며 부모 재당(在堂)하시니 소생이 자전(自傳)할 바 아니로소이다."

공이 흔연 소왈,

"내 구태여 창백으로 더불어 가만히 혼인을 정맹하고자 함이 아니라, 영엄(令嚴)이 허할진대 창백이 사양치 아니랴?"

태우 대 왈,

"혼인은 인륜(人倫) 대관(大關)[129]이요, 예의염치(禮義廉恥)는 풍화(風化)[130]의 사유(四維)[131]니 어찌 먼저 의논하리까? 양가 존당이 상의

---

127) 와룡(臥龍) : 중국 삼국시대 촉한의 정치가 제갈량(諸葛亮 : 181-234)의 별호(別號).

128) 황발부인(黃髮夫人) : 중국 삼국시대 촉한의 정치가 제갈량(諸葛亮 : 181-234)의 부인 황씨. 추녀였으나 지혜와 재능이 뛰어나 남편 제갈량에게 도움을 주었다고 한다.

129) 대관(大關) : 큰 관문(關門).

130) 풍화(風化) : 교육이나 정치의 힘으로 풍습을 잘 교화하는 일.

131) 사유(四維) : 나라를 다스리는 데 지켜야 할 네 가지 원칙. 곧 예(禮)・의(義)・염(廉)・치(恥)를 이른다.

하여 부모 명지(命之)하신 즉 순수할 따름이니, 소생에게 가부(可否)를 무르심이 가치 않도소이다."

이공이 연망(連忙)이 칭사하고 종용이 담화할 새 풍화한 담론(談論)이 장강대하(長江大海)를 거꾸러뜨릴[132] 것 같으나 기위(氣威) 침엄(沈嚴)[133]하여 제세안민(濟世安民)하며 공개천하(功盖天下)하여 지위(地位) 천승(千乘)을 기약할지라. 이공이 그 낯을 우러러 흠열(欽悅)하더라.

일색이 늦으매 하직하고 하처(下處)에 돌아와 하소저를 배행(陪行)하여 사오일만의 취운산에 이르러, 소저 채교를 떨어져 행케 하고, 말을 채쳐 먼저 환가하여, 승당 배현하고 존당 부모께 존후를 묻자온 후, 다시 자리를 떠나 꿇고 하소저 만난 설화와 결약남매(結約男妹)하여 데려온 소유를 고하니, 금평후 탄식 왈,

"하형의 무궁한 통원(痛寃)을 겪고 다시 일녀를 실리하니 가장 자닝한지라, 내 어찌 여아와 다름이 있으리오."

하고 정히 기다리더니 이윽고 하소저의 거교(車轎) 문에 임하니 양낭(養娘)[134]으로 청하여 화교를 정전(庭前)에 놓고, 주렴을 걷으매 하소저 동신(動身)하여 나오니, 일륜(一輪) 소월(素月)이 부상(扶桑)에 올라 광휘(光輝)가 탈휘(奪輝)하니, 상광(祥光)이 애애(靄靄)하고 서기(瑞氣) 요일(繞日)하여 오운(五雲)을 멍에하며 중천에 오르고자 하니, 팔자아황(八字蛾黃)과 추수사일(秋水斜日)에 자연한 성덕문명(聖德文明)이 나타나니, 금평후 부부의 안고태악(眼高泰岳)함으로도 번연경동(翻然驚動)함을 깨닫지 못하더라. 이미 승당하매 태부인이 흔연 왈,

---

132) 거꾸러뜨리다 : 압도하다. 세력 따위를 꺾어 힘을 잃게 하거나 무너지게 하다.
133) 침엄(沈嚴) : 침중(沈重)하고 엄숙(嚴肅)함.
134) 양낭(養娘) : 여자 종. 주로 혼인한 여종을 일컫는다.

“하・정 양문의 세대교분(世代交分)으로써 다시 하소저를 결의하였으니 어찌 친생에 다름이 있으리오. 모름지기 제아(諸兒)와 양부(兩婦)를 불러 서로 보게 하라.”

공이 이에 제공자와 양소저를 명하여 한가지로 볼 새, 자리를 바로 하고 하소저 순태부인과 정공 부부를 향하여 팔배(八拜)하여 부모와 조손의 예를 마치매, 물러 제정(諸鄭)으로 더불어 자매와 형제의 예를 이룰 새, 인흥 공자의 년이 십삼이라 형이 되고, 세흥 유흥 윤흥 필흥 삼공자는 두번 절하여 제남(弟男)이 되고, 혜주소서는 동년(同年)이로되 하소저 일삭 아래라. 혜주 형이 되어 예를 이루니, 태우 미소 왈,

“소매와 하매는 천의(天意) 유의하신 자매로다. 내 결의남매 하매 소매 또한 형이 되고 구가(舅家)의 제사(娣姒)[135] 되리니 어찌 각별치 않으리오.”

양 소저 성안(聖顔)이 나직하여 수색(羞色)이 은영(隱映)하더라. 금후 하소저를 나오게 하여 무애(撫愛)하여 가로되,

“금일 부녀의 의를 맺으매 또한 천륜의 대의 있나니, 너는 모름지기 서어(齟齬)히 여기지 말라.”

소저 배이수명(拜而受命)하매 온공협흡(溫恭協洽)함이 일월명모(日月明眸)에 가득하나 언어에 이름이 없더라. 진부인의 열일단엄(烈日端嚴)함으로도 하소저를 대하매 체체한 사랑과 무애함을 기출(己出)같이 하더라.

이에 장노(長奴)를 명하여 촉으로 보낼 새, 금평후 하공에게 서간을 보내어 전후 소유를 고하여, 이에서 혼인을 이루고 촉지에 내려가지 말고, 복분(覆盆)의 원을 신설하여 돌아오는 날 부녀 상회(相會)함을 이르

---

135) 제사(娣姒) : 형제의 아내 가운데 손아래 동서와 손위 동서.

고, 진부인이 조부인께 글을 부쳐 아름다운 여아를 빌림을 칭사하고 머물음을 간청하였더라. 하소저 부모와 거거께 전후 소위를 베풀어 서봉을 끼쳤더라.

태우 다시 분부하여 길에서 사람을 만나거든 일절 이런 일을 누설치 말라 엄히 당부하고, 부전에 궤고(跪告) 왈,

"구몽숙이 성정이 교사(狡詐)하고 행실이 한갓 음사부정(陰邪不正)하오니 한심하오나, 일러 고칠 자가 아니니 하매의 생존을 전치 마소서."

하니 공이 점두(點頭)하매, 태우 우주(又奏) 왈,

"윤추밀이 하매 이곳에 있음을 들은즉, 과히 기뻐하여 전설한 즉 몽숙이 또한 들으리니 아직 영영 기였다[136]가, 당혼(當婚)하여 상의하고 혼례를 이룸이 가할까 하나이다."

금후 의연(依然)하여 하소저를 숙소의 머무르나 타인이 알지 못하더라.

일일은 하소저 선월정에 이르니, 윤소저 두 아우의 배필(配匹)이 다 비상함을 깃거[137] 일어나 맞아, 옥안성모(玉顔星眸)에 화기 가득하여 고금예악(古今禮樂)을 논문할 새, 피차(彼此) 지심애대(知心愛待)하여 심곡(心曲)에 바라니, 하소저 윤・정 양소저의 문채를 칭복하여 왈,

"첩수용우(妾雖庸愚)하오나, 원컨대 양 저저는 한번 가영(歌詠)을 아끼지 마소서."

윤소저 탄 왈,

"첩은 만사 혼용(昏庸)하니 어찌 작시(作詩)하는 재주 있으리오."

혜주 소왈,

---

136) 기이다 : 어떤 일을 숨기고 바른대로 말하지 않다.
137) 깃거하다 : 기뻐하다.

"여자의 가구보장(佳句寶章)이 아름답지 아닌 고로 다시 청치 않았나니, 윤형은 너무 외대하심을 애달아하나이다."

윤소저 미소 왈,

"첩이 어찌 소저를 외대하리오. 자유로 정혼(精魂)이 남다른 고로 학문의 높은 재주를 널리지 못하였으니 어찌 시를 졸한(猝翰)[138]하리오."

정언간(停言間)에 태우 들어오다가 문기고(問其故)한대, 혜주 윤씨의 겸양함을 전하니 태우 소왈,

"정신이 암렬(暗劣)하니 작시할 문한(文翰)도 없으려니와, 원간 아시로부터 어진 조모에게 넋을 많이 잃어 사람이 되지 못하였으니, 현매 등으로 더불어 논문함 직하지 않은지라. 우형이 현매 등을 위하여 여장장부(女裝丈夫)를 얻어 취(娶)하여 규중사우(閨中師友)를 삼으리라."

혜주 총명이 여신(如神)한지라. 한갓 희담의 말을 함이 아니라 어데가 오악(五嶽)[139]이 구전(俱全)한 여자를 보았음을 지기하고 낭소(朗笑) 왈,

"거거는 사람 모으기로 승사를 삼아 번사(繁事)를 취하거니와 소매 등은 윤·양 이인 밖엔 모르나이다."

태우 소왈,

"우형이 처실이 많은들 여등(汝等)에게 무엇이 유해하리오. 우형의 사람 모음을 구경할지어다. 어디 윤·양만 못한 재 있으리오."

언필의 금평후의 명으로 태우를 부르니, 정당에 이르매 공이 일장 서간을 들고 태우더러 가로되,

"임산 이학사의 서봉(書封)이 왔으되, 사의 여차여차하니 차혼(此婚)

---

138) 졸한(猝翰) : 갑자기 글을 지음.

139) 오악(五嶽) : 얼굴의 두 눈과 두 콧구멍, 입을 말함.

을 허치 말고자 하되, 구교(舊交)의 안면을 아니 보지 못할지라. 마지못하여 허코자 하나 너의 경박함이 취색경덕(取色輕德)함이 있은 즉, 차라리 아예 허치 않음만 같지 못한 고로 너의 뜻을 알고자 함이니, 이 서간을 보라."

태우 이미 아는 일이라, 공경하야 받자와 물러 주하되,

"향자(向者)에 이공이 미의(微意)로써 소자에게 보임이 있거늘, 번사(繁事)를 꺼리고 자전(自傳)치 못하여 물리쳤삽더니, 만일 대인이 구교(舊交)의 의(義)를 고렴하시어 허코자 하실진대, 소자 어찌 감히 취색경덕하여 대인의 구교의 의를 상해오리까?"

금후 무언하니 태부인이 가로되,

"천흥이 호일(豪逸)하여 번사를 취할 듯하나 윤·양 등이 이미 숙요(淑窈)하거늘 또 신취(新娶)하여 무엇하리오."

공이 대주 왈,

"자교(慈敎) 마땅하시나 이아(李兒) 무염(無艷)의 박색(薄色)으로 덕을 자랑하여 구혼이 간절한 바로, 물리친 즉 취색경덕하는 바이오니, 저의 안면을 구애함이요, 번사를 취함이 아니로소이다."

태부인이 소왈,

"이씨 양선(良善)할진대 만행이거니와 천흥이 유미지년(幼微之年)의 번사 선도(善道) 아니로다."

휘 복주(伏奏) 왈,

"소자 번사를 피하오대 일이 이에 이르매 마지 못하옴이니 차후 사취(四娶)에 이르러는 불허하리로소이다."

태우 봉안이 나직하여 간예함이 없으나 자기의 호신하는 뜻이, 숙녀미희(淑女美姬)를 모아 평생 호신을 빛내고자 하거늘, 야야의 뜻이 내도하심은 그윽이 민울하더라. 금평후 답서하여 쾌허하니, 이학사 대열하

여 급급히 상경하여 고택(古宅)에 안둔(安屯)하고 길일을 보하니 겨우 일삭을 가렸더라.

시시에 금평후 제이자(第二子) 인흥공자의 자는 후백이니, 시년(時年)이 십삼이라. 신장이 팔척이오, 양비과슬(兩臂過膝)하여 남전백옥(藍田白玉)[140]을 다듬은 듯, 추수봉안(秋水鳳眼)이요, 가월천창(佳月天窓)에 호비주순(虎鼻朱脣)이라. 높은 문장은 팔두(八斗)[141]를 기울이고 필법은 종왕(鍾王)[142]의 죽은 넋을 놀래며 효의 출인하여 증삼(曾參)의 후를 이르니, 존당 부모 기애(奇愛)하더라.

공자의 천품(天稟)이 온중단묵(穩重端默)하고 침묵언희(沈默言稀)하여 흉중(胸中)에 제세안민지책(濟世安民之策)과 안방정국지술(安邦定國之術)을 감추었으니, 추월이 의의하고 광풍(光風)이 휘이(輝異)한 듯, 높은 기상은 추천의 가없음 같으니, 공맹의 도를 이을 옥인군자라. 공이 그 위인을 취중(取重)하여 널리 현부를 가릴 새, 명공열후의 딸 둔 자 다투어 구혼하되, 금평후 가벼이 허치 아니하였더니, 이학사 장녀의 친사를 위하여 정부의 이르러 담화할 새, 이학사 우연(偶然) 소왈,

"형이 여러 옥윤을 두었으되 내외함이 심하니 어찌 애달지 아니리오."

금평후 미소하고 인흥 등 제아를 명소하니 수유(須臾)에 응명하거늘, 공이 이공을 가르쳐 예하라 하니, 세 공자 수명하고 이공을 향하여 재배

---

140) 남전백옥(藍田白玉) : 남전산(藍田山)에서 난 백옥(白玉)이란 뜻으로 명문가에서 난 뛰어난 인물을 이르는 말. 남전은 중국(中國) 섬서성(陝西省)에 있는 산 이름으로 옥의 명산지.

141) 팔두(八斗) : 중국 위(魏)나라 시인 조식(曹植)의 재주가 뛰어남을 비유적으로 이른 말. 즉 동진(東晋)의 시인 사령운(謝靈運 : 385~433년)이 '천하의 재주를 한 섬으로 볼 때 조식의 재주가 팔두(八斗)를 차지한다'고 한데서 유래했다.

142) 종왕(鍾王) : 중국 위(魏)나라의 서예가 종요(鍾繇)와 진(晉)나라의 서예가 왕희지(王羲之)를 함께 이르는 말.

시립(侍立)하니, 필공자는 오세라, 유미하되 오히려 예를 일치 아니하고, 인흥의 언건(偃蹇)한 체형과 빈빈한 도덕이 교야(郊野)의 기린(騏驎)이요, 기산(箕山)의 명봉(鳴鳳)이거늘, 제공자의 빼어난 골격이 출류 비상하니, 이공이 차례로 연치를 묻고 후를 향하여 치하 왈,

"영윤 등의 수출한 자질을 보니 맹씨(孟氏)의 방린(芳驎)과 사가(謝家)의 옥수(玉樹)[143]를 족히 기특하다 못할지라. 아지못게라 이랑의 연기 얼마나 하뇨?"

금후 미소 왈,

"형이 어찌 미돈으로써 과찬하시느뇨? 우제(愚弟) 돈견 등을 두매 오문을 첨욕(添辱)할까 주야 긍긍업업(兢兢業業)하나니, 형은 용우한 돈아 등을 과찬하여 구교의 정을 생각지 않느뇨?"

이공이 잠소 우문 왈,

"영윤이 저렇듯 숙성하니 작소(鵲巢)[144]의 가기(佳期)를 점복(占卜)함이 있느냐?"

후 왈,

"미돈(迷豚)[145]이 무용한 신장이 자라시대 고인(古人)의 유취지년(有娶之年)이 아닌 고로 정혼함이 없노라."

이공이 주저반향(躊躇半晑)에 가로되,

"소제 추용누질로써 형의 슬하를 욕되게 하고 다시 청함이 당돌하나, 영윤의 아름다움을 탐하여 감히 발언하나니 형은 살피라. 장녀 차녀 동

---

143) 사가(謝家) 옥수(玉樹) : 사씨 집안의 뛰어난 인물들. 옥수는 용모가 아름답고 재주가 뛰어난 인물을, 사가는 남제(南齊)의 유명한 문인 사조(謝朓)의 집안을 가리킨다.

144) 작소(鵲巢) : 까치 집. '신방(新房)'을 비유적으로 표현한 말.

145) 미돈(迷豚) : 어리석은 돼지라는 뜻으로, 아들 달리 이르는 말

태쌍아(同胎雙兒)라. 장아의 박용 누질은 곳 창백에게 속한 바요, 차녀는 족히 아름답다 이르지 못하나 거의 군자의 건즐을 욕되게 않을 고로, 구구한 사정을 베푸나니 형은 어떻다 하느뇨?"

후 소이답왈(所以答曰),

"미돈의 용둔함을 혐의치 아니하고 동상을 허코자 하시니 어찌 감사치 않으리오. 차아(次兒) 유미(幼微)하니 편위(偏闈)[146]께 고하고 혼사를 이룸이 늦지 않도다."

이공이 가로되,

"사귀신속(事貴迅速)이니 영존자당(令尊慈堂)께 고하여 허락하실진대 양아(兩兒) 동년생이니 한가지로 취가(娶嫁)하리라."

금후 응낙하고 내당에 들어가 이공의 구혼함을 고하여 허하심을 청한데, 태부인이 허혼하거늘, 공이 기뻐 외당에 나와 정혼함을 전하니, 이공이 대희하여 돗[147] 위에서 택일하니 공교히 태우의 길일과 한날이라. 주객이 환열하여 이공이 돌아간 후 금후 차자의 혼기 가까움을 두굿기고, 태부인과 진부인이 신부의 현부(賢否)를 죄오니, 금후 또한 양부의 아름답기를 기다리더니, 이러구러 길일이 다다르매 금후 대연을 개장하고 내외 빈객을 모아 신랑을 보내며 신부를 맞을 새, 제객이 태우를 대하여 삼취의 경사를 하례(賀禮)하니, 태우 미소(微笑) 답 왈,

"삼취(三娶)는 실로 원한 바 아니니 하언(賀言)을 어찌 감당하리까?"

후(侯) 양자를 명하여 길복을 입힐 새, 태부인이 순참정 부인이 유복(有福)다 하여 인흥의 길복을 입히라 하니, 순부인이 공자를 먼저 장속(裝束)하여 습례(習禮)하기를 마치매 양씨 또한 태우의 길복을 섬기매

146) 편위(偏闈) : 편자위(偏慈闈). 편모(偏母).
147) 돗 : 돗자리. 여기서는 '앉은자리'의 뜻.

안색이 온화하고 동지(動止) 유법하더라.

태우 공자로 더불어 위의를 휘동(麾動)하여 이부의 나아가 옥상에 홍안을 전하고 신부의 상교를 기다릴 새, 이학사 만면 화기로 만좌에 자랑 왈,

“나의 양 서랑의 아름다움이 어떠하뇨?”

빈객이 제성(齊聲)하여 쾌서(快壻) 얻음을 하례하고, 태우의 친붕명사는 다 웃고 가로되,

“차서(次壻)는 일대 옥인 군자로되, 장서(長壻)는 택서하심을 그릇하신가 하나이다.”

이공이 소왈,

“아녀로써 창백의 배필함이 외람하거늘 열위는 알지 못함이라.”

제인이 이공의 언사를 괴이히 여기나 묻지 아니 터라.

날이 늦으매 양인의 봉교하여 본부에 돌아올 새 위의의 장려함과 양신랑(兩新郞)의 특이함을 칭찬하더라.

부중에 돌아와 합환교배(合歡交拜)를 파하매, 자하상(紫霞觴)[148]을 나누고 공작선(孔雀扇)을 기울이매, 신부의 박용(薄容)에 중목(衆目)이 놀라운지라. 좌우 대경하되 태우는 조금도 염색(厭色)하는 일이 없고 흔연히 외당으로 나가니, 상하 도리어 괴이히 여기더라.

차공자 또한 교배를 마치매 만좌 중목이 바삐 눈을 들어 보니 신부의 화용월태(花容月態) 찬연쇄락(燦然灑落)하여 창졸에 형용하여 이르지 못할지라. 예파(禮罷)에 양신부 조율(棗栗)을 받들어 존당 구고께 헌(獻)

---

148) 자하상(紫霞觴) : 전설에서, 신선들이 술을 마실 때 쓰는 잔. ‘자하’는 신선이 사는 곳에 서리는 보랏빛 노을이라는 말로, 신선이 사는 선계(仙界)를 뜻한다. 따라서 선계의 신선이 입는 치마를 자하상(紫霞裳), 그들이 마시는 술을 자하주(紫霞酒), 그들이 사는 곳을 자하동(紫霞洞)이라 이른다.

할 새, 장소저(長小姐)의 박용 누질이 놀라오대 행도 유법하고 성행이 자연(自然)하거늘, 차소저의 천향아태(天香雅態)로 백설(白雪) 같은 기부와 팔자춘산(八字春山)에 상서의 기운과 덕기 완전하니, 존당 구고 대열하여 예를 마치매, 태부인이 양 신부를 집수 연애하며 금후 부부를 돌아보아 왈,

"이 같은 현부를 얻음이 조종(祖宗)의 도우심이로다."

후 배사 왈,

"소자의 박덕으로써 슬하지경(膝下之慶)이 있음은 다 자정의 심인후덕(深仁厚德)과 조종여경지화(祖宗餘慶之和)를 힘입사옴이니 자교 (慈敎) 마땅하도소이다."

진부인이 배사하고 성덕을 일컫더라.

금후 이소저를 명하여 윤·양 이인을 예로써 보라 하니 이씨 수명 배사하고 윤소저를 향하여 재배하니, 양소저 답배하고 차례로 어깨를 나란히 하여 좌를 이루니, 윤소저의 안월지광(晏月之光)과 선연지태(嬋姸之態)는 만좌홍분(滿座紅粉)이 빛을 잃으니, 이씨의 추용누질(醜容陋質)로 항렬(行列)을 이루니, 선원요지(仙苑瑤池)에 청괴야차(靑怪夜叉)가 임한 듯, 더욱 놀라오니, 존당 부모 천지조화(天地造化)의 고르지 못함을 탄하나, 행지의 유법함을 깃거 사랑이 한결같더라.

종일 진환(盡歡)하고 일모(日暮)에 제객이 각산귀가(各散歸家)하매, 신부 숙소를 정하여 보내고 촉을 이어 혼정지례(昏定之禮)를 파하매, 태우와 공자를 명하여 물러가라 하니, 양인이 수명하고 각각 신방으로 돌아와 태우 이소저를 대하매, 추용 박질을 의논할 바 없으되, 그 덕된 기상을 심리(心裏)에 흔열(欣悅)하여 두어 조(條) 말씀을 펴니, 이씨 부끄러워함도 없고 흔연함도 없어 숙연 정좌에 묵연 부답하니, 태우 그 상모(相貌)와 체용(體容)을 우습게 여기나, 위인의 비속(非俗)함을 공경하여

한가지로 나위(羅幃)에 나아가매 은정이 여산(如山)하더라.

차공자 신방에 이르러 소저를 대하매 이씨의 난자혜질(蘭姿蕙質)과 선연아태(嬋姸雅態) 장부의 취중할 바로되, 천성이 정대(正大) 호학(好學)하고 피차 연윤(年幼)함을 아처하여[149] 이성지합(二姓之合)을 날회나, 예로 권하여 나위(羅幃)에 나아가매 은정이 하해(河海) 같더라.

이인(二人)이 인하여 머물러 효봉구고(孝奉舅姑)하고 승순군자(承順君子)하며 화우돈목(和友敦睦)하니, 존당 부모 깃거 태우의 금슬이 화평함을 두굿기고, 차공자의 매몰함을 보매 혹자 소원(疎遠)한가 의려하더라.

어시에 윤추밀이 일로(一路)에 무사히 득달하여 환가하니, 광천형제 문외에 맞아 배현하매, 공이 집수 무애 하여 존당 성후(聖候)를 물어 바삐 내당의 이르러, 태부인께 배알하고 구파를 조상(弔喪)한 후 수숙과 부부 예를 마치매, 모전에 시좌하여 말씀할 새 드디어 하공의 여아 호표(虎豹)에게 물려감을 고하고 차석(嗟惜)함을 마지아니하니, 태부인이 거짓 놀라는 체하고, 유씨 여아의 서간을 보니 다만 이친(離親)하는 설화 따름이요, 각별한 말씀이 없으니 오히려 그 고초함을 알지 못하나, 하공의 실녀(失女)함을 심리에 깃거하더라.

차시 구몽숙이 경사에 이르러 윤부에 나아가 종용이 유부인께 뵈고, 신묘랑의 기이함을 전하여 경사로 오라 하였음을 고하니, 부인이 대열하여 조부인 삼모자와 구파 없앰이 묘타 하여 묘랑의 오기를 괴로이 기다리더니, 몽숙이 돌아온 십여 일에 묘랑이 이르니 몽숙이 데리고 윤부에 이르러 계교를 행하니, 나중이 어찌 된고?

차설. 유씨 묘랑을 해춘루에서 맞아 대접하기를 선생 예로 하며 말씀

---

149) 아처하다 : 꺼려하다. 싫어하다, 미워하다. 아쉬워하다. 안쓰러워하다. 흠잡다. 하자(瑕疵)하다.

할 새, 자기 부부와 위태부인 생년월일시를 일러 팔자를 무른대 묘랑이 침사양구(沈思良久)에 가로되,

"부인과 위태부인이 칠년 후면 매명(罵名)이 있으리라."

유씨 이 말을 듣고 경해(驚駭)하여 가로되,

"사람이 한번 매명(罵名)을 들은 즉 살기 어려울지라 팔자 어떠하여 그러하뇨?"

묘랑 왈,

"부인과 태부인이 악사를 숭상하시고 인의를 피하시는 고로 육칠년 후면 발각하리이다."

유씨 왈,

"내 원간 악사를 수창(酬唱)함도 없지 아니하거니와 액회(厄會) 그러하면 금은을 드려 소액(消厄)할 도리 있느냐?"

묘랑이 분명 소액할 도리 없으되, 금은에 욕화(慾火) 생출(生出)하니, 웃고 가로되,

"어찌 도액(度厄)[150]하는 도리 없으리오?"

부인이 이에 양녀의 사주(四柱)를 일러 점복하니 묘랑이 가로되,

"장소저는 성혼 십삼년을 단장지시(斷腸之詩)를 읊어, 청루(淸淚) 자라금(紫羅衾)을 적시되, 자연 화락하여 자녀를 생산하고 부귀를 누릴 것이요, 차소저는 오년을 단장박명(斷腸薄命)의 고초 비상하다가 성혼 오년에 명부의 존귀를 가져 금슬이 화락하고, 자녀 수다(數多)하여 대귀(大貴)할 팔자로소이다."

유씨 명아의 시신을 어느 곳의 바린 줄 몰라 주야 염려하는 고로, 생년월일시를 일러 사생길흉(死生吉凶)을 물으니, 묘랑이 오래 점복하고

---

150) 도액(度厄) : 액막이. 가정이나 개인에게 닥칠 액을 미리 막는 일.

이르대,

"초년이 험난하여 사오세의 선별엄친(先別嚴親)하고 혼사의 마얼(魔孼)이 있어, 반드시 집을 삼삭(三朔)을 떠났을 것이요, 성혼 후 금년 춘에 반드시 대액이 있어 사화(死禍)를 지냈을 것이며, 초년 재앙을 다 지내면 몸이 일국에 모림(冒臨)[151]하여 후적(后籍)의 존귀(尊貴)를 누릴 것이요, 가부(家夫)의 중대는 여산(如山)하고, 현명(顯名)은 만성(萬姓)에 자자(藉藉)할 것이요, 자손이 선선(詵詵)하여 만복이 구전(俱全)하리로소이다."

유씨 차언을 듣고 놀란 가슴이 벌떡여 우문(又問) 왈,

"금춘에 무슨 액을 만나 뉘 능히 구하며, 즉금 어느 곳에 있느뇨?"

묘랑 왈,

"금춘 화액이 살기 어려운 것을 백년군자(百年君子)[152] 구하여 내고, 즉금(卽今)[153] 고루화각(高樓畵閣)에 안연하기 반석(盤石) 같아서, 구고의 자애와 가부의 중대를 받거니와, 액회(厄會) 미진하였으니 또 다시 화란을 지내려니와, 그런 존귀한 팔자는 수화중(水火中)에 들어도 염려롭지 않으리이다."

유씨 경악하여 간장(肝腸)이 뛰노라 다시 가로되,

"그런 팔자도 천금만보(千金萬寶)를 드려 박명(薄命)케 할 도리 있느냐?"

묘랑이 가로되,

"범연한 팔자는 금은을 드려 임의로 하거니와 이런 팔자는 즉각(卽刻)

---

151) 모림(冒臨) : 세력이나 명예 따위가 어떤 집단에서 제일가는 위치에 오름.
152) 백년군자(百年君子) : 백년해로(百年偕老)할 군자라는 뜻으로 남편을 말함.
153) 즉금(卽今) : 지금. 바로 지금의 때.

유확(油鑊)[154]과 도궤(刀机)[155]에 나아가도 자연 벗어나 끝내 복을 누리리이다."

유씨 낙담(落膽) 불행(不幸)하여 차라리 묻지 않음과 같지 못하여, 다시 광천 형제의 팔자를 물으니 칭찬하기를 마지않아 가로되,

"팔자의 흠이 부안(父顔)을 모를 것이요, 초년이 험악하나 귀복이 당당하여 천승(千乘)을 기필(期必)할 것이요, 둘째는 만인지상(萬人之上)이오 위진해내(威震海內)하고 덕망이 산두(山斗)에 융성하며 자손이 만당(滿堂)하고 오복(五福)이 구전(俱全)하리라."

하니, 유씨 악연(愕然)하여 가만히 자기 심사(心思)를 일러, 조부인 삼모자와 명아를 없이할 계교를 무르며, 석학사의 재실 오시를 없애고 자기 여아가 중대를 받게 하면, 금보를 아끼지 않으며 은혜를 백골에 새기마 하니, 묘랑이 양구침사(良久沈思)하다가 가로되,

"이런 대사를 급급히 도모할 바 아니라, 일월을 연타(延拖)[156]하여 소원을 이루게 하리이다."

유씨 왈,

"내 팔자 기험하여 마침내 한낱 남아를 얻지 못하였으나, 오히려 생산의 길을 바라는 바이거늘, 가군이 계후를 정하였으니, 이는 나의 비소원이라. 이제는 아들을 얻지 못하니 어찌 한(恨)스럽지 않으리오."

묘랑 왈,

"부인 팔자 계후(繼後)하실 수(數)니 천명을 어찌 도망하리까?"

정언간(停言間)에 비영이 춘월의 생년월일시를 일러 점복하라 하니,

---

154) 유확(油鑊) : 기름이 끓는 가마 솥
155) 도궤(刀机) : 도마. 칼로 음식의 재료를 썰거나 다질 때에 밑에 받치는 두꺼운 나무토막이나 널조각
156) 연타(延拖) : 일을 끌어서 미루어 나감.

묘랑이 양구침사의 가로되,

"몸 위에 중형(重刑)을 받고 옥리고초(獄裏苦楚)[157]를 받아, 주주야야(晝晝夜夜)에 어미를 불러 울부짖어 천일(天日)을 볼 날이 멀었으니 가장 궁극(窮極)한 팔자로다."

유씨 대경하고 비영이 누하여우(淚下如雨)하여 가로되,

"월이 만일 액경을 당하였을진대 소비 차마 어찌 견디리까? 이런 일이 있으매 지금 기척[158]이 없으니이다."

뉴씨 탄 왈,

"계교를 비밀(秘密)리에 기묘(奇妙)히 베풀어도 하늘이 돕지 않아 일마다 그릇되었거니와, 이제 기특히 신 법사(法師)를 만났으니 현마 나중이 없으리오. 너는 모름지기 슬퍼 말라."

비영이 체읍한대, 세월이 미소 탄 왈,

"그대 어찌 소소지사(小小之事)를 저토록 하느뇨? 내 오히려 참나니 그대는 심사를 사르지 말고, 일이 되어감을 보라."

비영이 슬픔을 강인하여 악사에 거듭 참여하기를 꾀하더라.

유씨 신묘랑을 얻음으로부터 이수가액(以手加額)[159]하여 조부인 모자 없애기를 여반장(如反掌)으로 알아, 묘랑의 구하는 바는 천금만보(千金萬寶)라도 아끼지 않는지라. 묘랑이 그윽한 곳에 초암(草庵)을 이루고 제자를 모으며 부처를 공양하여 법호를 고쳐, 경사(京師) 명공거경의 부인네를 다 사귀어 금은을 모으고자 하여, 유씨를 대하여 가로되,

"부인 팔자를 보니, '내세에 불공을 크게 하마. 하고 발원하여 세상에

---

157) 옥리고초(獄裏苦楚) : 옥중 고난.

158) 기척 : 누가 있는 줄을 짐작하여 알 만한 소리나 기색.

159) 이수가액(以手加額) : 손을 이마에 대거나 얹고 생각함.

나 계시니, 소소한 것으로는 착수치 못할 것이니, 황금 오백 냥과 촉(蜀) 깁 수백 필을 얻어야 의지나 하리로소이다."

유씨 욕심이 무궁하여 이석추호(利惜秋毫)[160]하되 묘랑의 말인즉, 언청계용(言聽計用)[161]하는 고로 협사(篋笥)를 기울여 다 내어주니, 묘랑이 다시 경아더러 은자 삼백 냥과 능라 사오백 필을 내라 하고, 태부인께 은자를 보태소서 하니, 경아 조손이 아끼지 않아 일일이 모아 내니, 묘랑이 사례하여 왈,

"빈도가 이제 이 암자를 이루고 부처를 모아 안치려면 자연 수년이 될 이니, 암자를 필역한 후 귀부에 나와 부인 소원을 이루리이다."

유씨 암자 짓는 곳을 물으니 서화문 청계산 아래다 보수암을 짓노라 하니, 유씨 왈,

"보수암이란 말이 무슨 뜻인고?"

묘랑이 답왈,

"부인이 금백(金帛)을 많이 내신 고로 보수암(報酬庵)이라 하나이다."

유씨 가장 기뻐 부부와 양녀를 축원하며 조부인 삼모자를 쉬이 죽여 달라 하니, 묘랑 왈,

"빈도 정성을 다하리니 염려 마소서."

유씨 재삼 당부하니, 묘랑이 순순 응낙하고 조부인 삼모자를 해치 못할 줄 알되 은금(銀金)을 탐하여 허락하고, 세월 비영 등에게 암자 이루는 곳을 가르치고, 차후 빈빈(頻頻)이 간계를 모의하되, 묘랑이 암자 이루기에 골몰하여 악행(惡行)을 미처 발치 못하더라.

재설. 서촉 하부에서 여아를 잃고 세월이 갈수록 영향(影響)을 찾지

---

160) 이석추호(利惜秋毫) : 털끝만한 것이라도 이(利)가 되는 것은 다 아낌.
161) 언청계용(言聽計用) : 말과 꾀를 내는 대로 다 듣고 씀.

못하여, 공의 부부 참절함이 칼을 삼킨 듯, 오히려 회포(懷抱) 관(棺)을 의지하여 우는 이만 같지 못하되, 오히려 생존을 바람이 있고, 하공은 원광 부부와 쌍생아를 유희하여 위로하는바 많으나, 부인은 간장이 화하여 재 됨을 면치 못하여 상석(床席)에 위둔(委屯)하여 주야 호읍(號泣)하는 가운데, 자규(子規)의 슬픈 소리에 애를 사르고, 모첨(茅簷)의 연작(燕雀)이 필추장낙(匹雛將落)[162]함을 당하니 눈물이 피를 화하는지라.

생이 학낭소어(謔浪笑語)[163]로 소매(小妹)를 잊은 듯하나. 할반(割半)[164]의 지통(至痛)과 척영(隻影)[165]의 슬픈 한(恨)이 도랑이 화하여 혈루(血淚) 되기에 미처, 고요한 밤과 그윽한 침실에 들면, 봉안에 추수(秋水) 어려 호천호원(呼天呼怨)[166]하는 바는 '우리 부모의 성덕으로 가화(家禍) 어찌 여기 미쳤으며, 소매의 사생존몰(死生存沒)이 어찌 된고? 다른 형제 없어 부모를 효봉치 못하는 고로 원근(遠近)에 종적을 심방치 못하니 동기지정(同氣之情)이 구절(俱絕)하도다.' 하여, 주야(晝夜) 불식불매(不食不寐)하니 금슬(琴瑟)의 화락(和樂)을 의논치 못할 바라. 소제 숙자효행(淑姿孝行)으로써 구고를 시봉하매 그 온순비약(溫順卑弱)함과 동동촉촉(洞洞屬屬)한 성효(誠孝) 신기(神祇)를 감동할 바요, 이친지회(離親之懷)를 모르는 듯, 화기는 춘풍을 자아 만물을 부휵(扶慉)하는 듯, 아름답고 기이함이 일무소흠(一無所欠)하니, 공의 부부 자애지정이 근

---

162) 필추장낙(匹雛將落) : 새끼 한 마리가 땅에 떨어짐.
163) 학낭소어(謔浪笑語) : 재미있고 낭만적이면서도 우스운 이야기.
164) 할반지통(割半之痛) : 몸의 반쪽을 베어 내는 고통이라는 뜻으로, 형제자매가 죽었을 때의 슬픔을 비유적으로 이르는 말.
165) 척영(隻影) : ①외따로 있는 물건의 그림자. ②'홀로 있는 외로움'을 비유적으로 이르는 말
166) 호천호원(呼天呼怨) : 하늘에 부르짖어 원망함.

근체체(懃懃棣棣)하여, 그 부귀 중 생장하여 고초를 경력함을 가련하여, 더욱 구구히 무애하고 극진히 기렴(記念)하여 친녀의 더함이 있으되, 생의 굳은 마음은 감동함이 없어, 그 효순한 성행과 예절을 모르는 것이 아니로되, 항상 눈을 낮추어 상대함이 없으며, 생의 사람됨이 깊고 멀어 규량(規量)[167]을 뵈지 않는지라.

공의 부부는 우환에 골몰한 중, 소년 부부 일실에 모임이 희소함을 우려하여, 공이 자로 내사(內舍)의 숙침하고 아자를 내실의 가 헐숙하라 한 즉, 생이 수명하고 내침(內寢)하나 심내(心內)에 내도하여 자연 미우의 은은한 노기 어리어, 설월(雪月)이 동천(冬天)에 교교(皎皎)한 중 북풍이 늠렬(凜烈)한 듯하니, 소저 비록 천균대량(千鈞大量)이나 어찌 황괴(惶愧)하여 불안(不安)치 않으리오. 들어오기를 원치 아니하되 능히 얻지 못하니, 소소아녀자(小小兒女子) 촉도검각(蜀道劍閣)[168]에 유락(流落)하여 신혼모정(晨昏慕情)[169]에 부모를 사렴(思念)하여 원근을 살피매, 운산(雲山)이 첩첩(疊疊)하고 잔도(棧道)[170] 차아(嵯峨)하니 조운모우(朝雲暮雨)에 사친하는 회포 만단(萬端)이나 하거늘, 생계 고초하여 초옥 누실에 능히 몸이 평안치 못하고, 조강(糟糠) 채반(菜飯)과 채상방적(採桑紡績)[171]에 침선(針線)이 영영무가(營營無暇)[172]하거늘, 가부의 박정이 날로 더하니, 금슬화락은 바라는 바 아니로되 반비(班妃)[173]의

167) 규량(規量) : 규모와 도량.
168) 촉도검각(蜀道劍閣) : 길 이름. 촉(蜀)에 있는 검각(劍閣)이라는 험준한 길.
169) 신혼모정(晨昏慕情) : 이른 아침과 늦은 밤에 사모하여 그리는 정.
170) 잔도(棧道) : 험한 벼랑 같은 곳에 나무 따위를 선반처럼 달아서 낸 길.
171) 채상방적(採桑紡績) : 뽕잎을 따고 길쌈을 함.
172) 영영무가(營營無暇) : 일이 몹시 바빠 겨를이 없음.
173) 반비(班妃) : 중국 한(漢)나라 성제(成帝)의 후궁. 시가(詩歌)를 잘하여 성제의 총애를 받았으나 조비연(趙飛燕)에게 참소를 당하여 장신궁(長信宮)에 있으면

장신(長信)[174]과 장강(莊姜)[175]의 백주시(柏舟詩)[176]를 그윽이 부러워하는 바는 그 죄명이 밝음이라. 심리에 한이 맺히는 바는 자기 빙정(氷晶)한 품질로써 엄부의 명교(明敎)를 받자와 수행함을 옥같이 하고 뜻 잡기를 빙설(氷雪)같이 한 바로, 누명이 여기 미쳐는 소장(蘇張)[177]의 부리[178]와 반마(班馬)[179]의 붓이라도 용납지 못하여, 십여 년 수행이 그림의 떡이 되었으니 어찌 비분한 원이 없으리오마는, 사람됨이 태산(泰山)의 무거움과 하해(河海)의 깊기와 천지의 그음[180] 없이 너른 도량이 있는 고로, 일월성모(日月星眸)에 춘풍화기 이연(怡然)하여, 이친(離親)한 회포와 신루(身累)의 차악함을 모르는 듯하니, 생은 이럴수록 염치의 상진(喪殄)함을 통해하되 하릴없더라.

일일은 경사로 좇아 정부 창두(蒼頭)가 이르러 서간을 올리니, 생이 바삐 열어본즉, 얼핏 소매의 필적이 뵈는지라. 놀라고 반겨 바삐 사어를 본즉 전후 설화 명명한지라. 신기하고 다행함이 견주어 비길 곳이 없으니 서장(書狀)을 들고 행보 총망하여 내당에 이르러 매자의 생존하였음

서 부(賦)를 지어 상심을 노래하였다.

174) 장신(長信) : 중국 한(漢)나라 때 장락궁 안에 있던 궁전. 여기서는 한(漢) 성제(成帝)의 후궁 반첩여(班婕妤)가 이곳으로 물러나 시부(詩賦)로 마음을 달랬던 고사를 말함. 원가행(怨歌行)이란 시가 전한다.

175) 장강(莊姜) : 중국 춘추시대 위(衛)나라 장공(莊公)의 처. 아름답고 덕이 높았고 시를 잘하였다.

176) 백주시(柏舟詩) : 『시경』 〈패풍〉편에 나오는 시로, 남편에게 사랑받지 못하는 여인의 심정을 노래한 시. 장강(莊姜)이 지은 것으로 전한다.

177) 소장(蘇張) : 중국 전국 시대의 세객(說客)인 소진(蘇秦)과 장의(張儀)를 아울러 이르는 말.

178) 부리 : 사람의 입을 낮잡아 이르는 말.

179) 반마(班馬) : 중국 전한 시대의 역사가인 사마천(司馬遷)과 후한 초기의 역사가 반고(班固)를 아울러 이르는 말.

180) 그음 : 끝. 한정(限定). 기한(期限).

을 고하고 소유를 설파하니, 하공 부부 꿈이며 상시임을 분변치 못하여 능히 말을 대치 못하고, 서봉을 피열하며, 부인은 여아의 수찰(手札)을 손에 쥐고 도로여 누수 종횡하여, 전후 사화(死禍)와 이제 평안함을 다 안 후, 비로소 심신을 정하여 금평후 부자의 천지 대은을 일러 기쁘고 즐거움이 모양치 못하니, 도리어 멀리 떠나있는 회포를 잊음이 되었으나, 구몽숙의 흉사를 들으매 모골이 구송하고, 생은 윤소저의 이종(姨從)이라 하니 소저 통해함이 일층이 더하더라. 수일 후 회간을 닦아 정부 노자를 돌아 보낼 새 치사칭은(致謝稱恩)하는 사의(辭意) 측량치 못할러라.

부인이 비로소 상요를 떠나 심사를 진정하여 또 수태(受胎)하매, 사몽비몽간(似夢非夢間)의 직사(直士) 원상이 품의 들며 가로되,

"양형이 이미 모친 복중을 의탁하여 생세(生世)하였사옵나니, 소자 또한 슬하의 모시려 하나니 자위는 소자 등의 원사(寃死)함을 슬퍼 마소서."

부인이 꿈을 깨어 참통 애절하나 삼자 다 환세(還世)함을 기꺼워하고, 원상 등이 날로 수발특이(秀拔特異)하여 선풍옥골이 의연이 학사 형제로 완연하되, 장원한 품질은 나음이 있으니, 부모 일시도 슬하에 내려놓지 않아, 긴 날에 참절한 회포를 위로하며, 윤소저의 동촉한 성효와 극진한 예절이 날로 더하니, 공의 부부의 탐혹과중(耽惑過重)함이 안전기화(眼前奇花)를 삼았으니, 생이 승안양지(承顔養志)[181]하는 성효 출천하여, 황향(黃香)[182]의 선침(扇寢)과 '자로(子路)의 부미(負米)'[183]를 본받

---

181) 승안양지(承顔養志) : 직접 뵙고 얼굴색을 살펴 어버이의 마음을 즐겁게 해드림.
182) 황향(黃香) : 중국 동한(東漢)의 효자. 편부(偏父)를 지극히 섬겨, 여름에는 아버지의 잠자리에 부채를 부처 시원하게 해드렸고 겨울에는 자신의 몸으로 이부자리를 따뜻하게 하여 잠자리를 보살폈으며, 평소 부친의 뜻을 받들어 어기

아, 일마다 부모의 뜻을 받아 어김이 없으니 공이 매양 식부(息婦)를 칭찬하여 경계하되,

"한갓 처실로 알지 말고 은인으로 대접하라."

한 즉, 생이 배사 수명하여 화기 만면하나 그 뜻을 뉘 알리오. 박부득(迫不得)이 겉으로 부모의 명을 순수하여 행여도 윤씨 박대함을 뵈지 않아, 가작(假作)으로 부모를 기망함이 본심이 아니로되, 긴 세월에 속임을 황연(晃然) 무지(無知)하니, 증분(憎憤)이 소저에게 돌아가 '차라리 무인 심야에 간부를 좇아 은적(隱迹)하면 어찌 행이 아니리오.' 하여 죄오니, 차희(嗟噫)라! 소저의 청심혜덕(淸心慧德)으로써 밝은 군자를 배하였으되, 의심이 여기에 미치니 어찌 가석(可惜)지 않으리오.

시아 등이 주모의 신세를 느껴 서로 대하여 체읍한 즉, 소제 정색 엄절하니, 벽난 등이 다시 감히 이르지 못하더라. 춘하(春夏) 진하고 중추(中秋)를 당하니, 학사 등의 삼기(三忌)를 마치매 인간의 참애(慘哀)한 거동이 이에 더할 바 없더라.

이해 납신(臘晨)[184]에 부인이 분산하여 일척(一隻) 백옥(白玉)을 생하니 의형미목(儀形眉目)이 직사(直士)로 다름이 없으니, 공의 부부 비회교집(悲懷交集)하여 위회(慰懷)할 바 많은지라. 산후 질양이 없어 소성하니 생의 부부의 만심 환열함이 비할 곳이 없어, 승안지절이 동촉하니 공의 부부 자부를 연애하여 세월을 보내더라.

어시에 구몽숙이 경사에 돌아온 월여에 청운에 고등하여 한원(翰苑)에 종사하니, 유금오 진상서 널리 구혼하여 시중 양홍의 녀를 취하니 양

지 않았다.

183) 자로(子路)의 부미(負米) : 공자의 제자 자로(子路)가 백리 밖까지 쌀을 져 나르는 품을 팔아 어버이를 봉양하였던 고사를 말함.

184) 납신(臘晨) : 납일(臘日) 새벽.

씨 의용(儀容)이 절세하고 사덕이 숙요(淑窈)하니 몽숙이 색을 호(好)하여 금슬 은정이 여산(如山)한지라. 음황지심(淫荒之心)을 저기 진정하여, 정태우 부인 겁측할 악심을 두지 않으나, 요악궁흉(妖惡窮凶)하여 투현질능(妬賢嫉能)하는 고로, 붕당(朋黨)을 모으고 권(權)을 촉(矚)하여 간악소인(奸惡小人)을 모으니, 정・진 양문의 화가 장차 어느 지경에 갈 줄 모를러라.

차시에 진상서 육자를 두어 삼자 등과(登科) 입신(立身)하매 문장 기절이 일세를 광거(廣居)하니, 몽숙이 아처하여 정・진 이문을 해코자 하니, 진공이 사기(事機)를 스치고 처음에 교학하며 사랑하던 줄 추회(追悔)하여, 금평후 하소저 사단이 있은 후는 족가함이 불가한 고로 다시 경계함이 없으되, 정태우 통해함을 이기지 못하고, 몽숙이 경악(經幄)의 근시하매, 천안의 아유첨녕(阿諛諂佞)[185] 하는 정태를 불인정시(不忍正視)하여 책한 즉, 겉으로 사죄하고 봉우책선(朋友責善)을 감사함을 일컫더라.

명년 춘에 정공의 차자 인흥이 과갑(科甲)[186]에 고등하매 쇄락한 풍광은 추천제월(秋天霽月)이요, 용미봉안(龍眉鳳眼)에 빼어난 기골과 거여(巨餘)[187]운 격조가 만인에 솟아나거늘, 겸하여 팔두(八斗)의 가음연[188] 문장과 종왕(鍾王)[189]의 높은 필법(筆法)이 일세를 기울여 대두할 이 없을지라. 천안(天顔)이 대열하시어 금평후의 기자(奇子) 둠을 칭

185) 아유첨녕(阿諛諂佞) : 낯빛을 꾸며 남의 비위를 맞추거나 아첨함.
186) 과갑(科甲) : 과거(科擧).
187) 거여(巨餘) : 크고 넉넉함.
188) 가음열다 : 부유(富裕)하다.
189) 종왕(鍾王) : 중국 위(魏)나라의 서예가 종요(鍾繇)와 진(晉)나라의 서예가 왕희지(王羲之)를 함께 이르는 말.

찬하시고, 장원을 계(階)에 올려 어화청삼(御花靑衫)190)을 주시고 작직(爵職)을 주사 금문직사(金文直士)를 하이시고 어온(御醞)을 반(頒賜)사하시니, 장원이 천은을 감축하여 연소부재(年少不才)에 작직이 외람함을 고사(固辭)하되 상이 불윤하시니, 마지못하여 사은 퇴조하여 부중에 돌아오매, 합사(闔舍)의 환성(歡聲)이 물 끓 듯하여 기쁨을 이루 기록치 못할러라.

삼일유과(三日遊街)를 마친 후 사군찰임(事君察任)하매 언론이 당당하여 면절정쟁(面折廷爭)의 급장유(急壯柔)191)를 병구(倂俱)하여 초심익익(焦心益益)하고 긍긍업업(兢兢業業)하니 시인(時人)이 공경추앙(恭敬推仰)하여 소년명사(少年名士)로 보지 못하더라.

어시에 태우 윤·양·이 삼부인으로 화락하여 은정이 여산한 가운데나, 윤소저를 공경 중대함이 이인(二人)의 위이니, 사람됨이 위의(威儀) 침엄정숙(沈嚴貞淑)하고, 처사(處事) 광풍제월(光風霽月) 같아서 규리(閨裏)의 구구함이 없으니, 존당 부모 취중(取重) 기애(奇愛)하나 그 생산의 경사가 더딤을 궁금히 여기니, 공이 소왈,

"천흥이 아직 이십이 차지 못하오니 농장(弄璋)이 그리 바쁘리까?"

태부인이 역소(亦笑)하더라.

이적에 윤소저 이미 잉태 팔구삭이러라.

이때 정태우의 청현아망(淸賢雅望)이 일세를 기울이니 금평후 지족(至足)의 형세와 물성이쇠(物盛而衰)를 두려, 자기 태학사 인수(印綬)를 드려 혈심으로 치사(致仕)하니, 상이 위유(慰諭) 불윤하시되, 후(侯) 죽

190) 어화청삼(御花靑衫) : 어사화(御賜花)를 꽂은 오사모(烏紗帽)를 쓰고 푸른 색 도포를 입은 과거 급제자의 차림. *어사화(御賜花); 조선 시대에, 문무과에 급제한 사람에게 임금이 하사하던 종이꽃.

191) 급장유(急壯柔) : 급함과 씩씩함과 부드러움.

기로써 사양한대, 상이 마지못하시어 대사도와 태학사 인(印)을 허제(許除)하시나, 국가대사에 참조(參朝)하라 하시니, 공이 성은을 숙사(肅謝)하고 사은 퇴조(退朝)하여 돌아오매, 차후 한가히 집에 있으니, 성은을 더욱 황감(惶感)하더라.

차시 사해 승평하고 국가 안락하여 병혁을 일으킴이 없으매, 간과(干戈)를 쓰지 않으므로 부고(府庫)에 창검은 갑을 오래 벗지 않았고, 어마구(御馬廐)의 살진 말은 전진(戰陣)의 수고를 알지 못 하였더니, 운남왕 목진평이 반하여 웅병맹장(雄兵猛將)이 부지수(不知數)하매, 중원을 범 보 듯하여[192] 주현(州縣)을 노략하매 소과(所過)의 무적(無敵)이라.

절도사 오순이 거병(擧兵) 방적(防敵)하나 적병의 봉예(鋒銳)를 저당치 못하여 변보를 상달하매, 상이 대경하시어 문무 제신을 모아 퇴병지책(退兵之策)을 의논하실 새, 모든 대신과 무신의 의논이 분분하여 주책(籌策)을 성(成)치 못하더니, 서반(西班) 문무반열 중에서 일위 명사 출반 주 왈,

"운남 서절구투(鼠竊狗偸)의 무리 감히 천수를 알지 못하고 대국을 침범하오나, 이 족히 성려의 거리끼실 바 아니오니 복망 폐하는 물우성녀(勿憂聖慮)하시고, 일지병(一枝兵)을 빌리실진대, 신이 비록 부재박덕(不才薄德)이오나, 흉적을 탕멸(蕩滅)하와 옥좌의 근심을 덜고 성은을 만분지일이나 갚삽고자 하나이다."

언주파(言奏罷)에, 발월한 풍채와 학려청음(鶴唳淸音)이 고상(高爽)격렬(激烈)하니, 상이 바삐 용안을 들어 보신즉 병부상서 정천흥이라. 천안이 흡연이 기쁜 빛을 여시어 가라사대,

"국난(國難)에 사량상(思良相)이라 하니, 짐이 운남의 반함을 들음으

---

192) 범 보 듯하다 : 호랑이가 먹잇감을 보듯 함.

로부터 침좌(寢坐)에 근심을 놓지 못하여, 역대(歷代) 명장과 현신이 짐에게는 없음을 애들아 하더니, 이제 경이 소년으로 정벌을 자원하니 위국 충성이 고인을 압두할지라. 어찌 기특치 않으리오. 짐이 일로조차 남녘을 돌아보는 근심이 없으리로다."

하시니, 승상(丞相) 이하 다 일시에 만세를 부르더라.

상이 정천흥 같은 동냥지재(棟梁之材)로써 운남을 대적할 원융상장(元戎上將)을 삼으시매 크게 기뻐하시는 고로, 별은전(別恩典)으로 하교하시기를,

"정천흥이 이제 십칠 소년으로써 국가 대사(大事)를 자원하여 만리(萬里)에 나아가매 한갓 다른 신료와 같이 발행치 못하리니, 운남을 삭평하여 사직을 안보하는 축문(祝文)으로써 부월(斧鉞)을 맡기며, 대원수 인을 주어 천흥의 충의를 빛내어 후세인을 경계하리라."

하시니, 승상 이하 마땅하심을 주하니, 상이 하늘에 축문(祝文)을 고할 기구를 차리라 하실 새, 정병부 재배 고두 왈,

"신이 부재박덕으로써 흉적을 탕멸코자 하옴이 인신의 떳떳한 도리거늘 성상이 어찌 이렇듯 별은전(別恩典)을 나리오사, 신이 몸 둘 바를 알지 못하게 하시나니까?"

주파에 백배 고두(叩頭)하온대 상이 더욱 아름다이 여기사 가라사대,

"짐이 경의 충성을 빛내고자 하나니 경은 사양치 말라."

하시니, 승상 이하가 다 마땅하심을 주하니, 즉시 천의(天意)를 좇아 구층단(九層壇)을 쌓으니, 제일층 상단(上壇)은 고제천문(告祭天文)하는 단이니 황금으로 꾸민 상탁을 버리고, 옥기(玉器)에 향을 피워 분향하게 하고, 제이층단(第二層壇)은 일월황룡기(日月黃龍旗)를 꽂고 병부상서 태학사 원융대장군 정천흥이 올라 분향재배하게 하고, 제삼층단(第三層壇)에는 금자청룡기(金紫青龍旗)를 꽂았으며, 제사층단(第四層壇)에는

금자홍신기(金紫紅神旗)를 꽂았으며, 제오층단(第五層壇)에는 주촌기(朱村旗)를 꽂고 금병(金甁)의 양류수(楊柳水)를 담아 놓고, 제육층단(第六層壇)에는 붉은 기를 꽂고, 제칠층단(第七層壇)에는 표미기(豹尾旗)를 꽂고, 제팔층단(第八層壇)에는 산호병(珊瑚甁)의 양류수(楊柳水)를 담아 놓고, 제구층단(第九層壇)에는 검은 기를 꽂고 호박병(琥珀甁)에 양류(楊柳)를 담아놓고, 제삼층단에는 상이 친히 오르시어 대원수 정천흥으로써 제이층단의 올라 고제축문(告祭祝文)하게 하였더라. 일월성신(日月星辰)으로부터 사방후토(四方后土)의 신(神)이 다 응함이니, 이미 축단(築壇) 배장(拜將)할 기구(器具)를 차렸음을 주(奏)하니, 상이 깃그사 단의 오르랴 하실새, 대원수를 이층단의 오르라 하시니, 병부 불감(不敢)함을 사사(謝辭)하여 백배고사(百拜固辭)하오니, 상이 듣지 않으시고 오름을 재촉하시니, 정병부 재삼 사양하다가 마지못하여 이층단에 오르니, 태학사 진영수 축문(祝文)을 읽으니 기문의 왈,

"대송 진종황제 신(臣) 모(某)는 함평(咸平)[193] 십사년[194] 춘 정월에 고천축제(告天祝祭)하나니, 과인이 덕이 박하여 종사가 불안한 때를 만나 남적(南賊) 목진평이 천조에 귀순치 않고 벌의 독을 뿌려 생민을 잔학(殘虐)게 하고, 병혁(兵革)을 다스려 황성(皇城)을 엿보는지라. 고로 대원수 정천흥으로 하여금 웅병맹장(雄兵猛將)을 거느려 미친 도적을 쳐 생민을 구하고 종사를 안보코자 하옵나니, 복원 천지성신(天地星辰)은 한가지로 송조를 도아 남방의 비린[195] 티끌을 쓸어버리고, 한 북에

193) 함평(咸平) : 중국 송(宋) 진종(眞宗)의 연호(年號). 998-1003.

194) 십사년 : 진종은 咸平(998-1003), 景德(1004-1007), 大中祥符(1008-1016), 天禧(1017-1021), 乾興(1022) 등 재위기간(998-1022) 동안 5개의 연호를 사용했다. 따라서 함편14년은 역사적 사실에 부합하지 않는다.

195) 비린 : 비린내. 날콩이나 물고기, 동물의 피 따위에서 나는 역겹고 매스꺼운

개가를 울려 돌아오게 하소서."

승상 구준(寇準)[196]이 부월을 받들어 꿇어 가로되,

"황상이 부월(斧鉞)로써 장군을 주시니 청컨대 힘쓸지어다."

원수 꿇어 받자오매 비로소 상이 황금인을 가져 채우시고 가라사대,

"짐의 소탁(所託)과 경의 소임(所任)은 국가의 대사라. 원컨대 경은 힘쓰고 힘써 한번 싸움에 국가 안위와 만방 살생이 매였음을 등한이 생각지 말라."

원수 이날 자포오사(紫袍烏紗)로써 융복(戎服)을 바꾸니 몸에 홍금쇄자갑(紅錦鎖子甲)[197]을 껴입고 머리의 봉시(鳳翅)투구[198]를 쓰며, 허리 아래 금인(金印)을 빗겨 옥대(玉帶)를 둘렀으니, 풍광이 늠름 표탕하여 고운 얼굴이 백화가 웃는 듯, 천성이 두렷하여 옥으로 무으고, 백년(白蓮) 같은 귀밑에 재상의 관자(貫子)[199]를 붙였으니, 수려한 용광(容光)이 양류(楊柳)를 나무라며 육손(陸遜)[200]을 웃을지라. 신장이 장대하고 체위 엄숙하여 위풍이 상연늠름하여 광풍제월 같으니, 호령이 용호의 기습과 한신(韓信) 주아부(周亞夫)[201]를 넘는지라. 소년 장군의 영풍준

냄새.

196) 구준(寇準) : 961-1023. 중국 송(宋)나라 초(初)의 정치가. 거란(契丹)의 침입을 물리처 공을 세웠고 재상에 올랐다. 내국공(萊國公)에 봉작되었다.

197) 홍금쇄자갑(紅錦鎖子甲) : 갑옷의 일종. 붉은 명주옷에 사방 두 치 정도 되는 돼지가죽으로 된 미늘을 작은 고리로 꿰어 붙여서 만들었다.

198) 봉시(鳳翅)투구 : 봉의 깃으로 꾸민 투구. 봉시(鳳翅)는 봉의 깃. 투구는 예전에, 군인이 전투할 때에 적의 화살이나 칼날로부터 머리를 보호하기 위하여 쓰던 쇠로 만든 모자.

199) 관자(貫子) : 망건에 달아 당줄을 꿰는 작은 단추 모양의 고리. 신분에 따라 금(金), 옥(玉), 호박(琥珀), 마노, 대모(玳瑁), 뿔, 뼈 따위의 재료를 사용하였다.

200) 육손(陸遜) : 183-245. 중국 삼국시대 오(吳)나라 정치가. 촉한과 위나라의 침공을 여러 차례 격퇴하여 오나라를 지켜냈으며, 관우를 죽음으로 몰아넣고 유비의 복수를 실패하게 만들었다.

골(英風俊骨)이 당세의 무쌍한 영준이라. 단상단하(壇上壇下)의 가득한 사람이 다 눈을 기울여 책책칭복(嘖嘖稱福)하여 혀를 둘러 탄복 갈채하지 않는 이 없더라.

용안이 희열하시어 용미팔채(龍眉八彩)에 희기 가득하시어 환궁하시니, 원수 몸을 빼어 부중에 이르매 이때 태부인이 태우의 자원출정함을 듣고 우려함을 마지아니하더니, 원수 내당에 이르러 존당과 자전에 배알하고 수일 존후를 묻자오니, 일월성모에 춘양 화기 무르녹으니, 태부인이 바삐 손을 잡고 가로되,

"네 소년 미재(微才)로 국가의 근심을 덜진대 어찌 기쁘지 않으리오마는, 병지(兵地)는 흉지라. 혹자 소루(疏漏)함이 있을진대 나의 의려(倚閭)에 바라는 심사 어떠하리오."

평후 위로 주왈,

"천흥이 연유부재(年幼不才)로 국가 중임을 받자와 전진(戰陣)에 봉사하매 이 곳 신자의 직분이라. 사정을 돌아볼 바 아니요, 천흥이 대군자에 믿지 못하오나 군무사는 소여(疏如)[202]치 아니하오리니 원(願) 자위는 물우(勿憂)하소서."

원수 이어 위로하나 대부인이 오히려 깃거 아니하더라.

차야의 원수 부공을 모셔 밤을 지내려 하니 금평후 가로되,

"네 만리에 출정하니 여자 가부 위한 정이 가볍지 않음은 이르도 말고, 윤현부는 정사 가긍(可矜)하니 만리 원별을 당하여 한번 이별함이 옳고, 또한 경사를 보지 못하고 이별을 하게 되니, 일야를 위로함이 가

201) 주아부(周亞夫) : ? - BC143. 중국 전한(前漢) 전기의 무장, 정치가. 오초칠국(吳楚七國)의 난을 평정해 공을 세웠고 승상에 올랐다.

202) 소여(疏如)하다 : 서투르다. 생소하다.

하도다."

원수 피석 왈,

"소자 비록 미세하오나 국가 중임을 받자왔으니 규리(閨裏)에 연연함을 서로 일러 이별함이 가치 않은가 하나이다."

공이 정색 왈,

"네 위험지지의 나아가고 윤현부 만삭 중이니, 서로 보중함을 일러 일야를 위로함이 예사(例事)이거늘, 스스로 장부 위풍을 자랑하여 인정을 끊을 바 아니오. 내 비록 용렬하나 네 아비라, 나의 이르는 대로 할진대 행신에 유해함이 없으리라."

원수 황공 사죄하고 야심하매 물러 선월정의 이르니, 윤소저 수태 십삭이로되 해만(懈慢)함이 없어, 약질이 신혼성정의 빠짐이 없고, 종일 태부인을 시좌하여 일분(一分)[203] 일언(一言)을 다 삼가고 조심하여 동지(動止) 안상여일(安常如一)하니 존당 구고의 기애(奇愛)함이 친녀의 지남이 있더라.

이날 야심 후 사실에 물러오매 자연이 혼곤하여 봉침(鳳枕)을 비겨 수압(睡壓)이 몽롱하여 원수의 입실함을 모르는지라. 촉영지하(燭影之下)에 찬연 쇄락한 광염(光艶)이 일실의 조요(照耀)하니, 원수 비록 씩씩준엄하나 금당원리(今當遠離)[204]의 생산함을 보지 못하고 만리전진(萬里戰陣)에 가는 심사 연연한지라. 흔연 함소하고 집수 협좌(夾坐)하니, 소제 놀라 일어앉으려 하니, 원수 미소 왈,

"여자가 가부를 만 리에 이별하여 사생이 미가분(未可分)이로되, 근심하고 염려하심이 어떠하니까? 침상의 안헐(安歇)하여 생을 몽리(夢裏)

203) 일분(一分) : 사소한 부분. 또는 아주 적은 양.
204) 금당원리(今當遠離) : 이제 먼 길을 떠나 이별을 하게 되어.

의나 생각하시더니까?"

소제 묵연 무언하고, 종용이 취수(翠袖)를 수렴하여 저수단좌(低首端坐)하니, 원수 시아 등으로 침금을 포설하라 하고, 촉을 물리고 침금의 나아가 가로되,

"금번 행도에 승첩하여 오리니 부인이 능히 태사(太姒)의 성덕을 효칙하리까? 그 사이 옥동을 생하여 생의 돌아옴을 기다리소서."

소제 묵연이러니 이윽고 계성(鷄聲)이 악악하니 양인이 일어나 관소(盥梳)하고 좌를 나와 집수 왈,

"부인은 양・이 등과 형세 다르니 존당을 모셔 성효를 힘쓰고, 영존당 태부인이 살아있을 제는 귀녕치 못하리니, 추밀공이 오라 하여도 움직이지 말고 길이 무양(無恙)하소서."

소제 나직이 가로되,

"군자 원융이 되시어 규리에 이별을 이르실 바 아니니, 원컨대 군자는 광구(狂寇)를 소탕하시고 개가로 돌아오시어, 군상의 성우를 더실진대 첩 등이 또한 기쁨을 머금어 하례하리로소이다."

원수 또한 연연함이 없더라.

수일이 훌훌하여 원수의 행군 발행하는 날이라. 차일 존당에 모여 하직을 고하매, 태부인이 이정(離情)이 차아하여 집수 연연(戀戀)하여 놓지 못하니, 원수 재삼 위로하여 때 늦음을 고하여 재배 하직하고, 성체 안강하심을 축수하고 돌아 모전에 고별하여 다시 제매(弟妹)로 작별할새, 하소저더러 무사함을 재삼 당부하고, 직사의 손을 이끌어 나와, 장사(壯士) 삼군(三軍)을 거느려 교외로 나가니, 어개 이미 행행(行行)하시어 원수를 전송하실 새, 만조 문무의 거매(車馬) 십리에 이었고, 금평후 장한 성가(聖駕)를 호위하였으니, 상운(祥雲)은 애애(靄靄)하여 어막(御幕)을 둘렀고, 용봉일월기(龍鳳日月旗)는 남풍에 화하니, 경운(慶雲)

이 사집(四集)하고 서기(瑞氣) 은은(殷殷)하여 균천광악(鈞天廣樂)이 천지에 드레니 영광이 만조의 으뜸이라. 원수 부복 고두(叩頭)하여 성은을 숙사(肅謝)하니, 상이 흔연이 집수하여 가라사대,

"경이 소년 영재로 자원출정(自願出征)하니 천고의 아름다운 일이라. 경은 남적을 수이 평정하고 돌아와 짐의 기다리는 심사를 위로하라."

하시니 원수 돈수 백배 주왈,

"신수부재(臣雖不才)오나 폐하의 홍복을 의지하와 남로(南路) 쥐 무리를 족히 근심치 아니하오리니 복원 성상은 용체를 번거로이 마소서."

상이 흔연히 가라사대,

"경의 웅재 대략으로써 남적을 어찌 근심하리오."

하시고, 어주 삼배를 반사하신대, 원수 부복하여 받자와 돈수(頓首)하여 성은을 숙사하고, 몸을 빼어 부자 형제 작별 분수할 새, 금후 집수 경계 왈,

"네 연유 박덕 부재로 외람히 중임을 받자왔으니 모름지기 살벌(殺伐)[205]을 적게 하고 사졸을 무휼하여 노부(老父)의 의문지망(依門之望)[206]을 위로하라."

원수 배사 왈,

"아해 수불초무상(雖不肖無狀)하오나, 삼가 엄훈을 간폐(肝肺)의 삭여 저버리지 아니하오리니, 복망 대인은 물우성녀(勿憂聖慮)하시어 성체안강(聖體安康)하소서."

후 평생 처음으로 손을 잡아 다시금 경계할 새, 원수 두 번 절하여 유

---

205) 살벌(殺伐) : 병력으로 죽이고 들이침.

206) 의문지망(依門之望) : '부모가 대문에 기대어 서서 자식이 돌아오기를 기다리는 것 또는 그런 부모의 마음'을 뜻한다.

유히 부안을 우러러 걸음을 돌이키지 못하니, 직사 또한 소매를 이어 훌연(欻然)[207]함을 이기지 못하고, 인친제우(姻親諸友) 면면이 위별(爲別)하여 손을 놓지 못하나, 중군의 북이 자주 동(動)하니 마지못하여 서로 분수하매, 호통(號筒)[208] 삼차(三次)의 원수 대대인마(大隊人馬)를 거느려 남으로 향할 새, 기치검극(旗幟劍戟)이 삼라(森羅)하여 일색을 가리오고, 원수 몸에는 홍금전포(紅錦戰袍)에 황금쇄자갑(黃錦鎖子甲)[209]을 껴입고, 두상(頭上)에는 봉시투구를 정제(整齊)하고, 허리에는 양지백옥대(兩枝白玉帶)를 두르고, 좌수에 상방보검(尙方寶劍)[210]을 잡았으니, 천일(天日) 같은 의표(儀表)와 용봉(龍鳳) 같은 기질(氣質)이 동탕쇄락(動蕩灑落)하여 하일(夏日)의 두려운 기상이라. 대대인마를 휘동하매 주아부(周亞夫)[211]의 세류영(細柳營)[212]과 회음후(淮陰侯)[213]의 진세(陣勢)라도 이에 더하지 못할지라. 행하는 바의 위령(威令)이 숙연하고 항오(行伍) 유차(有次)하여 개세영웅(蓋世英雄)이오 만고무적(萬古無敵)이

---

207) 훌연(欻然) : 어떤 일이 생각할 겨를도 없이 급히 일어나는 모양.

208) 호통(號筒) : 늑장명(長鳴). 군중(軍中)에서 불어 호령을 전달하는 데 쓰는 악기.

209) 황금쇄자갑(黃錦鎖子甲) : 갑옷의 일종. 황색 명주옷에 사방 두 치 정도 되는 돼지가죽으로 된 미늘들을 작은 고리로 꿰어 붙여서 만들었다.

210) 상방보검(尙方寶劍) : 고소설에서 주인공이 대장군 혹은 대원수가 되어 출전할 때 임금이 하시어했던 칼의 일종. '상방검(尙方劍)'으로 지칭하는데, 임금의 권위를 상징하는 역할을 하여 부하나 군졸 등이 명을 거역할 때 굳이 임금에게 보고하지 않고 대장군 마음대로 그들의 생사를 마음대로 할 수 있는 권위를 지니는 것을 의미하는 칼이다.

211) 주아부(周亞夫) : ? - BC143. 중국 전한(前漢) 전기의 무장, 정치가. 오초칠국(吳楚七國)의 난을 평정해 공을 세웠고 승상에 올랐다.

212) 세류영(細柳營) : 중국 한나라 문제 때 흉노의 침입을 막기 위하여 주아부(周亞夫)가 세류(細柳) 땅에 세웠던 군영(軍營). 군영의 군율이 엄격하였던 것으로 유명하다.

213) 회음후(淮陰侯) : 중국 한(漢)나라 개국공신 한신(韓信)의 작위(爵位).

라. 호령이 일로(一路)의 숙연하더라.

황제가 멀리 가도록 바라보시어 훌연(欻然)[214]하시되, 모가 등지고 물이 굽이져, 티끌이 하늘을 가리오니, 상이 이에 평후를 인견하시어 친히 어온을 잡아, 위로하고 치하하시어 왈,

"군신은 부자와 일체라. 짐이 금일 천흥을 멀리 전진에 보내매 훌연한 정을 이기지 못하나니, 하물며 부자의 유유(幽幽)한 정리를 이르리오마는, 행군기률(行軍紀律)을 보매 숙연한 위의 고성왕(古聖王)의 장상(將相)에서 부끄럽지 않으니, 짐이 문왕(文王)[215]의 여상(呂尙)[216]과 소열(昭烈)[217]의 와룡(臥龍)[218]으로 병구(竝驅)[219]함을 보매, 정가를 흥기(興起)할 뿐 아니라 사직의 동냥을 얻었으니 짐심이 어찌 기쁘지 않으리오. 금일 경의 생자의 비상함을 하례하노라."

---

214) 훌연(欻然)하다 : 어떤 일이 생각할 겨를도 없이 급히 진행되어, 무엇인가를 다하지 못한 것 같은 서운하고 허전한 마음이 있다.

215) 문왕(文王) : 중국 주나라 무왕의 아버지. 이름은 창(昌). 기원전 12세기경에 활동한 사람으로 은나라 말기에 태공망 등 어진 선비들을 모아 국정을 바로잡고 융적(戎狄)을 토벌하여 아들 무왕이 주나라를 세울 수 있도록 기반을 닦아 주었다. 고대의 이상적인 성인군주(聖人君主)의 전형으로 꼽힌다.

216) 여상(呂尙) : '태공망(太公望)'의 다른 이름. 여(呂)는 그에게 봉해진 영지(領地)이며, 상(尙)은 그의 이름이고 성은 강(姜)이다. 중국 주나라 초기의 정치가로 무왕을 도와 은나라를 멸하고 천하를 평정하였다. 저서에 ≪육도(六韜)≫가 있다.

217) 소열(昭烈) : 중국 삼국시대 촉한의 제1대 황제유비(劉備 : 161~223)의 시호. 자는 현덕(玄德). 황건적을 처서 공을 세우고, 후에 제갈량의 도움을 받아 오나라의 손권과 함께 조조의 대군을 적벽(赤壁)에서 격파하였다. 후한이 망하자 스스로 제위에 오르고 성도(成都)를 도읍으로 삼았다. 재위 기간은 221~223년이다.

218) 와룡(臥龍) : 중국 삼국시대 촉한의 정치가 제갈량(諸葛亮 : 181-234)의 별호(別號).

219) 병구(竝驅) : 말 따위를 한꺼번에 나란히 몰다.

금후 연망히 부복하여 옥배를 거우르고 돈수 사은 왈,

"천흥이 연소부재(年少不才)로 외람히 성은을 입사와 작위 경상에 이르오니, 신의 부자 주야 우구하와 갚사올 바를 알지못하옵더니, 남적(南賊)의 변난을 당하와 천흥이 원융(元戎) 중임을 자원하와 출정하오니, 적은 사정으로 이를 바 아니오라. 국가 대사를 그른 곳의 빠뜨릴까 우구송황(憂懼悚惶)하옵더니, 어온을 나리오시고 성교 이에 이르시니 더욱 송률(悚慄)하와 주(奏)할 바를 알지 못하리로소이다."

상이 또 소왈,

"지신(知臣)은 막여군(莫如君)이오 지자(知子)는 막여부(莫如父)라. 경이 어찌 너무 과겸하느뇨?"

인하여 환궁하실 새, 만조 문무 성가를 모셔 환궁하신 후, 각각 부중으로 돌아가니, 금후 직사로 더불어 부중에 돌아오매, 태부인께 반일 존후를 묻잡고, 인하여 원수의 행군지사를 고하여 소려(消慮)하심을 청하나, 순태부인이 시시로 생각하여 잃은 것이 있는 듯, 상연타루(傷然墮淚)함을 마지않으니, 금후 좋은 말씀으로 위로하나, 직사는 사람됨이 돈후단묵(敦厚端默)하여 희소를 불현어색(不顯於色)하니 원수의 흐르는 언변과 세상 절도지사(絶倒之事)를 전하여 능히 시름하는 자를 즐겁게 하는 품도에 미치리오.

평후 역시 심리(心裏)에 훌연함이 비길 곳이 없고, 일상(日常)에 현현이 자애하는 빛을 나타내지 아니하여 일양(一様)[220] 엄숙하기를 주하나, 그 위인이 능소능대(能小能大)하여 호방낙환(豪放樂歡)함이 남다른 고로, 엄히 잡죄고자[221]하되, 면전에 범사 수응(酬應)이 총민자인(聰敏

---

220) 일양(一様) : 한결같이 그대로.
221) 잡죄다 : 잡도리하다. 잘못되지 않도록 아주 엄하게 다잡다.

自認)하여 자기 이르지 않고 보지 않으나 뜻을 알아 신임함이 기특한지라, 금후 비록 철석같으나 두굿기미 제아(諸兒)의 더하거늘, 만리 새외(塞外)의 전진구치(戰陣驅馳)를 사상하매 결연(缺然)한 정이 날로 간절하여, 비록 제아 등이 있으나 부자의 천륜 밖 자별(自別)함이[222] 이 같더라.

시시에 정소저 혜주 상문교와(相門嬌瓦)로 규리(閨裏)에 양성(養成)하여 아름다이 장성(長成)하니, 꽃다운 방년(芳年)이 십삼세에 미치매, 천생여질(天生麗質)은 고시(古詩)의 이른바 "회두일소백미생(回頭一笑百美生)"하니, "육궁분대무안색(六宮粉黛無顔色)"[223]이요, 단일성장(端壹盛莊)함은 위후(衛后) 장강(莊姜)[224]으로 방불(彷彿)하고, 정정결개(貞靜潔介)함은 백희(伯姬)[225]의 고집과 경강(敬姜)[226]의 고절(高節)이 있으니, 어찌 녹녹히 침어낙안지용(沈魚落雁之容)과 폐월수화지태(閉月羞花之態)를 비겨 의논하리오. 이미 "도지요요(桃之夭夭)하고 작작기화(灼灼

---

222) 자별(自別)하다 : =자별(自別)나다. 본디부터 남다르고 특별하다.

223) "회두일소백미생(回頭一笑百美生)" "뉵궁분대무안색(六宮粉黛無顔色)" : "고개를 돌려 한번 미소하매 온갖 교태 피어나니" "여러 후궁 분단장도 얼굴빛을 잃었구나."라는 뜻으로 중국 당나라 때의 시인 백거이(白居易 : 772-846)의 시 〈장한가(長恨歌)〉의 한 구절.

224) 위후(衛后) 장강(莊姜) : 중국 춘추시대 위(衛)나라 장공(莊公)의 처. 아름답고 덕이 높았고 시를 잘하였다.

225) 백희(伯姬) : 중국 춘추시대 魯(노)나라 宣公(선공)의 딸. 송나라 恭公(공공)에게 시집갔다가 10년 만에 홀로 됐다. 궁궐에 불이 났을 때 관리가 피하라고 했으나 부인은 한밤에 보모 없이 집을 나설 수 없다고 고집해서 결국 불속에서 타 죽었다. 『열녀전(烈女傳)』 〈정순전(貞順傳)〉'송공백희(宋恭伯姬)' 조(條)에 기사가 보인다.

226) 경강(敬姜) : 중국 춘추시대 노나라 계손씨의 처. 일찍 남편을 사별하였으나 수절(守節)하며 아들을 잘 교육했다. 『열녀전(烈女傳)』 〈모의전(母儀傳)〉 '노계강경(魯季敬姜)' 조(條)에 기사가 보인다.

其華)"[227]를 바야니[228] 그 부모의 만금 교애는 이르지 말고, 순태부인의 천만 귀중함이 비길 데 없어, 장상지주(掌上之珠)와 슬상교앵(膝上嬌鸚) 같거늘, 꽃다이 자람을 보니 바삐 동상(東床)의 봉황서(鳳凰壻)를 빛내고자 하나, 윤부 가란이 범상치 않으니, 천금 교아의 평생이 어떠할꼬? 우려하는 가운데, 광음(光陰)이 물 흐르듯 하여 여아의 점점 장성함을 보니, 존당 부모 더욱 우려하는지라. 정소저 혜주의 용광색태는 이르지도 말고, 천성이 고요 단묵하고 유한 씩씩하여, 존당 부모를 모신 즉 이순경근(怡順敬謹)하는 덕이 가작하여 춘풍화기(春風和氣) 의의(猗猗)하나, 고요히 처한 즉 쌍미제제(雙眉齊齊)하고 보협(黼頰)[229]이 적료(寂廖)하여 사람이 더불어 말 붙이기 어렵다가, 잠간 거두찰시(擧頭察視)하매 기인(其人)의 현불초(賢不肖)와 심내(心內)를 사무쳐 길흉을 짐작하고, 소리를 들어 헤아리는지라. 상협(顙頰)[230]에 미(微)한 웃음을 띠어 백옥(白玉)을 현영(現影)하여 말씀하매, 개개 정금미옥(精金美玉)[231]이요, 곤산박옥(崑山璞玉)[232]이라. 화안(和顔)엔 경운(慶雲)이 무르녹아 남풍이 새로우니, 혜풍화운(惠風和雲)과 장니보옥(掌裏寶玉)으로 만든 듯하니, 순태부인이 장상보옥(掌上寶玉)으로 만금에 지나고, 부모의 귀중이 모양할 것이 없어 하소저 영주로 더불어 장단(長短) 체지(體肢) 일체(一體) 같으니, 부모 볼 적마다 두굿기고 사랑하나, 윤부 위씨 고식의

---

227) "도지요요(桃之夭夭)" "작작기화(灼灼其華)" : "어여쁘다 복숭꽃" "활짝피어 화사하네" 『시경』 〈주남(周南)〉, '桃夭' 편에 있는 시구.

228) 바야다 : 재촉하다. 서두르다.

229) 보협(黼頰) : 볼. 뺨. 얼굴의 양쪽 관자놀이에서 턱 위까지의 살이 많은 부분.

230) 상협(顙頰) : 볼. 뺨. 얼굴의 양쪽 관자놀이에서 턱 위까지의 살이 많은 부분.

231) 정금미옥(精金美玉) : 정교하게 다듬은 금과 아름다운 옥이라는 뜻으로, 인품이나 시문이 맑고 아름다움을 이르는 말.

232) 곤산박옥(崑山璞玉) : 중국 곤륜산(崑崙山)에서 나는 옥.

보채이는 종이 될 바를 크게 애달라, 때를 기다려 성인(成姻)코자 하더니, 광천 등의 장숙(長夙)함을 일러 혼인을 재촉하니, 정공이 또한 천연 세월이 무익한 고로, 뜻을 결하여 윤공을 보아 쉬이 성혼함을 죄이더라.

윤소저 잉태한 지 십이 삭 춘 이월에 일개 옥동을 생하니, 산실에 향운이 어리고 서광이 찬란하여 생애(生兒) 비상한지라. 태부인이 쾌락하고 평후 대열하여 윤소저를 극진 구호하여, 삼일 후 태부인이 자부로 더불어 선월정에 이르러 윤씨와 신아를 보니, 이 불과(不過) 수촌지물(數寸之物)이라, 일컬어 이를 것이 없으되, 신아의 영형수발(英形秀拔)함이 천지의 조화와 산천의 기이함을 오로지 거두었으니, 진실로 사가(謝家)의 옥수(玉樹)요, 맹씨(孟氏)의 아름다운 꽃가지라. 금후 만면에 경운이 온자(溫慈)하여 손으로 신아를 어루만져 자전에 고 왈,

"자식이 십삭 태교에 힘입사오니 이 아해 윤씨의 생출이라. 어찌 범아와 같으리까?"

부인이 희불자승(喜不自勝) 왈,

"노모 윤씨의 생산이 더딤을 염려하더니 이제 인아(驎兒)[233]를 얻으니, 하늘이 정문을 보우하시어 대대로 영자기손(英子奇孫)이 나는지라. 천애 세대에 무쌍(無雙)이거늘, 신생아(新生兒) 배승(倍勝)하니, 오문이 흥기함을 가히 알리로다."

평후 소이대왈(笑而對曰),

"소자 천흥을 귀중함을 잊지 못하올러니, 차아를 얻은 후 다른 염려 없사오니, 이 또한 성택(聖澤)이로소이다."

태부인이 웃고 소저를 돌아보아 갱반(羹飯)을 권하여 자신보조(自身

233) 인아(驎兒) : 천리구(千里駒). 천리마[騏驎]의 새끼. 뛰어나게 잘난 자손을 칭찬하여 이르는 말.

保調)[234]를 당부하고, 금후 친히 진맥하여 의약을 다스리고 범사를 극진히 하니, 친부형(親父兄)도 이에 더하지 못할지라. 소제 일칠후(一七後) 소성(蘇醒)하니, 공이 명하여 삼사 삭 성정(省定)[235]에 불참하라 하고, 날마다 선월정에 들어와 며느리와 신손(新孫)을 사랑하며 무애함이 조금도 엄구의 위의(威儀) 없으니, 소제 각골감은(刻骨感恩)하여 하고, 일가(一家)가 자부 사랑이 병 됨을 일컬으니, 공이 웃고 스스로 자애지정(慈愛之情)을 금치 못하더라.

화설 윤공자 광천의 자는 사원이니 시년(時年)이 바야흐로 십삼춘광(十三春光)이러라.

---

234) 자신보조(自身保調) : 스스로 몸을 보호하고 조리함.

235) 성정(省定) : 신성(晨省)과 혼정(昏定). 곧 밤에는 부모의 잠자리를 보아 드리고 이른 아침에는 부모의 밤새 안부를 묻는다는 뜻으로, 자손들이 부모와 윗조상들께 매일 아침저녁으로 드리는 문안인사.

ꟿ

명주보월빙 권지십삼

화설 윤공자 광천의 자는 사원이니 시년이 바야흐로 십삼춘광(十三春光)을 당하니 신장이 언건장숙(偃蹇長夙)하여 팔 척 대장부의 체위(體位)를 이뤘으니, 빛난 문장은 태사천(太史遷)[236]에 지나고 아름다운 필법은 종왕(鍾王)[237]을 묘시하고, 위로 천문과 아래로 지리를 달통하며, 여력(膂力)[238]이 과인하여 구정(九鼎)[239]을 가벼이 여기니, 발호한 기상은 태산을 넘뛸 듯, 충장한 기운이 구천을 받들 듯, 백련대이(白蓮大耳)[240]와 호비주순(虎鼻朱脣)이며, 일월명목(日月明目)은 추수의 부정(不淨)함을 나무라니, 긴 눈썹은 천창(天窓)을 떨쳤으며, 수수과슬(垂手過膝)[241]하여 천고영걸(千古英傑)이요, 일세군자(一世君子)라. 보는 자

---

236) 태사천(太史遷) : 사마천(司馬遷). BC.145-86. 중국 전한(前漢)의 역사가. 태사(太史)는 태사령(太史令)을 지낸 그의 관직명. 자는 자장(子長). 기원전 104년에 공손경(公孫卿)과 함께 태초력(太初曆)을 제정하여 후세 역법의 기초를 세웠으며, 역사책 ≪사기≫를 완성하였다.

237) 종왕(鍾王) : 중국 위(魏)나라의 서예가 종요(鍾繇)와 진(晉)나라의 서예가 왕희지(王羲之)를 함께 이르는 말.

238) 여력(膂力) : 힘. 근육의 힘.

239) 구정(九鼎) : 중국 하(夏)나라의 우왕(禹王) 때에, 전국의 아홉 주(州)에서 쇠붙이를 거두어서 만들었다는 아홉 개의 큰 솥. 주(周)나라 때까지 대대로 천자에게 전해진 보물이었다고 한다.

240) 백련대이(白蓮大耳) : 흰 연꽃잎처럼 크고 하얀 귀.

241) 수수과슬(垂手過膝) : 뻗어 내린 손이 무릎을 넘는다. 팔이 긴 것을 표현한 말.

황홀 기애(奇愛)하되 오직 조모 위태부인과 유씨 포흉극악(暴凶極惡)이 때로 극심하여 조부인 삼모자를 없애고자 한 지 세월이 오래된지라.

신묘랑을 얻어 악사를 도모하되 묘랑이 조부인 삼모자를 가벼이 해치 못할 줄 알고, 거짓 암자 짓기를 일러 밀막더니, 이미 역사(役事)를 필하매, 유씨 묘랑을 청하여 모의(謀議)해온 지 삼사춘취(三四春秋)로되, 실로 적은 효험을 보지 못하고 금은만 허비할 뿐이요, 한 가지 소원도 이룸이 없으니 울울불락(鬱鬱不樂)하는지라. 묘랑이 두루 다니며 괴이한 매골(埋骨)과 요괴(妖怪)로운 물건들을 모아 유씨에게 헌계하여, 조부인 침전과 양공자 처소에 반야삼경(半夜三更)에 가만히 행계하여 모자 삼인의 절명을 천지신명에 빌었으되, 일이 비밀한 고로 알 리 없으니 삼인이 주야 사생(死生)을 죄더라.

전일은 추밀이 양 공자를 데리고 백화헌에서 자더니, 방금하여는 양공자 장성하고 빈객이 번거함으로 독서에 온전함을 위하여 운학당에 처소하였는지라. 희천공자 장공자로 층등(層等)치 않으니. 일동일정(一動一靜)이 예의를 심사하고 공맹(孔孟)을 스승 삼는 성리도학군자(性理道學君子)라. 희로(喜怒)를 얼굴빛에 나타내지 아니하고, 평생을 걸음마다 조심하며 말씀마다 삼가므로, 발연(勃然)한 노기와 전도(顚倒)한 말씀을 삼척동(三尺童)[242]도 듣게 하는 일이 없는지라. 경운화풍(慶雲和風)과 동일지애(冬日之愛)[243]로 너그럽고 효순하여 효우를 힘쓰며 성리를 수련하여, 만사 사람에게 뛰어나니 장공자로 다름이 없으되, 성정과 위인이 상단(相段)[244]하여, 대공자는 비록 엄안(嚴顔)을 알지 못함이 가슴

---

242) 삼척동(三尺童) : 삼척동자(三尺童子). 키가 석자 밖에 되지 않는 어린 아이.
243) 동일지애(冬日之愛) : 겨울 햇살처럼 따뜻한 사랑.
244) 상단(相段) : 서로 구분되는 면이 있음.

에 맺힌 지통(至痛)이 되어 자랄수록 슬픔을 이기지 못하고, 조모의 시험포악(猜險暴惡)과 숙모의 간교요특(奸巧妖慝)함이 반드시 가란을 일으켜, 일장대란(一場大亂)이 자기 등으로 하여금 인륜(人倫)에 온전한 사람이 되지 못하게 할 바를 염려하나, 발호(勃豪)한 기운이 하늘을 받들 듯하여, 구구히 머리를 움쳐[245] 유학(儒學)을 힘쓰지 않고, 복중에 만 권서와 제자백가(諸子百家)[246]를 갊아 두고, 손오양저(孫吳穰苴)[247]의 용병지술(用兵之術)을 흠모하여 뜻이 장하고 말씀이 쾌하며, 일찍이 계지(桂枝)[248]를 꺾어 몸이 금루옥궐(金樓玉闕)에 출입하여, 백전백승(百戰百勝)하고 멸적능토(滅敵凌土)[249]하여 화형인각(畵形麟閣)[250]하며 명수죽백(名垂竹帛)[251]하여, 제자(弟子)의 사우(師友)로 황각(黃閣)[252]

---

245) 움치다 : 움츠리다. 몸이나 몸의 일부를 몹시 오그리어 작아지게 하다.

246) 제자백가(諸子百家) : 춘추 전국 시대의 여러 학파. 공자(孔子), 관자(管子), 노자(老子), 맹자(孟子), 장자(莊子), 묵자(墨子), 열자(列子), 한비자(韓非子), 윤문자(尹文子), 손자(孫子), 오자(吳子), 귀곡자(鬼谷子) 등의 유가(儒家), 도가(道家), 묵가(墨家), 법가(法家), 명가(名家), 병가(兵家), 종횡가(縱橫家), 음양가(陰陽家) 등을 통틀어 이른다.

247) 손오양저(孫吳穰苴) : 중국 전국시대의 대표적 병법가들인 제(齊)의 손무(孫武)와 오(吳)의 오기(吳起), 제(齊)의 사마양저(司馬穰苴). 손무는『손자(孫子)』, 오기는『오자(吳子)』, 사마양저는『사마법(司馬法)』이라는 병서(兵書)를 각각 남겼다.

248) 계지(桂枝) : 계수나무 가지. 계수나무는 매우 귀한 나무로 인식되어 사람들의 영광과 성공을 들어내는 뜻으로 쓰였다. 조선시대에 임금이 과거급제자에게 하시어한 '어사화(御賜花)'도 종이로 만든 계수나무 꽃이었다. 위 본문에서 '계지를 꺾다'는 '과거에 급제하다'는 뜻을 나타낸 말이다.

249) 멸적능토(滅敵凌土) : 적을 멸하고 땅을 짓밟음.

250) 화형인각(畵形麟閣) : 화상(畵像)을 공신(功臣)들을 배향(配享)하는 기린각(麒麟閣)에 걺. *기린각(麒麟閣); 중국 한나라의 무제가 장안의 궁중에 세운 전각. 선제 때 곽광 외 공신 11명의 초상을 그려 각상(閣上)에 걸었다고 한다.

251) 명수죽백(名垂竹帛) : 이름이 죽간(竹簡)과 비단에 드리운다는 뜻으로, 이름이 역사에 기록되어 길이 빛남을 이르는 말.

에 깃들여, 나가서는 원융상장(元戎上將)으로 공을 만리에 드리워 봉후(封侯)를 기약하되, 차공자는 공맹정주(孔孟程朱)[253]를 스승삼아, 효는 증왕(曾王)[254]의 뒤를 이으며, 충을 이를진대 이윤(伊尹)[255] 부열(傅說[256])을 따르고자 하니, 통고금(通古今) 달사리(達事理)에 박람만고(博覽萬古)하여 입취천언(立取千言)하며 귀신을 울릴지라. 담연(淡然)이 세상 물욕(物慾)에 벗어나니, 장공자 매양 쉬이 입장(入丈)하기를 죄며 실중에 숙녀 미희를 갖추어 장부의 풍채를 빛냄을 이르대, 차 공자 형을 간하여 침엄정대(沈嚴正大)하기를 청한 즉, 장 공자 소왈,

"비록 동포골육이나 성정이 각기소장(各其所長)이라. 너의 걸음마다 조심하여 나아가매 걸려 넘어질 듯하며 말씀마다 조심하는 품도를 차마 답답하여 어찌 의방(依倣)인들 하리오. 심내(心內)에 노하여도 천연 강인하여 현어사색(顯於辭色)지 아니며, 우스운 일이 있으나 한번 유미(柳眉)를 움직이지 아니하여 못 본 듯함은 나의 원이 아니라. 대장부 처세에 행사함이 청천백일(靑天白日)과 광풍제월(光風霽月)[257] 같을 것이니 장부 되어 품은 바를 어찌 은휘하리오. 나는 대로 할 것이거늘 어찌 재

---

252) 황각(黃閣) : 행정부의 최고기관인 의정부(議政府)를 달리 이르는 말.

253) 공맹정주(孔孟程朱) : 공자(孔子), 맹자(孟子), 정자(程子), 주자(朱子).

254) 증왕(曾王) : 중국의 대표적 효자인 증자(曾子 : BC505-435)와 왕상(王祥 : 184-268)을 함께 이르는 말.

255) 이윤(伊尹) : 중국 은나라의 전설상의 인물. 이름난 재상으로 탕왕을 도와 하나라의 걸왕을 멸망시키고 선정을 베풀었다.

256) 부열(傅說 : 중국(中國) 은(殷)나라 고종(高宗) 때의 재상(宰相), 토목(土木) 공사(工事)의 일꾼이었는데, 당시(當時)의 재상(宰相)으로 등용(登用)되어 중흥(中興)의 대업을 이루었음

257) 광풍제월(光風霽月) : ①비가 갠 뒤의 맑게 부는 바람과 밝은 달. ②마음이 넓고 쾌활하여 아무 거리낌이 없는 인품을 비유적으로 이르는 말. 황정견이 주돈이의 인품을 평한 데서 유래한다.

주를 감추고 괴로이 겸퇴(謙退)하여 허물을 사람에게 잡힐 듯이 함이, 이 부인 여자의 할 바요, 대장부의 일이 아니라."

하니, 이 공자 역소(亦笑)하고 형의 천성이 빼어나고 호기 과인함을 알아 범사에 단정(端正)키를 간하여, 형제 서로 좇아 우애지정(友愛之情)이 지극하더라.

차 공자의 자는 사빈이니 명천공이 금국의 나아갈 적 명(名)자와 자(字)를 지어준 바라. 추밀이 양 공자의 날로 장성함을 두굿겨 사랑이 만금의 지나고 귀중함이 자기의 몸에 지나나, 오히려 태부인과 유씨의 사나움을 깨닫지 못하니, 양공자 괴로운 신세와 남모르는 회포 비길 곳이 없으나, 태부인의 극악함이 조부인을 추밀이 알지 못하게 보채고 조르며 질욕(叱辱)이 그칠 사이 없고, 침선수질(針線繡紩)[258]을 수없이 식이며 밤에도 편히 자지 못하게 하는지라. 구파 심리에 불승통해하여 세월이 오랠수록 상서의 없음을 각골 슬퍼하고, 조부인 삼모자의 위란한 신세와 참잔(慘殘)함을 비열(悲咽)하여 태부인 미워함이 구수(仇讐) 같으니, 위・유 양흉이 구파를 절치부심함이 조부인 삼모자와 일양이라. 시러곰[259] 전제(剪除)할 길이 없으니 종일(終日) 장야(長夜)에 모녀고식(母女姑媳)이 머리를 마주해 무릎을 맞대고 주사야탁(晝思夜度)하여 궁모곡계(窮謀曲計) 흉완(凶頑)함이 비길 데 없더라.

조부인이 양자로 더불어 위란한 근심이 방촌(方寸)[260]이 요란하되, 오직 믿고 바라는 바는 숙숙(叔叔) 추밀공의 지극한 우애를 바람이요, 구파의 지성 보호를 믿으나, 벌써 하늘이 재앙을 나리와 군자숙녀로 하

---

258) 침선수질(針線繡紩) : 바느질하고 수놓고 깁고 하는 일.

259) 시러곰 : 능히, 하여금. 이에.

260) 방촌(方寸) : 사람의 마음은 가슴속의 한 치 사방의 넓이에 깃들어 있다는 뜻으로, '마음'을 달리 이르는 말.

여금 만장 비원을 빌리시거늘, 어찌 인력으로 미치리오. 애락(哀樂)이 상반(相伴)이라 하니, 조부인 만상 비원 가운데 요행 여아(女兒) 덕문명가(德門名家)에 정태우 같은 영웅군자를 배하여, 존당구고의 자애와 숙매(叔妹) 우공하며 부부 진중하여 이미 농장(弄璋)하는 기쁨이 있음을 들으니, 자연한 정리 어찌 기쁘지 않으리오마는, 부인의 남모르는 비원(悲怨)이 시일(時日)로 층생(層生)하니 어느 겨를에 여아 부부와 손아에게 염려 미치리오. 중야(中夜)에 우수울억(憂愁鬱抑)하여 수미(愁眉)를 떨치지 못하니, 태흉 고식은 이럴수록 아무쪼록 보전치 못하여 눈앞에 사화(死禍)를 보고자 하니, 어찌 악포별물(惡暴別物)이 아니리오.

차시 광・희 양 공자 운학당에서 연일하여 몽매(夢寐) 번잡하고 침처(寢處)에 현현(顯顯)히 요매(妖魅)의 기운이 있음을 보고, 형제 상의하여 일일은 밤들기를 기다려 좌우 시인(侍人)이 다 첫잠이 몽롱함을 타, 공자 벽 틈을 뜯고 보니, 온갖 괴이한 매골과 흉한 짐승의 죽은 것이며 무수한 목인(木人)이 창검을 들어 해인(害人)하는 거동이요, 구태여 사람의 성명을 쓰지 않았으나 필적인 즉 완연한 경아의 필적이라. 양 공자 이를 보매 모골(毛骨)이 구송(懼悚)하여, 장 공자 아우의 손을 잡고 척연히 두 줄 눈물을 흘려, 가로되,

"우리 비록 어린아이들이나 목숨이 하늘에 달렸거늘, 문득 가변이 여차 망측하여 축사(祝辭)를 본즉 석저(昔姐)의 필적이니, 우리 집 가변이 세상에 들릴 수 없는 변고라. 아등이 장차 어찌해야 하며, 우리 모자숙질(母子叔姪)과 조손남매(祖孫男妹)가 어느 날 어느 때에나 서로 화평케 되리오."

언파에 체읍행류(涕泣行流)하니, 차 공자 즉시 축사(祝辭)를 소화(燒火)하고 길이 탄 왈,

"만사 명이라. 사람의 힘이 미칠 바가 아니니 이를 어찌하리까. 형장

은 함구(緘口)하시어 타일을 보실지니이다. 아등의 성효(誠孝) 천박(淺薄)하여 차라리 조모와 양모의 외오[261] 여기심을 얻을지언정, 천하(天下)에 무불시저부모(無不是底父母)[262]니, 부모가 자식을 그릇 여기심도 자식이 성효치 못한 연고라. 진심갈녁(盡心竭力)하여 삼갈 것이니 형장은 무익지사(無益之事)로 근로(勤勞)치 마소서."

일 공자 탄 왈,

"내 비록 불초(不肖)하나 어찌 이러한 줄 모르리오마는, 가변을 한심골경(寒心骨驚)하여 슬퍼함이거니와, 내 인효(仁孝)에 가깝다 함은 얻지 못하고 인륜(人倫)에 희한(稀罕)한 변(變)을 만날까 두려워하노라."

이공자 비록 형제간이나 차마 유부인의 과악을 이르지 못할 바요, 몸이 천일지하(天日之下)의 있어 양매(養妹)의 저주 일사를 듣지 말고자 하는지라. 급급히 요예지물(妖穢之物)을 섬[263]에 넣어 친히 혜준으로 운전하여 소화하고, 혜준을 엄히 분부하여 불출구외(不出口外) 하라 하니, 준이 승명하여 불출구외하니 가중이 알 이 없더라.

장 공자 차 공자더러 왈,

"아등에게 여차 변괴 있으니, 자정 침전을 이르리오. 가히 종용이 살핌이 옳도다."

차 공자 역시 그렇게 여겨 일야는 해월루에 이르러 종용이 좌우 침벽을 살피니, 후창하(後窓下)로 좇아 좌우 벽간의 요매(妖魅)의 기운이 어리었으니 범안(凡眼)은 모르나 공자 어찌 모르리오. 장 공자 친히 밑을 파며 허다 요예지물(妖穢之物)[264]과 축사(祝辭)를 얻어내니 부인이 깨

261) 외오 : '그릇'의 옛말.
262) 무불시저부모(無不是底父母) : (자식을) 옳지 않은 데에 이르게 할 부모는 없다.
263) 섬 : 곡식 따위를 담기 위하여 짚으로 엮어 만든 그릇.
264) 요예지물(妖穢之物) : 무속(巫俗)에서 방자를 할 때 쓰는 해골(骸骨)이나 인형

어 이를 보고 길이 탄 왈,

"여등 형제 복중에 있을 때도 내 몸에 독약을 시험하미, 천만 간계 아니 미친 데 없더니, 이제 계교 궁극하여 무고지사(巫蠱之事)[265]로 죽기를 죄는 의사 백출(百出)하니 어찌 통한치 않으리오."

장공자 온화히 위로 주왈,

"공교지사 존전에 이음차니 어찌 차악 경심치 아니리까? 사람의 수요장단(壽夭長短)과 화복길흉(禍福吉凶)이 하늘에 있는 바거늘, 인간의 요특(妖慝)함이 여차하여 업신여김을 초개(草芥)같이 하니, 일관(一觀)이 통해한지라. 명일 계부 면전에 고하여 비복을 엄문한 즉 거의 죄범자(罪犯者) 죄에 나아가리니 어찌 매양 모르는 듯이 하여 업신여김을 받으리까?"

차 공자 크게 놀라 가로되,

"형장의 이르시는 바 실시여외(實是慮外)[266]로소이다. 이 불과 간교한 비복의 작용이거늘, 문득 창설하여 대인께 고한 즉, 반드시 대단한 거조 있어 아름답지 않은 사단이 계시리니, 원컨대 형장은 일컫지 마소서."

장 공자 정색 왈,

"너는 어찌 이런 말을 하느뇨? 간인의 간계 문득 지존(至尊)을 범하니, 위인자(爲人子)하여 참을 것인가? 아등이 매양 작용을 보나 함구하매 간인의 업신여김이 여차하니, 차사(此事) 발각하나 현제에게 유해함이 없으리니 괴이하게 굴어 나의 심화를 돋지 말라. 명일 계부대인께 고

(人形) 따위의 요사스럽고 흉측한 물건.

265) 무고지사(巫蠱之事) : 무술(巫術)로써 남을 저주하는 일.

266) 실시여외(實是慮外) : 실로 생각 밖의 일임.

하여 합문 비복을 저주어[267] 간계를 핵실(覈實)하리라."

차 공자의 명견 달식으로 어찌 양모의 작용임을 모르리오. 만일 부전에 고한 즉 대변이 있을지라. 망극 한심함을 이기지 못하여 금번의 일을 물시(勿視)하기를 재삼 간걸(懇乞)하니, 부인이 그 지성대효(至誠大孝)를 기특히 여기고, 이 또 유씨 일인의 작용 뿐 아님을 아는지라, 추연탄 왈,

"가정의 불미한 소문이 널리 전함이 기쁘지 않을 것이요, 희아의 말도 괴이치 않으니 모름지기 누설치 말라. 이 또한 나의 명도 기박(奇薄)함이라 누구를 원망하리오."

이에 시아를 명하여 요예지물(妖穢之物)을 다 없이하라 하고, 장 공자를 명하여 발구(發口)치 말라 한데, 공자 묵연 통해함을 이기지 못하나, 감히 역명치 못하여 묵연 수명하더라.

조부인 삼모자 요예지물을 없이하매 거개(擧家) 평안하니, 태부인 고식조손(姑媳祖孫)이 절절히 통완(痛惋)하고 괴이히 여겨, 시녀로 탐지한 즉 매치(埋置)한 것을 파 없이 하였는지라. 시비 놀랍고 의괴하여 이대로 보한대, 삼인이 박수(拍手) 돈족(頓足) 왈,

"조녀의 요악함과 광·희 이축(二畜)의 흉휼(凶譎) 총명(聰明)이 여차하니 어찌 통한치 않으리오."

유씨 도도아[268] 가로되,

"인중(人衆)이 승천(勝天)[269]이라 하니, 조씨 대간대악(大奸大惡)이나 한번 사화(死禍)는 면치 못하리니, 원컨대 존고는 물우소려(勿憂消慮)하

---

267) 저주다 : 형문(刑問)하다. 신문(訊問)하다.

268) 도도다 : '돋우다'의 옛말

269) 인중승천(人衆勝天) : 여러 사람의 힘이 하늘을 이긴다.

소서."

이에 묘랑을 청한대, 묘랑이 이르매, 경아 모녀 조손 삼인이 맞아 관대(款待)할 새, 묘랑이 먼저 삼인의 존몰(存沒)을 물은데, 위씨 고식이 척연(慽然) 함루(含淚) 왈,

"사부는 이르지 말라. 차(此) 삼흉의 흉완하고 모짊은 고자(古者) 여무(呂武)[270]라도 이에 더하지 못하리니, 천지신명(天地神明)과 귀신이 함께 변(變)하나[271] 능히 물리치지 못할 요인(妖人)이라. 어찌 망매지술(魍魅之術)[272]을 용납하리오. 아등이 일찍 사부의 고명한 신술이 족히 이 사람들은 처치하여 아심을 위로할까 하여, 초(初)에 앎이 천신과 다름이 없게 여겼더니, 방금하여는 크게 첫말과 내도하니 이 엇진 일이뇨? 내 초에 스승을 만나 생각하되 조녀 삼모자와 석생의 재실 오씨까지 전제(剪除)하여 여아와 우리 고식의 계활이 쾌할까 하였더니, 이제 한 사람도 전제치 못하니 이 무슨 일꼬?"

묘랑 흔연 위로 왈,

"만사 다 때와 날이 있으니 부인은 번뇌치 마소서. 석(昔)에 주(周) 갑자일(甲子日)에 흥하고 은왕(殷王)이 갑자(甲子)에 망하였나니 만사(萬事) 다 하늘의 뜻이라. 어찌 그 때를 모르시고 이렇듯 번뇌하시느뇨? 자고(自古) 명장(名將)도 적국을 소제하매 승패득실이 불가승언(不可勝言)[273]이라. 이제 이위(二位) 부인은 일개 여자로 금장(襟丈)[274]과 자

---

270) 여무(呂武) : 중국의 대표적인 여성권력자인 한(漢)나라 고조(高祖)의 황후 여후(呂后) 여치(呂雉?-BC108)와 당(唐)나라 고종의 황후 측천무후(則天武后) 무조(武曌 : 624-705).

271) 변(變)하다 : 변(變)을 일으키다.

272) 망매지술(魍魅之術) : 도깨비장난과 같은 간사한 술수. 망매(魍魅) : 산도깨비와 두억시니를 아울러 이르는 말.

273) 불가승언(不可勝言) : 수가 많아서 말로 다 이를 수 없다.

질(子姪)을 전제코자 하시니, 어찌 그리 쉬우리오. 세월을 천연하나 필경 소원을 일울 때 있으리이다."

유씨 함루(含淚) 사례 왈,

"사부의 말 같을진대 나의 심사 잠간 시원하리로다. 연이나 하일하시(何日何時)에 소원을 이루리오. 사부는 앉아서 만리 밖을 아나니 밝히 가르치라."

묘랑이 속여 가로되,

"반드시 사오년 내의 소원을 이루리이다."

사오년 내 악사 발각할 줄 알고 짐짓 이리 이르니, 만일 악사 발각하는 날이거든 멀리 도망하려 주의를 정하고, 금은옥백(金銀玉帛)을 징색하여 보수암에 쌓으니, 유씨 그 뜻을 모르고 다만 견디려 하는지라. 추밀공은 대사(大事)에 강명(剛明)하나 소사에 풀어져, 내사(內事)붙이[275]는 알려 함이 없으므로, 금은필백(金銀疋帛)이 어디로 가는 줄 알지 못하는 고로, 위·유가 악사를 수창(酬唱)하기에 금·은·미곡·필백을 흙같이 여기는지라. 묘랑을 얻음으로부터 다시 망패(亡敗)하기에 미치니, 유씨 묘랑의 말을 믿어 금은을 줄 뿐 아니라, 사사로이 전장(田莊)을 가음알아[276] 양녀(兩女)를 호부(豪富)케 하고자 하므로, 전에는 고중에 미곡이 썩더니 당차시(當此時)하여는 합문이 겨우 연명하는지라. 추밀의 월봉과 선복(膳福)[277]으로 들어오는 것은 다 질자(姪子) 유랑(郞)을 맡겨 전토(田土)를 매득하고, 주야 근로(勤勞)하는 형상(形狀)으로 누대봉사(累代奉祀)하고 가력(家力)이 없다 하여, 짐짓 자기도 몸을 치

---

274) 금장(襟丈) : 여성이 남편 형제의 아내를 지칭하여 이르는 말.
275) -붙이 : 어떤 물건에 딸린 같은 종류라는 뜻을 더하는 접미사
276) 가음알다 : 관장하다. 다스리다.
277) 선복(膳福) : 선물(膳物).

례치 않아 겨우 가도(家道)를 차리며, 태부인을 꾀어 노복과 전토를 팔자 하라 하니, 추밀이 혹 그렇게 여길 때도 있으나 의아하여 유씨와 모친께 연고를 물으면, 태부인 왈,

"세 손녀의 혼수에 가산이 탕패(蕩敗)타."

하며, 혹 눈물을 흘려 광천 등의 생활이 구간(苟艱)함을 슬퍼하는 체하니, 추밀이 재리(財利)의 마음이 없는 고로 모친의 과도히 슬퍼하심을 절박하여 웃고 대 왈,

"재물이라 하는 것이 불관(不關)한지라. 광·희 양애 비록 적수(赤手)로 있으나 생계 구간(苟艱)치 않을 아해들이오니 물려(勿慮)하소서."

태부인이 가로되,

"재물 유무는 저의 운수라 어찌하리오."

공이 도리어 위로함을 마지않으니, 구파 이런 행사를 보고 어이없어 말을 않으나, 위·유 이인의 용심을 궁흉히 여기더라.

태부인이 시녀 노복 중에 조부인께 정성(精誠)이 있는 이는 다 팔아 없이하니, 노복 등이 서로 떠나지 않을 뜻이 있어 옥누항 근처에 살아 태부인이 망하고, 공자 등이 평안한 시절을 만나기를 등대하더라.

추밀이 금평후를 대하여 광천 등의 장성함을 일러 쉬이 성례함을 여러 번 재촉하니, 금평후 그 가정을 알기로 장래를 염려하나, 이미 구약한 혼사니 여아를 심규에 늙히지 못할 것이므로 부득이 택일하니, 납빙(納聘)[278]은 이월 회간(晦間)이요, 혼례는 중추념간(中秋念間)[279]이라. 윤추밀이 일자 더딤을 굼거이 여기나 길월이 없어 부득이 기다리고, 명

---

278) 납빙(納聘) : 신랑의 집에서 신부의 집으로 혼인을 구하는 의례로 흔히 푸른 비단과 붉은 비단 등을 보내는 폐백을 뜻함. 납채(納采) 또는 납폐(納幣)라고도 함.

279) 중추념간(中秋念間) : 음력 8월 20일 전후.

주 일쌍으로써 행빙(行聘)하니, 정부에서 명주를 보고 정공이 추연하여, 하공은 보월을 얻고 명천공은 명주를 얻어 신기히 여기던 바를 생각고 상감(傷感)하더라.

유씨 광천공자의 길월이 사오 삭이 격하였으니, 그 사이 혼사를 저해(沮害)코자 하되 좋은 모책을 얻지 못하여 민민불낙(憫憫不樂)하여, 양공자를 죽일 뜻이 착급하여 구몽숙을 불러 진정으로 베풀어, 가로되,

"현질은 날로 더불어 명위숙질(名爲叔姪)이나 실위모자(實爲母子)라. 심담(心膽)이 상조(相照)하니 무슨 말을 못하리오. 가군이 불명 소활하여 사람의 현불초(賢不肖)를 알지 못하고, 직심(直心)으로 어질 뿐이라. 희천은 계후하였거니와 광천조차 귀중함이 만금에 비할 바 아니니, 광천의 형제 일분이나 인효(仁孝)할진대, 저의 사랑함을 어찌 감사치 않으리오마는, 그 악(惡)이 무비(無比)하여 밖으로 자질의 도를 폐치 않으나, 안으로 이검(利劍)을 장(藏)하여 가군(家君)을 행로(行路)[280]같이 대하고, 심지어 나와 더불어는 모자 숙질이 변하여 완연한 구수(仇讐)되어, 저희 형제 나를 원망하기를 그칠 사이 업고, 부디 죽이기를 원한다 하니, 고인이 이르기를 '녕위계구(寧爲鷄口)언정 무위우후(無爲牛後)'[281]라 하였으니, 내 어찌 저의 해를 받도록 부질없이 손을 꽂고 화(禍)를 대령하리오. 그윽이 생각건대, 내 먼저 저희를 없애고자 하나니, 현질이 변화하는 재주와 칼 쓰는 신술이 형가(荊軻)[282] 섭정(聶政)[283]을 웃을

280) 행로(行路) : ≒행로인(行路人). 오다가다 길에서 만난 사람이라는 뜻으로, 아무 상관이 없는 사람을 이르는 말.

281) 영위계구(寧爲鷄口)언정 무위우후(無爲牛後) : 차라리 닭의 머리가 될지언정 소의 꼬리는 되지 말라는 뜻.

282) 형가(荊軻) : ?-B.C.227. 중국 전국 시대의 자객. 위나라 사람으로, 연나라 태자인 단(丹)의 부탁을 받고 진시황제를 암살하려 하였으나 실패하고 죽임을 당하였다.

지라. 나를 위하여 광・희 양자를 일검지하(一劍之下)에 베어 나의 위태함을 없게 할진대 어찌 감사치 않으리오."

몽숙이 이때에는 전일과 달라 옥당(玉堂)[284] 한원(翰苑)[285]의 청현(淸賢)을 자임하므로 악사를 아니함 즉하되, 모진 성품이 갈수록 더하며 불의를 숭상하여 투현질능(妬賢嫉能)[286]하니, 양 공자의 비상함이 타일 청운을 더위잡아[287] 경악(經幄)에 출입하매, 저희 유(類) 감히 우러러 보지 못하여 정천흥의 당류 될지라. 차라리 유씨의 청을 들어 광천 등을 어렸을 적 죽이고자 하여, 이에 대 왈,

"소질이 조그만 용력이 있으나 어찌 형가(荊軻) 섭정(聶政)의 날랩이 있으리까마는, 족히 숙모의 절박한 심사를 위로하리니, 살인한 적악(積惡)이 있으나 마지못할지라. 칼을 빼어 광천 등의 머리를 따로 나게 하리이다."

유씨 대열하여 이르대,

"현질이 나를 위하여 지원(至願)을 이루게 하면 어찌 한갓 숙질의 정뿐이리오, 은혜 백골난망(白骨難忘)이로다."

몽숙이 불감함을 일컫고 유씨와 날을 맞추고 돌아가니, 의논이 밀밀하여 경아 밖은 알 리 없더라.

---

283) 섭정(聶政) : 중국 전국시대의 자객. 제나라 사람으로 복양(濮陽) 사람 엄중자(嚴仲子)의 사주를 받고 한나라 재상 협루(俠累)를 죽인 후, 주인을 누설치 않기 위해 자결했다.

284) 옥당(玉堂) : 조선 시대 홍문관의 별칭. 삼사(三司) 가운데 하나로 궁중의 경서, 문서 따위를 관리하고 임금의 자문에 응하는 일을 맡아보던 관아

285) 한원(翰苑) : 한림원(翰林院). 조선시대 예문관의 별칭. 임금의 명을 짓는 일을 맡아보던 관아.

286) 투현질능(妬賢嫉能) : 어질고 재주 있는 사람을 시기하며 미워함.

287) 더위잡다 : ①높은 곳에 오르려고 무엇을 끌어 잡다. ②의지가 될 수 있는 든든하고 굳은 지반을 잡다.

일야는 광·희 이 공자 운학당에서 삼춘화류(三春花柳)를 응하여 글을 지어 서로 화답하다가, 밤이 깊으매 베개에 나아가니, 이 밤에 구몽숙이 비수를 끼고 웅장한 역사(力士)가 되어 유씨의 가르침을 좇아 운학당에 이르러, 합장(閤牆)[288] 뒤에서 양 공자의 잠들기를 기다리더니, 양 공자 일침지하(一寢之下)에 힐항(頡頏)[289]하여 밤이 반이나 된 후 잠을 드는지라. 몽숙이 즉시 날카로운 검을 번득이며 바로 들어와 광천 등을 죽이려 하니, 문득 양공자는 보지 못하고 상상(床上)에 황룡과 백룡이 서광(瑞光)을 띠어 누었는데, 제성(諸星)이 호위하였으니, 몽숙이 마음에 스스로 겁하여 두 눈이 아득하니, 어느 것이 광천이며 희천임을 알지 못하여 칼을 멈추고 눈으로 살필 새, 광천이 잠이 깊지 않았던 고로 문 여는 소리를 듣고 눈을 희미하게 떠 잠간 보매, 차시 삼월 망간이라, 명월이 호호(晧晧)하여 사창(紗窓)을 낮같이 비추니, 한낱 건장한 장사가 서리 같은 비검(匕劍)을 휘두르며 들어오는지라. 심내에 분완하여 거동을 채 보려 자는 체하더니, 희천이 또한 형의 팔을 다래여 일어 움직이고자 하거늘, 광천이 비로소 함께 일어나매, 몽숙이 바야흐로 간 곳을 몰라 심리의 경혹(驚惑)하여 생각하되,

"내 아까 분명이 광천 형제 잠드는 거동을 보았더니, 그 사이 어디로 간고? 가히 측량치 못하리로다."

의사 분분하여 양룡(兩龍)을 자로 보더니, 홀연 두 용이 움직여 옷을 입으려 하는 것을 보니, 문득 변하여 광천과 희천이라. 몽숙이 급히 비수를 들어 먼저 광천을 향하여 용력을 분발하여 달려드니, 광천이 팔을

---

288) 합장(閤牆) : 건물 출입문과 연결되어 있는 담장.
289) 힐항(頡頏) : ①새가 오르락내리락 하며 난다는 뜻으로 서로 정답게 지내는 모양을 이름. ②서로 우열을 가리기 어려움. 비슷함.

들어 비수를 앗고, 희천이 뒤로 달려들어 몽숙을 잡으려 하니, 몽숙이 변화하여 날짐승이 되고자 하여 몸을 흔들거늘, 광천이 봉목(鳳目)을 높이 뜨고 와잠(臥蠶)의 눈썹을 거스르고, 몽숙에게 빼앗은 비검을 들어 그 가슴을 비껴 찌르니, 희천이 말려 왈,

"자객의 정상이 통해하니, 엄히 저주어 간정(奸情)을 핵실(覈實)하리니, 급히 죽이지 마소서."

광천이 먼저 가슴을 찌르고 버거[290] 머리를 베고자 하더니, 차 공자의 말을 듣고 칼을 던지고 몽숙의 상투를 풀쳐 손에 감으니, 충천한 기운을 이기지 못하여 발을 들어 차기를 매우 하고, 차 공자로 하여금 야명주(夜明珠)[291]를 내어 서안(書案)에 놓으라 하니, 이 때 몽숙이 칼에 가슴을 찔려 피 솟아나는 바에 아픔이 극하고, 머리가 광천의 손의 감겨 변화하는 요술도 내지 못하고, 황황착급(惶惶着急)하여 아무리 할 줄 모르더니, 양공자 야명주를 비추고 물어 왈,

"우리 널로 더불어 원수 없고 본디 일면부지(一面不知)라. 네 무슨 연고로 반야삼경(半夜三更)에 칼을 들고 해코자 하느뇨? 빨리 이르지 않으면 경각에 네 칼로 시험하리라."

몽숙이 불의지사(不義之事)를 많이 하였으되 금일 같은 적이 없는지라. 광천의 하일지위(夏日之威)와 희천의 단엄한 기상이 묵묵한 노기를 띠어, 곧바로 사람을 죽일 듯하니, 몽숙이 빌어 가로되,

"향리(鄕里)에 생장하여 인사를 채 알지 못하고 평생에 금은 귀한 줄만 알더니, 윤추밀 내상(內相)[292]이 나의 용력이 있음을 들으시고, 금

---

290) 버거 : 이어, 다음, 다음으로. 둘째로.
291) 야명주(夜明珠) : 야광주(夜光珠). 어두운 데서 빛을 내는 구슬.
292) 내상(內相) : 아내가 집안을 잘 다스림. 또는 그런 아내.

은을 보내시며 시녀로 이르시대,

“운학당에서 자는 공자 양인이 원수의 자식이니, 지금 죽이지 못하여 통한하나니, 양 공자의 머리를 베어 들이면 반드시 만금 상이 있으리라.”

하거늘, 사죄(死罪)를 범코자 함이러니, 방중에 들어와 양 공자를 보매 의표가 하 비상하시니, 오래 머뭇거려 칼을 간대로 시험치 못하였삽나니, 빌건대 일명(一命)을 사(赦)하소서.”

양 공자 대로하여 가로되,

“네 말을 들으니 더욱 살려두지 못하리로다. 원간 네 성명이 무엇이냐? 요패(腰佩)를 잠간 보리라.”

언파의 다시 몽숙의 미간(眉間)을 차니 깨어져 피 흐르는지라. 차 공자 그 몸을 뒤여 요패를 얻으려 하되, 찬 일이 업는지라. 금낭을 떼어 보니 낭중에 조정 명류로 더불어 시사(詩詞) 창화(唱和)한 것과 유부인 서간이 있어, 금야에 자기 등을 죽이라 하였으니, 차 공자 견파(見罷)에 심골이 경한(驚寒)하고 가변이 망극함을 한심하니, 머리를 숙이고 미처 말을 못하여서, 장 공자 칼을 들어 가로되,

“네 근본을 알지 못하거니와 불의한 일을 이같이 숭상하니, 전후에 사람을 많이 해하였을지라. 일명을 사(死)치 못하리라, 죄악이 당당히 주륙(誅戮)을 면치 못할 것이니, 이제 죽음을 한치 말라.”

이리 이르며 몽숙을 베려 하니, 십삼소년의 위풍이 규규(赳赳)하며 기상이 삼엄하여 바로 보지 못할지라. 몽숙이 일이 급함을 보고 소리 질러, 왈,

“광천은 날로 더불어 친척이 아니거니와 희천은 이종지간(姨從之間)이라. 어찌 날을 죽이며 내 또 너희를 미워해 죽이려 하는 것이 아니라, 숙모를 네 죽이려 하매, 시고(是故)로 날을 청하여 여차여차 죽여 달라

하시니, 내 몸이 옥당금마(玉堂金馬)[293]의 명환(名宦)을 자임하는 명사로, 혼야(昏夜)에 칼을 품고 사람을 죽이려 함이 비루(鄙陋)하고 괴이하되, 숙모의 위태하심을 추연하여 너희 같은 포악지인(暴惡之人)을 죽여 숙모의 일생을 편케 하시고자 함이라. 너희 날을 죽이려 하거든, 이제 숙모를 청하여 한번 영결(永訣)케 하라."

장 공자 더욱 대로 왈,

"우리 숙모 여러 질자(姪子) 있어 빈빈 왕래하되 너 같은 축생(畜生)은 보지 못하였으니, 거짓 숙모의 질자로다 하고, 우리를 눈이 없이 여기니 사사(事事)의 가살(可殺)이라. 어찌 한 목숨을 빌리리오."

언파의 몽숙을 베려 하니, 장 공자 말을 이리 하나 몽숙인 줄 짐작하고, 아주 죽여 후의 긴 혀를 놀리는 후환을 없애고자 하더니, 차 공자 바삐 칼을 앗고, 몽숙을 향하여 질왈(叱曰),

"네 거짓 날과 이종간(姨從間)이로다 하거니와, 내 일찍 너를 본 일이 없으니 어찌 허언이 아니며, 네 감히 그런 흉참한 말로 우리 자당을 어침(語侵)하여, 허언을 꾸며 요악한 혀를 놀려 어지러운 말을 하니, 죄악이 절절(切切)이 한번 죽기를 면치 못하리라."

몽숙이 답왈,

"나는 다른 사람이 아니라 한림학사 구몽숙이라, 너로 더불어 이종지의(姨從之義) 없으리오. 이제 본형을 들어내어 너의 의심을 없이하리라."

말을 마치며 몸을 흔들어 변하여 두발은 오히려 장공자의 손에 감긴

---

293) 옥당금마(玉堂金馬) : 중국 한(漢)나라 대궐의 옥당전(玉堂殿)과 금마문(金馬門)을 함께 이르는 말로, 황제를 가까이서 받드는 요직의 벼슬아치들을 뜻한다. 옥당전은 한림원이 있었던 전각의 이름이며 금마문은 전각의 문으로 문 앞에 동마(銅馬)가 있어 붙여진 이름이다. 조선에서는 홍문관을 옥당이라 했다.

채[294] 있으되, 경각에 흉참한 장사가 변하여 옥면류풍(玉面柳風)의 재기로운 몽숙이라. 미간에 흐르는 피와 가슴이 찔려 중상(重傷)하였는지라. 장 공자 요악 간특함을 이기지 못하여 손에 감았던 두발(頭髮)을 풀어놓고, 낯에 침 뱉어 가로되,

"우리는 헤아리기를 네 비록 정인군자(正人君子)는 아니나, 재기(才氣)로운 인물로 명가(名家) 자손이니, 조선을 욕 먹이지는 않을 것이라 여겼더니, 너의 공교함이 요술을 행하며 극악한 행사가 이 지경에 미치니, 우리를 해하려 하던 줄은 놀랍지 아니하되, 네 몸을 위하여 개연(慨然) 차석(嗟惜)하나니, 네 우리 모자 숙질간을 이간하여 난상(亂常)[295]함을 보고자 하여, 망측한 누명을 숙모에게 끼치니, 죄상이 더욱 살려두기 어렵고, 너 같은 요악소인(妖惡小人)이 옥당에 출입하여 국록을 허비하며, 조정 명류로 더불어 어깨를 나란히 하여 근시(近侍)함이 측하고 더러워, 한번 쾌히 죽여 흔적을 없이하면 가국(家國)에 다행이로되, 네 다만 구시랑 일자로 영정단신(零丁單身)이라. 너를 죽일진대 너의 조선 혈식(祖先血食)이 절함을 연측(憐惻)하노라."

몽숙 왈,

"너의 날을 달래려 하거니와 이제 숙모를 모셔 오라. 너의 사오나온 연고로 숙모 타일 너의 해를 입을까 두려 먼저 너희를 죽이고자 하심이니, 내 본디 너희로 더불어 혐원이 없으니, 숙모 말씀을 듣지 않았으면 무슨 일로 패도(悖道)를 행하리오."

장 공자 칼을 들어 질왈,

"네 감히 긴 혀를 놀려 숙모를 들놓아 우리 모자 숙질지간을 어지럽히

---

294) 채 : 이미 있는 상태 그대로 있다는 뜻을 나타내는 말.
295) 난상(亂常) : 인륜을 어지럽힘. 상(常)은 오상(五常) 곧 오륜(五倫).

려 하니, 죄당주륙(罪當誅戮)[296]이라. 너를 한 칼에 베어 설분(雪憤)하리라."

차 공자 말리고, 몽숙이 빌어 왈,

"내 말을 잘못하였으니, 사원은 노하지 말라. 차후 개과천선(改過遷善)하여 악사를 다시 행치 않으리라."

장 공자 비로소 칼을 놓고, 차 공자 몽숙을 위로하여 돌아가라 하니, 몽숙이 창황수괴(蒼黃羞愧)하여 상처를 움켜쥐고 문을 나매, 변신하여 나는 짐승이 되어 돌아가니, 혜준이 이 형상을 보고 모골이 송연하여 한가에 앉았거늘, 양 공자 이런 소문을 내지 말라 엄히 분부하고 도로 자리의 누울 새, 대 공자 아의 손을 잡고 길이 탄 왈,

"아등(我等)이 계부의 자애를 받자오니 숙모 이렇듯 죽이고자 하심이 궁극한 지경의 미쳐, 저주지사(詛呪之事)와 금야 변괴 사람이 생각지 못할 바라. 너와 내 어느 때 가변을 진정(鎭定)하고 촌효(寸孝)를 다하여 이위(二位) 존당을 감동하시게 하리오."

차 공자 길이 탄식하고 가로되,

"구축(寇畜)의 간활무상(奸猾無狀)한 말을 어찌 믿을 것이라 형장이 이런 말씀을 하시나니까? 원컨대 자정(慈庭)께도 고치 마소서."

언파에 초창(怊悵)함을 마지않으니, 장 공자 묵연하여 다시 말을 하지 아니하고, 형제 양인이 은우(隱憂) 만복하여 만사에 흥황이 없는지라. 서로 심회를 위로하며 가변을 경심차악하여 시일(時日)을 보내나, 명도 기구하고 신세 험난함이 이 같으니, 만일 명천공 유령이 앎이 있다면 어찌 아끼지 않으리오. 이 또한 운건(運蹇)[297]함이러라.

---

296) 죄당주륙(罪當誅戮) : 죄가 죽음에 해당된다.
297) 운건(運蹇) : 운수가 막힘.

차설, 구몽숙이 가슴과 미간을 중상하여 집에 돌아와 양씨더러도 바로 이르지 못하여 거짓 낙상(落傷)함을 이르고, 의약을 착실히 하며, 소찰(小札)로 유씨께 고하여 광천 등을 죽이려 갔다가 미처 죽이지 못하고 도리어 광천에게 잡혀 반생반사(半生半死)하여 일신을 성한 곳 없이 짓맞고[298] 왔음을 통하되, 허언을 태반이나 보태어 유씨를 놀라게 하니, 유씨 모녀 몽숙의 서간을 보고 만신이 떨리기를 면치 못하니, 독한 성과 급한 분이 불 일어나 듯하여 눈물이 낯에 가득하여 체읍하니, 경애 위로 왈,

"모친은 과도히 슬퍼마소서."

유씨 길이 느껴[299] 왈,

"내 허다 심력을 허비하여 광천 등 삼모자를 죽이고자 하되, 한 일도 마음과 같지 못하고 곳곳이 나의 사나움만 들어날 뿐이니, 하늘이 날을 돕지 않으심이 이렇듯 심할 줄 어찌 알았으리요."

경애 역시 슬퍼 천도를 원하며 점점 칼 같은 마음이 날로 층가(層加)하고, 유씨 희천을 고요히 대하면 이를 갈아 고대 칼로 지르고자 하되, 추밀의 양 공자 사랑함은 점점 더하니 이 거동을 본 즉 더욱 미움을 형상치 못하나, 은악양선(隱惡佯善)하여 사오나온 것을 오래 품으매, 화증이 날로 성하여 때때 온 몸이 아픈 듯, 광천 등을 죽이고자 하는 마음이 불 일 듯하여, 일일은 추밀이 마침 친우의 집에 나아가고, 장 공자 외가에서 조공이 금릉서 왔으므로 배현코자 조부로 갔으매, 차 공자 홀로 서재에 있다가 안에 들어와 유씨께 뵈오니, 부인이 바야흐로 공자 등을 죽이고자 하는 마음이 칼을 품은 듯하여, 스스로 억제하매 만신이 번열하

---

298) 짓맞다 : 짓두들겨 맞다. 마구 두들겨 맞다. *짓; 일부 동사 앞에 붙어 '마구', '함부로', '몹시'의 뜻을 더하는 접두사

299) 느끼다 : 서럽거나 감격에 겨워 울다. ≒느껍다. *느껍다; 어떤 느낌이 마음에 북받쳐서 벅차다.

여 찬 물에 수족을 담그고 안목이 벌겋게 되어 앉았더니, 공자 낯빛을 화이 하고 소리를 낮추어 기운을 묻자온대, 유씨 불분시비(不分是非)하고 곁에 놓였던 옥연갑(玉硯甲)을 들어 공자의 머리를 향하여 던지고, 달려들어 어깨를 물어뜯으니 피 솟아나 옷에 물들고 머리 깨어져 붉은 피 솟아나는지라. 공자 불변 안색하고 종용이 한삼을 떼어 머리의 피를 씻고 날호여 꿇어 묻자오대,

"소자 유죄하매 반드시 시노를 명하여 책벌하실지니, 어찌 성체를 가쁘게 하시나니까?"

유씨 희천의 현효(賢孝)함을 더욱 밉게 여기는지라, 의법이 시노로 장책할 줄 모르지 아니하되, 구파의 앎이 되어 추밀께 전할까 두려워하므로, 여러 이목 가운데는 감언(甘言)하여 사랑하는 체하다가, 자기 침소에서 조용히 대한 즉, 악악함이 아니 미친 곳이 없는지라. 이날도 간독(奸毒)한 성을 연고 없이 발하여, 공자를 걷밀어[300] 협실의 넣고 철편(鐵鞭)을 들어 머리로부터 두드리니, 공자 아픈 것을 참고 애걸하며 가로되,

"자정은 성체를 가쁘게 마시고, 시노(侍奴)로 다스리시기 요란하거든, 시녀 중 용력 있는 이로 태장을 가하소서."

유씨 비로소 세월을 불러 협실에 들여 공자를 세우고 태벌할 새, 수를 헤지 않고 살이 무너나기[301]를 그음하여[302] 치니, 공자 막힐 듯하되 옥각(玉脚)을 높이 걷고 한 소리를 요동치 않고, 점루(點淚)를 머금지 아니하대 깨어진 머리 어질하고 어깨의 모진 잇자국에 피 한없이 솟아나

---

300) 걷밀다 : 함부로 밀치다.

301) 무너나다 : 상처, 옷 따위가 헐어서 떨어져 나가다.

302) 그음하다 : 끝, 한계, 기한 따위를 정하여 무슨 일을 하다.

며, 옥각이 칼로 써는 듯하되, 마음을 굳게 참아 그치기를 기다리더니, 경아가 부친이 경희전에 왔음을 고하니, 유씨 비로소 그치고 등을 밀어 가로되,

"어리고 점직한 윤공이 왔으니 네 온 가지로 참소하여 날을 죽이도록 도모하라."

공자 추연이 낯빛을 고쳐 가로되,

"아해 비록 불초무상(不肖無狀)하오나 어찌 대인께 참소함이 있으리까? 괴이한 의심을 마소서."

유씨 이를 갈며 어서 나가라 하니, 공자 의대를 수습하고 대인이 못 보시게 운학당으로 나오나, 행보를 이루지 못하여 겨우 나와 베개를 의지하여 고요히 누었더니, 추밀이 모친께 뵈옵고 공자를 보지 못하여 운학당으로 나오니, 공자 연망이 몸을 움직여 일어나니 공이 그 머리 깨어져 상하였음을 보고 연고를 무른대, 공자 대 왈,

"섬에서 실족하이다."

공이 미우를 찡기고 상처에 약을 싸매고 가로되,

"네 본디 족용중(足容重)[303]하여 그릇 디딜 리 없거늘, 금일 이렇듯 상함이 적은 액이 아니라. 조심하여 조리하고 나다니지 말라."

당부하며 편히 누우라 하되 부전이라 감히 눕지 못하니, 추밀이 아자의 눕기를 위하여 나오되 경려(驚慮)하기를 마지아니하나, 유씨 전일에는 두상을 상해오지 않았으므로 추밀이 알지 못하고 금일 실족함으로 아나, 아끼고 염려함이 자기 몸이 아픈 듯하되, 어찌 유씨에게 맞아 상함인 줄 알리오. 공자 한갓 머리 상하였을 뿐 아니라, 철편으로 맞은 다리 촌보를 움직이지 못하고 누워 자기 팔자를 헤아리건대, 부자천륜(父

303) 족용중(足容重) : 발걸음을 내딛기를 매우 조심스럽게 함.

子天倫)의 면목을 모르는 슬픔이 육아(蓼莪)[304]에 맺히거늘, 생모의 위란한 신세 호혈(虎穴)의 들어계심과 다르지 않고, 양모의 극악함이 감화키 어려운지라. 자기 형제 반드시 효도에 온전한 사람이 되기 어렵고, 가변의 차악함이 어느 지경에 갈 줄 알지 못할지라. 주야로 조모와 양모의 감화키를 바라고 성효를 갈진(竭盡)하나, 포악한 호령과 독한 책벌이 그칠 사이 없어 혈육이 성할 때 없으니, 아무리 하여도 좋은 모책이 없어 근심이 만단이나, 조금도 양모를 원하는 뜻이 없고 자기 효성이 부족하여 외오 여기심을 얻은 가 자책하고, 생모와 양부의 지극한 정을 돌아보지 않으면 차라리 한번 죽어 가중변란(家中變亂)을 보지 말고자 하나, 자기 죽는 날이면 양모의 패덕이 더욱 들어날 고로, 백단 괴로움을 견뎌 슬픔을 감추고, 오직 명도를 탄하며 갈수록 효우를 힘써, 조모와 양모의 감화하기를 바라더라. 장 공자 돌아와 모친과 숙당께 뵈옵고 운학당에 돌아와 차 공자의 누었음을 보고 놀라 앓는 곳을 묻다가, 두상(頭上)이 상하였음을 보고 반드시 유씨의 일인 줄 짐작하고 가로되,

"금일은 하고(何故)로 머리를 따리는 죄벌(罪罰)이 있더뇨?"

차 공자 묵연 부답하거늘, 장공자 슬프고 자닝함을 이기지 못하여 이미 혼정(昏定)을 파하였는 고로 의대를 해탈하고 누울 새, 차 공자 오히려 옷을 벗지 않았으니 장 공자 옷을 벗고 편히 누움을 권하되, 움직이지 아니하니 장 공자 친히 옷을 끌러 가로되

"옷을 입고 누우면 더욱 편치 않으리라."

---

304) 육아(蓼莪) : 육아지통(蓼莪之痛). 어버이가 돌아가시어 봉양하지 못하는 효자의 슬픔을 이르는 말. 중국 전국시대 진(晋)나라 사람 왕부(王裒)가 아버지가 비명(非命)에 죽은 것을 슬퍼하여 일생 묘 앞에 여막(廬幕)을 짓고 살며 추모하였는데, 『시경』 〈육아편(蓼莪篇)〉을 외우며, 그 때마다 아버지를 봉양치 못하는 자신의 처지를 슬퍼하여 눈물을 흘렸다는데서 유래한 말.

하니, 차 공자 형이 자기 상처를 볼가 민망하여 종시 벗지 않으니, 장 공자 위력으로 옷을 끄르매 어깨의 상처와 옥각의 살이 찢어졌음을 보고, 참담애상(慘憺哀傷)하여 붙들고 눈물을 흘려, 가로되,

"자식이 유죄하매 부모 책장(責杖)하심이 예새로되, 조모와 숙모의 아등 책벌하심은 죄벌 유무를 이르지 않으시고 혈육이 상키를 그음하시니, 진실로 보전키 어려운지라, 나는 오히려 기운이 장성하거니와 너는 약질이 장책이 떠날 적이 없으니, 반드시 죽음이 쉬울지라. 제순(帝舜)이 대성(大聖)이시되, '소장즉수(小杖則受)하고 대장즉주(大杖則走)'[305]라 하시니, 너의 몸을 스스로 보전하는 것이 숙모께 효도요, 부모의 바라시는 바를 끊지 않음이라. 이제 독한 장책을 더하시되 혈읍애걸(血泣哀乞)하여 듣지 않으시거든, 피하여 밖에 나와 여러 사람이 모든 후 들어가 뵈옵는 것이 옳으니, 한갓 경순(敬順)하여 목숨을 끊음이 도리어 조모와 숙모께 한없는 누덕을 끼침이니, 익히 생각하여 우형(愚兄)의 말이 그르지 않음을 알라."

공자 탄식 무언하니, 일 공자 슬픔을 이기지 못하되 감히 추밀께 이런 사색을 뵈지 못하고, 형제 연침(連枕)에 체읍행류(涕泣行流)하여 가화(家禍)로써 장래를 우려하여 잠을 이루지 못하더라.

이렇듯 전전불매(輾轉不寐)하여 금계(金鷄) 새벽을 보하니, 광천공자 희천의 손을 잡아 안심 조호함을 재삼 이르고 존당의 문안 할 새, 희천이 유질하여 신성에 불참함을 고하니, 위태부인이 어찌 모르리오마는 거짓 놀라 염려함을 마지않으니, 추밀공이 또한 경려하여 가로되,

"희아가 전일 족용이 신중하더니 실족하여 중상하매 상처 대단한지라

305) '소장즉수(小杖則受)하고 대장즉주(大杖則走)' : 작은 매는 맞되 큰 매는 도망하여 피함.

부질없이 출입지 말라."

하고 친히 의약을 다스려 보호함이 극진하니, 유씨 더욱 날로 보챔이 더하니 보전키 어렵더라.

이때 황태자 정비(正妃) 박씨로 은정이 불합하시어 후비를 간선하실새, 유씨 정히 광천의 혼사 성전할 바를 통한하다가 때를 공교히 얻은지라. 유황후가 유씨로 재종간(再從間)[306]인 고로 궐중 통신이 있으되, 자기 바로 고함은 불가하여 유금오 부인을 촉하여 밀서를 올려, 금평후 정연의 딸이 만고절색임을 갖추어 고하여, 비록 타처의 빙물을 받았으나 동방화촉의 예를 이룸이 없으니, 아사 후궁을 정하소서 하였으니, 황후 그리 여기시나 성덕이 명숙하신 고로 어려이 여기시어 상께 고하시어,

"장안자맥(長安紫陌)[307]의 행빙(行聘)한 여자라도 간선에 다 들이라 하시어 만일 불참한 즉 부형을 적거(謫居) 충군(充軍)하리라 하소서."

상이 이대로 하조(下詔)하시니, 뉘 감히 아니 들이리오. 금평후 또한 여아를 들여보내며 가로되,

"여자는 효절(孝節)이 으뜸이거니와, 만일 두 가지를 보전치 못할 형셴즉, 아녀의 색용으로써 다투어 훼절한 여자 되지 말라. 상후(上后)[308] 한번 보신 즉, 내어 보냄을 얻지 못하리니 죽기로써 다투어 보라."

소저 배이수명(拜而受命)하고 간선(揀選)[309]하는 날 입궐하니, 장안자맥의 규수 무수히 궐정의 모였으니, 웅장성식(雄壯盛飾)과 분면홍색

---

306) 재종간(再從間) : 6촌 형제 사이.

307) 장안자맥(長安紫陌) ; 서울의 번화한 거리.

308) 상후(上后) : 황상(皇上)과 황후(皇后).

309) 간선(揀選) : 간택(揀擇). 조선 시대에, 임금·왕자·왕녀의 배우자를 선택함. 또는 그 행사. 여러 후보자들을 대궐 안에 모아 놓고, 임금 이하 왕족 및 궁인들이 나아가 직접 보고 적격자를 뽑았다.

(粉面紅色)이 꽃 수풀을 이뤘으나, 상후 자세히 살피시나 다 성심에 불합하시니, 유유(儒儒)하시어 멀리 바라보시니, 서녘 채석(彩席)에 한 여자 중인(衆人) 중에 섰으되, 만고에 독보하고 일대에 무쌍할 형용이니, 백일이 청천에 오른 듯, 맑은 골격은 태양이 만방을 비추고, 하늘 꽃이 진세 중에 떨어져 백화 중에 향기를 비양(飛揚)함 같으니, 어위찬[310] 도량과 아름다운 거동이 정신을 어리는지라[311]. 상이 크게 흠탄하시어 좌우 궁녀로 성씨와 부명을 물으라 하시니, 좇은 시녀 고 왈,

"금평후 정연의 여로소이다."

궁녀 이대로 회주하오니, 황후 금오부인의 말씀이 옳음을 가장 기뻐하시어 인견하시니, 정소저 상명을 응하여 삼촌 금련(金蓮)을 세세히 옮겨 전하에 다다라 산호팔배(山呼八拜)하니, 멀리서 나아올 적은 홍일(紅日)이 부상(扶桑)[312]에 걸림 같더니, 점점 가까이 다다르매 서광(瑞光)이 애애(靄靄)하고 오채(五彩) 요일(繞日)하여, 창졸에 고하를 정치 못할지라. 천안이 희열하시어 흔연히 옥음을 열어 가라사대,

"금평후 정연이 천흥과 인흥 같은 기자(奇子)를 두고, 또 차인(此人) 같은 여아를 두었으니, 어찌 아름답지 않으리오."

하시고, 드디어 전폐의 가까이 이르매, 옥성을 열어 산호만세(山呼晩歲)[313]하니 봉음(鳳吟)이 쇄락하여 옥반에 진주를 굴리는 듯, 산협(山峽)의 유봉(有鳳)이 부르짖는 듯하니, 전상 전하 쇄연역색(灑然易色)하

---

310) 어위차다 : 넓고 크다. 너그럽다. 넉넉하다.

311) 어리다 : 홀리다. 미혹되게 하다. 혹하게 하다.

312) 부상(扶桑) : 해가 뜨는 동쪽 바다. 또는 동쪽 바다의 해가 뜨는 곳에 있다고 하는 신령스러운 나무.

313) 산호만세(山呼萬歲) : 나라의 중요 의식에서 신하들이 임금의 만수무강을 축원하여 두 손을 치켜들고 만세를 부르던 일. 중국 한나라 무제가 숭산(嵩山) 산에서 제사 지낼 때 신민(臣民)들이 만세를 삼창한 데서 유래한다.

고, 제(帝)와 후(后) 불승대희(不勝大喜)하시어, 태자 후비(后妃)를 정하라 하시니, 정소저 옥성이 열렬(烈烈)하여 주 왈,

“신첩은 비록 심규(深閨)의 여자이오나 윤가의 빙례(聘禮)[314]를 받았사오니, 복원(伏願) 폐하는 살피시어 신첩의 절의를 온전케 하시면 성덕이로소이다.”

상이 가라사대,

“경은 빈 문명(問名)[315]을 의지하여 절을 완전코자 함이 우습도다. 경이 연소하나 거동이 유충(幼沖)하기에 벗어났으니 어찌 괴이한 의사로 되지 못할 훼절(毁節) 두 자를 들놓느뇨?”

정소저 정색 주왈,

“폐하 신첩으로써 연기 유충하여 세사를 모르리라 하시고, 신의 아비 이런 일로써 기휘(忌諱)하는가 의심하시니, 신첩이 다시 주할 바를 알지 못하오나, 천하에 흔한 것이 여자라. 태자 후비를 간선하실진대, 어느 곳에 없을 것이라 구태여 빙물 받은 신첩을 위력으로써 협제(脅制)코자 하시나니까? 신이 초로(草露) 같사온 일명을 아껴 훼절한 더러운 계집이 되고, 성군이 음악한 여자로써 후비를 정하시리까? 폐해 동방(洞房)의 예를 이룸이 없다 하시나, 여자 문명을 바든 후는 곳 그 집 사람이라. 선비 비록 녹을 먹지 않으나 다른 임군을 섬기지 아니하나니, 충신은 불사이군(不事二君)[316]이오 열녀는 불경이부(不更二夫)[317]라 하였사

---

314) 빙례(聘禮) : 납폐례(納幣禮). 전통혼례에서 정혼이 이루어진 증거로 신랑 집에서 신부 집으로 예물을 보내는 의례.

315) 문명(問名) : 중국 주례(周禮)에 규정하고 있는 혼례의 여섯 가지 절차인 육례(六禮) 중 하나로, 신랑 측에서 신부 집에 납채(納采)를 행한 후, 다시 신부 집에 신부의 이름을 묻는 서간을 보내는데, 이를 문명(問名)이라 한다. 이때 신부 집에서는 당시 여자에게는 이름이 없기 때문에 신부의 어머니 성씨를 적어 보내 허혼의 뜻을 밝힌다. 따라서 문명은 양가가 정혼한 사이임을 뜻한다.

오니, 폐하는 마땅히 만민의 부모 되시어 예절을 권장하시미 옳삽거늘, 이제 신첩이 절을 지키매 위엄으로 관속(管束)고자 하시니, 어찌 만민의 부모 되사 성대치화(聖代治化)라 이르리까? 신은 다만 상교(上敎)[318]를 위월하온 죄 부월의 주(誅)하오나 무한이로소이다."

언주파(言奏罷)에 사의(辭意) 강개격절(慷慨激切)하니 문사 명공의 면절정쟁(面折廷爭)이나 이에서 더하지 못할지라. 기운이 추상같고 말씀이 열렬하여 사군자의 풍이라. 상과 후 더욱 기특히 여기시고 태자 흠선(欽羨) 애경(愛敬)하시어 부디 후비를 삼고자 하실 새, 상이 문득 옥색(玉色)이 엄렬(嚴烈)하시어, 가라사대,

"짐이 만승의 존함을 가져 천하 생령을 총제(總制)하니, 경이 만일 적인(適人)하였을진대 짐의 실덕과 절개를 죽기로써 다툼이 옳거니와, 이는 이름 없는 문명을 지켜 천명을 위월(違越)하니, 기죄(其罪) 등한치 않을지라. 만일 다시 방자할진대 여부 또한 죄를 면치 못하리라."

소제 재배 돈수 왈,

"폐하 만기(萬機)를 총찰하시어 억만 창생의 목숨이 달렸사오니 홀로 신부를 이르리까? 정씨 일문을 멸하시나 감히 원(怨)하며 한(恨)하리까? 수연(雖然)이나, 당요(唐堯)는 지성(至聖)이시되, 천자도 불탈필부지심(不奪匹夫之心)[319]이라 하였삽나니, 신첩이 폐하의 위엄을 위월(違越)하옴이 사죄(死罪)라, 살 뜻이 없사오니, 감청기죄(敢請其罪)[320]로소

---

316) 불사이군(不事二君) : 두 임금을 섬기지 않음.
317) 불경이부(不更二夫) : 두 지아비를 섬기지 않음.
318) 상교(上敎) : 임금의 명령.
319) 천자도 불탈필부지심(不奪匹夫之心) : 천자라 할지라도 한 사내의 마음을 빼앗지 못한다.
320) 감청기죄(敢請其罪) : 감히 그 죄를 청함.

이다. 임금이 되시어 예절을 권장하실 바거늘, 신첩이 미세하오나 절을 지키매 문득 위엄으로 관속하여 그 아비를 죄 줌으로 저히시니, 성상의 일월지덕(日月之德)으로 실절한 여자를 들여 후비를 삼으심이 큰 실덕이신가 하옵나니, 폐하께 만세의 누덕(累德)이 되시고, 신의 아비 이로 좇아 궂길진대[321], 신의 죄 불충불효(不忠不孝)니 만사유경(萬死猶輕)이요 천사무석(千死無惜)이로소이다."

주파(奏罷)에 옥성이 맹렬하고 사기 추천 같으니 상(上)과 후(后) 크게 애경하시어, 이에 가라사대,

"정녀가 군전에서 말씀을 방자히 하여 군신의 체위 없으니 별궁(別宮)에 보내지 말고 액정(掖庭)[322]에 두어 택일하여 후비를 봉하리라."

하시고 궁인을 맡기시니, 허다 궁녀가 인도하여 들어올 새, 소저의 성자아질(聖姿雅質)을 황홀하여 흠복하지 않는 이 없더라.

소저 분요(紛擾)함을 더욱 괴로이 여겨 성안(星眼)을 낮추고 주순(朱脣)을 길이 닫아 입을 열지 않고, 다섯 시아(侍兒)를 앞에 두어 저수단좌(低首端坐)하여 작수(勺水)를 불음(不飮)하니 모든 궁인이 민망하여 이 소유를 양전(兩殿)의 주하니, 상이 또한 경려(驚慮)하여 전지(傳旨) 왈,

"경이 괴이한 고집을 발하여 되지 못할 절을 일컬으니 짐이 비록 불명(不明)하나 모첨천위(冒添天位)[323]하여 만민을 예절로 권장하나니, 어

---

321) 궂기다 : ①궂은일을 당하다. ②일에 헤살이 들거나 장애가 생기어 잘되지 않다. ③사람이 죽다.

322) 액정(掖庭) : 액정국(掖庭局). 고려 시대에, 왕명의 전달 및 궁궐 관리를 맡아보던 관아. 성종 14년(995)에 액정원을 고친 것으로, 충선왕 복위년(1308)에 내알사로 고쳤다가 1년 뒤 복구하였으며, 충선왕 2년(1310)에 항정국으로 고쳤다가 고려 말에 다시 환원하였다.

323) 짐수불명(朕雖不明) 모첨천위(冒添天位) : '내가(황제가) 비록 현명하진 못해도, 천자의 지위를 무릅쓰고 있으면서'의 뜻

찌 옳지 않은 바로써 경을 권하리오. 경이 화촉(華燭)의 예(禮)를 이룸이 없이, 한낱 공물(空物)[324]로 만승의 후비 되어 금루옥궐(金樓玉闕)의 부귀를 누리고, 부모 동기로 하여금 영화롭게 함이 또한 효(孝)라. 이제 스스로 아사(餓死)를 달게 여겨 십삼 춘광에 인세를 하직하여, 죄가 경부(卿父)에게 이르러 적거충군(謫居充軍)을 면치 못하게 하니, 경이 비록 연소 치녀(稚女)나 이런 일을 모르지 아니리니, 괴이한 의사를 내어 천위를 범치 말라."

정소저 부복하여 상교를 듣잡고 즉시 회주(回奏) 왈,

"신첩이 무상(無狀)하와 성교를 불봉(不奉)하오니 다만 사죄를 청할 따름이라, 어찌 다시 주할 바 있으리까마는, 신의 어린 소견에 그윽이 생각건대, 계집이 되어 절의를 보전하여 죽음이, 구태여 대역이 아니오니 어찌 부형에게 연좌(連坐)하는 율(律)이 있으리까마는, 이 또한 성명(聖明)의 처치시니, 현마 어찌하리까? 다만 사죄를 기다릴 뿐이로소이다."

상이 그 뜻이 굳음을 어려이 여기사 도로 내보내고자 하시되, 춘궁(春宮)[325]이 내보냄을 아껴하니, 전지 왈,

"경이 죽기로써 절(節)을 지키렸노라 하나, 절이란 것이 이름이 있나니, 빈 채례(采禮)[326]를 위하여 거짓 절의를 칭탁하여 천명을 봉행(奉行)치 아니하니, 그 뜻이 가장 방자한지라, 금평후 입조 수십년에 한 번도 불충이 없더니, 경 같은 딸을 두어 황명을 불봉(不奉)하는 죄로 하옥하여, 태자 후비를 이루는 날, 놓아 성연(盛宴)에 참예케 하라."

하고, 후비 길일을 택하여 순일이 가렸다 하시니, 정소저 한결같이 사

---

324) 공물(空物) : 공것. 주인이 없는 물건.

325) 춘궁(春宮) : =동궁(東宮). '황태자'나 '왕세자'를 달리 이르던 말.

326) 채례(采禮) : 신랑가에서 납채(納采) 시에 보낸 예물(禮物). 보통 혼서(婚書)와 예단(禮緞) 등을 넣은 함(函)을 보냈다.

기 열렬함이 추상같아, 전교를 듣자온즉, 다만 사죄(死罪)를 일컫고 아비를 하옥함이 원민(冤悶)함을 주(奏)하여 요순지자(堯舜之子)도 불초(不肖)하오니, 신첩의 어질지 못함이 아비의 죄 아님을 일컬어 말씀이 온당 쾌활하여 명공열사(明公烈士)의 직절(直節)이 있으니, 천위 비록 엄하시나 그 뜻을 앗을 길이 없어 내어보내고자 하시니, 태재 간왈(諫曰),

"불가하이다. 정녀는 천고의 희한한 열부라, 이런 여자로 하여금 후비를 삼을진대, 태임(太姙)[327]의 교화를 열어 족히 '주실(周室) 팔백년(八百年)'[328]을 흥기함을 효칙하올지라. 신은 그럴수록 차마 내보내기를 아끼옵나니, 순여일(旬餘日)을 더 머물러 두시고 날마다 그 뜻을 보심이 마땅할까 하나이다."

상이 가라사대,

"강렬한 여자 사생을 초개같이 여겨 죽기를 임의로 하리니 심히 열녀답도다."

태자 다시 간주(懇奏) 왈,

"정녀는 규리약녀(閨裏弱女)라. 고금을 채 알지 못하고, 한갓 소학(小學)을 의방하여 충신 열녀를 본받고자 하오나, 이는 어린 여자 의리를 모르는 일이라. 급히 내보내지 마시고 여차여차 엄지(嚴旨)로 책하시어 다시 그 말을 들어보심이 마땅하이다."

제후 마지못하시어 책교(責敎)하시기를,

---

327) 태임(太姙) : 중국 주(周)나라 문왕(文王)의 어머니. 부덕(婦德)이 높아 며느리 태사(太姒: 문왕의 비)와 함께 성녀(聖女)로 추앙된다.

328) 주실(周室) 팔백년(八百年) : 기원전 1046년에서 기원전 256년까지 중국을 지배하던 주나라 왕조의 790년 역사를 말한다. 무왕이 은나라를 멸망시키고 건국하여, BC256년 제34대 난왕(赧王)이 진(秦)나라에 투항함으로써 망했다. 호경에 도읍을 정하고 봉건 제도를 시행하였다.

"황명을 종시 불수(不受)하면 금평후를 대리시(大理寺)[329]에 내려 문죄하리라."

하시니, 정소저 성교를 듣잡고 불변안색하고 일장 혈소(血疏)를 지어 천정에 올리고 오직 사죄를 청하였으니, 사의 강렬하여 언언이 절의를 일컬어 언론이 당당하니, 어찌 시속 홍분(紅粉) 가운데 소녀자(小女子)의 소작이라 하리오.

상이 어람(御覽)하시매 번연(翻然) 치경(致敬)하시어 소를 후(后)에게 밀어 가라사대,

"남자도 공맹(孔孟)의 덕을 이을 자가 없거늘, 정녀(鄭女) 십삼 소녀자가 임금의 실덕을 간하며, 절의를 굳게 잡아 소사(疏辭)의 기특함이 이 같으니, 이런 여자를 내보내지 않은즉, 이는 짐의 실덕이 아니리오."

후 또한 정씨의 소봉(疏封)을 보시고 흠탄애경(欽歎愛敬)하시어, 상께 주왈,

"신이 평생 여자의 명절을 아름다이 여기는 바라. 이제 정녀가 고왕금내(古往今來)에 희한한 예절이 있사오니, 만일 그 뜻을 앗으시면 님군의 도(道) 아니로소이다."

하시고 정씨를 명소(命召)하시니, 소제 전하(殿下)에 다다라 죽기를 청하고 전에 오르지 않으니, 황후 궁녀로 하여금 붙들어 올려 좌를 주시고, 상이 돈유하시어 왈,

"군신은 부자 일체라. 경이 비록 소녀자나 궐중에 여러 날 머물었으니, 짐을 서어(齟齬)히 알지 말라."

정소저 재배사은(再拜謝恩)하고 전말(殿末)에 오르니, 후께서 나아오

329) 대리시(大理寺) : 고려 시대에, 형옥(刑獄)을 맡아보던 관아. 성종 14년(995)에 전옥서를 고친 것으로, 문종 때에 다시 전옥서로 고쳤다.

라 하시어 옥수를 잡아 기이히 여기심을 마지않으시니, 상이 위유(慰諭)하시어 왈,

"남자는 충(忠)·효(孝)가 백행의 으뜸이요, 여자는 예(禮)·절(節)이 제일이나, 경은 동방화촉의 예를 이룸이 없는 고로, 짐이 당당이 태자후비를 삼으려 하였더니, 경의 소회 아름다움이 고인에 지는지라. 짐이 만민의 부모 되어 교화를 밝히고, 여자의 효절을 온전코자 하여 내보내나니, 경은 안심물려(安心勿慮)하고 짐을 한(恨)치 말라."

정소저 재배 사은 왈,

"성주(聖主)의 일월혜택(日月惠澤)이 이 같사오시니 각골명심(刻骨銘心)하와, 주할 바를 알지 못하오니, 비록 연유(年幼)한 소녀자가 아는 것이 없사오나 어찌 감히 성상의 치화지택(治化之澤)을 알지 못하리까."

황후 또한 그 문장의 고명함을 재삼 칭찬하시고 즉시 백옥쌍봉잠(白玉雙鳳簪)과 금란(金蘭) 일조(一條)를 주어, 가라사대,

"곤강미옥(崑岡美玉)의 티 없는 격조(格調)는 너의 절개로 방불하고, 황금을 단련함은 너의 견고함으로 흡사한 고로, 짐이 각별이 상사(賞賜)하노라."

정소저 순순 사은하니, 유후 또 여자의 자장지믈(資粧之物)을 가득이 상사하시고 그 용화 성덕을 아끼심을 마지않으시나, 마지못하여 상궁 백씨로 호송(護送)하여 취운산에 데려다가 두고 오라 하시며, 재삼 연연하여 가라사대,

"궁금(宮禁)이 지엄하여 연고 없이 여자 들어오지 못하나, 짐이 경을 사랑함이 범연한 데에 비기지 못하리니, 짐의 뜻을 잊지 말고 궐중에 오기를 기약하면, 연석지시(宴席之時)의 부르리라."

소제 고두사은(叩頭謝恩) 왈,

"폐하와 낭랑의 일월 혜택으로 신첩의 절의를 보전케 하시고, 잔명을

사하시는 성은이 여차하오시니, 신첩이 쇄신 분골하와도 다 갚지 못하올지라. 타일 금궐 용탑(龍榻)하의 조현하기를 원치 아니하오리까마는, 여염(閭閻)의 천루(賤陋)하온 자취로 금루 옥궐에 출입하옵기 방자하온지라, 하정(下情)과 같사옵지 못 하올까 하나이다."

언주파에 향신을 움직여 팔배 고두하여 하직 배사하니, 상이 가라사대,

"짐이 경의 명행과 청절을 가히 민멸하기 아까운지라. 충효 열절을 권장함은 임금의 떳떳한 도리니, 마땅히 정문포장(旌門褒獎)하여 세인으로써 밝히 알게 하리니, 경은 지실(知悉)하라."

정소저 고사하여 열운 복이 손할 바를 주하여 사양하오니, 상이 못내 사랑하시더라. 소제 하직하고 퇴궐하매, 상이 후를 돌아보아 가라사대,

"정녀의 행실이 아름다우니 짐이 정문포장코자 하노라."

황후 또한 마땅하심을 일컬으시더라.

명주보월빙 권지십사

어시에 정부에서 여아가 입궐한지 일망(一望)에 나오는 일이 없으니, 금후 경려(驚慮)함을 마지않아 성상께 주코자 한 즉, 말씀이 입에 나지 아냐, 오직 여아의 위인을 믿어 필경이 무사할 줄 짐작하나, 순태부인이 과려하여 일일 타루(墮淚)하여 시일을 보내더니, 양부인이 십 삭이 차 순산 생녀하니 옥으로 삭이고 꽃으로 무은 듯[330] 찬란 기려(奇麗)하니, 금후 부부와 태부인이 극진히 구호하며 생아(生兒) 사랑이 남아(男兒)에 내리지 않아 두굿김을 이기지 못하되, 여아로 큰 우환이 되었더라.

일일은 상궁 백씨 여아를 호송하여 돌아오는 선문(先聞)을 보하니, 태부인 고식(姑媳)의 반기며 깃거함이 비할 데 없고, 금후 또한 영행함을 이기지 못하여, 바삐 여아의 손을 잡고 무사히 환가한 소유를 물으니, 백씨 소저의 절의 성행을 감동하시어 내보내심을 전하니, 금후 부부 성은을 일컬어 황공 감은하고 주찬으로 상궁을 관대하여 보낼 새, 궁인이 소저를 대하여 서로 만나기 쉽지 못함을 일러 연연하니, 소저 후의를 사례하여 일색이 늦으매 돌아가니, 평후 여아를 어루만져 그 행사를 두굿기고, 소저 또한 존당의 안강하심과 양씨의 순산함을 희행(喜幸)하고, 평생 처음으로 수순(數旬)을 이측(離側)하여 영모하던 하정(下情)을 고

---

330) 무으다 : 쌓다. 만들다.

하며, 하소저로 손을 이어 피차에 반가움을 형상치 못하더라.

명일 상이 조회를 임하시어 정씨의 소장(疏章)을 내리고 만조를 돌아보아 가라사대,

"세한(歲寒) 연후(然後)에 송백(松柏)의 굳은 절(節)을 안다 하니, 정녀를 이름이라. 짐이 그 성행을 사랑하여 태자의 후비를 정하려 하였더니, 죽기로써 다투어 혈서 소봉(疏封)으로 임군의 실덕을 간하니, 차는 만고에 희한한 숙녀 철부라. 짐이 특별이 정문포장(旌門褒奬)하여 세속의 절효(節孝)를 권장코자 하나니, 만조 제신은 지실(知悉)하라."

상교로 좇아 삼공이하 일시에 대주(對奏)하되,

"폐하의 성덕이 정씨의 절행을 온전케 하시니, 조야(朝野)가 열복(悅服)하리로소이다. 정녀의 높은 절행은 금석(金石)에 박아 후세에 전함즉 하오니 성의(聖意) 마땅토소이다."

상이 이에 정문을 결단하시어 친히 금자어필(金字御筆)[331]로 제액(題額)하여 '명성숙녈정씨지문(明聖淑烈鄭氏之門)'이라 하시고, 금평후 정연을 명패(命牌)하시어 자녀를 기특히 생함을 칭복하시고, 성혼한 곳을 물으시니, 평후 윤가에 정혼 납빙하였음을 주하니, 상이 경동하시어 탄왈,

"윤현은 나라를 위하여 죽었으니, 그 자녀는 예사 조신의 자식과 달라 휴척(休戚)을 한가지로 함이 마땅하니, 경의 딸이 윤현의 아들과 정혼하였음을 들었을진대, 아예 처음부터 입궐케 않았으리라. 원래 윤현의 자녀 삼인이라 하더니 다 성취하였느냐?"

금후 대주 왈,

"현의 여는 천흥의 처실이오, 동태쌍생은 신녀(臣女)와 정혼하고, 차

---

331) 금자어필(金字御筆) : 황금색 글자로 쓴 임금의 친필 글씨.

자는 서촉 적거 죄인 하진의 여와 정혼하였나이다."

상이 전지하시어 정씨로 그 혼례를 이루는 날 윤가의 정문(旌門)[332] 하라 하시니, 정공이 불감황공하여 은명(恩命)을 환수하심을 청한대, 상이 불윤하시니, 금후 백배 사은하여 어온(御醞)을 거우르고 퇴조하여 돌아올 새, 길에서 추밀사 윤공을 만나 수일 보지 못함을 이르니, 윤추밀이 정소저의 절의를 만구칭선(萬口稱善)하니, 정공이 탄 왈,

"어린 여식이 절의를 중히 여겨 혈심간쟁(血心諫爭)함이 있으나 성주의 은혜 정문(旌門)하시기에 이르니 어찌 황공 외람치 않으리오."

윤공이 소왈,

"남녀의 행신이 다르나 영녀의 문장 소사(疏辭)는 식리장부(識理丈夫)라도 당키 어려우니, 성상의 정문하시어미 어찌 괴이하리오. 형은 너무 사양치 말라."

언파에 손을 나눠 운산에 돌아와 연중사(筵中事)[333]를 고하여 외람불가함을 마지않으니, 소저 깃거 않아 일흥(一興)이 소삭(蕭索)하니, 공이 탄 왈,

"너희 남매 천은을 과히 받자오니 비록 외람 불안하나, 만사가 천야(天也)라, 인력으로 미칠 바 아니니 너는 물려(勿慮)하라."

소저 나직이 고 왈,

"여자의 절행이 높고 행적이 고요함을 소녀 흠선하는 바러니, 이제 미세한 몸에 '절의' 두자를 인하여 정문 포장하시니, 외람 황감하여 엷은 복이 손(損)할까 두려워하나이다."

---

332) 정문(旌門) : 충신, 효자, 열녀 들을 표창하기 위하여 그 집 앞에 세우던 붉은 문.
333) 연중사(筵中事) : 경연(經筵)에서 있었던 일. 경연은 고려·조선 시대에, 임금이 학문이나 기술을 강론·연마하고 더불어 신하들과 국정을 협의하던 일. 또는 그런 자리를 말함.

차시 정이랑(二郞) 인흥의 벼슬이 점점 높아 이부시랑 홍문사인에 이르니 물망이 날로 중한지라. 평후 성만함을 진정으로 깃거 않더라.

유씨 광천 등의 혼사를 희짓고자 함으로 정씨의 입궐을 가장 깃거하였더니, 수순(數旬) 후 문득 정씨 나오고, 명절(名節)이 금수(錦繡) 위에 꽃 같아서, 윤부의 혼례를 이루고 돌아가는 날 금자어필(金字御筆)[334]로 숙렬문(淑烈門)을 높이라 하시고, 만조(滿朝) 모를 이 없이 절행을 칭복한다 하니, 놀라운 마음과 애단[335] 비분(悲憤)이 층가(層加)하여 손으로 서안을 쳐 탄 왈,

"계교를 묘히 생각하나 일이 마음과 같지 아니하여, 정녀를 황후께 천거함이 도리어 정씨로 하여금 아름다운 이름을 빛나게 하니, 곳곳에 이런 불행이 어데 있으리오."

경아 역시 분하고 애달음을 이기지 못하여, 묘랑을 불러 혼사를 희짓고자 하더니, 유씨 외조모 박상서 부인이 연기(年紀)[336] 구십에 병이 위중하여, 본디 유씨를 사랑함으로 병심에 보고자 청하니, 유씨 경아를 데리고 박부의 나아갔더니 수순이 못하여 노태부인(老太夫人)이 기세하니, 유씨 외조모 바람이 친모 같아서, 자기 모친은 조사(早死)한지라, 조손의 정이 모녀 같더니, 일조에 여의매 망극한 설움이 가없어 혼절함을 마지않으니, 성복(成服) 후 경아는 돌려보내고 자기는 박부에 머무니, 광천공자의 혼사를 희지을 겨를이 없어 훌훌히 일월을 보내니라.

차년 춘에 천자 성묘(聖廟)에 배알하시고 설장(設場)하여 인재를 뽑으실 새, 광천공자 설과함을 듣고 계부께 고 왈,

---

334) 금자어필(金字御筆) : 금빛이 나는 글자로 쓴 임금의 친필 글씨.
335) 애달다 : 마음이 쓰여 속이 달아오르는 듯하게 되다.
336) 연기(年紀) : 대강의 나이.

"유자(猶子) 나이 어리고 학문이 숙달치 못하오나, 생세지후(生世之後)에 과장(科場)을 관광치 못하였사오니, 이번 과옥(科屋)은 구경코자 하나이다."

공이 가로되,

"조달(早達)이 기쁘지 않고 겨우 이륙(二六)이 넘었는지라, 과갑이 바쁘지 않되, 네 이미 과옥에 뜻을 동하였으니, 내 또한 말리지 않으리니, 제구(諸具)를 차려 들어가라."

공자 배사하고, 차 공자 부전의 고 왈,

"소자는 학문이 형을 바라지 못하오니 나이 차거든 과장 출입을 하고자 하나이다."

공이 잠소왈,

"너희 형제 재주 상하할 것이 없으되, 형제 일방(一榜) 고등할진대 경사 너무 중첩하니, 오아(吾兒)는 명춘(明春) 과갑(科甲)[337]을 응하라."

공자 수명하고 물러나니 일 공자 웃어 왈,

"장부 구태여 재주를 품고 임하(林下)에 울적한 서생이 되거든 무엇이 쾌활하랴? 네 부디 계부께 고하여 들어가지 말고자 하니 겸퇴지심(謙退之心)이 과하나, 자상(仔詳)함이 심하도다."

차 공자 미소 대 왈,

"형장과 소제 뜻이 다 각각이니, 구태여 하고자 않는 바오나, 형장 신기(神技)로 과장에 들어가시는 날은 참방(參榜)이 필득(必得)이라. 너무 조달하기도 불가하이다."

장 공자 소왈,

"시속에 등과하는 유(類)가 연기 십삼사(十三四)에 재기(才氣) 가득하

---

337) 과갑(科甲) : 과거(科擧)를 달리 이르는 말.

니, 우형이 참방할 줄은 알지 못하거니와, 나 혼자 아니라 무엇이 이르리오.”

차 공자 함소무언(含笑無言)이러라. 장 공자 장옥제구를 차려 장중의 나아가매, 이윽고 글제 내리니, 수만(數萬) 다사(多士)가 붓대를 들고 글 초(草)를 이루며, 혹 의사 낙막하여 눈썹을 찡기고 근심하는 자도 무수한지라. 광천공자 두루 돌아 남의 거동을 보고 심리에 실소하여 생각하대,

“저런 것들이 유건(儒巾)[338]을 쓰고 서어(齟齬)히 과장에 들어옴이 어찌 우습지 않으며, 비록 참방(參榜)함이 있은들 무엇이 쾌하리오.”

하며, 두루 다니다가 시각이 늦음을 보고 장중에 들어가, 명지(名紙)[339]를 펴고 평생 재주를 다하여 채필(彩筆)을 두루치매[340], 만지(滿紙)에 창룡(蒼龍)이 서리고 단봉(丹鳳)이 춤추는 듯, 첩첩한 문장이 거칠 것이 없으니, 풍운이 비등하고 귀신을 울릴지라. 쓰기를 마치매 시동으로 바치라 하고, 서책을 비겨 잠을 깊이 드니, 모든 과유(科儒) 들이 그 재주의 신속함을 흠탄하더라.

차일 천자, 제 시관으로 더불어 여러 시축(詩軸)을 상고하시되 성의(聖意) 불합하시더니, 최후 일장 시권을 어람하시매, 먼저 그 필획이 찬란하여 일월이 비춘 듯, 시사(詩思)가 굉원(宏遠)하여 천지의 너르기로 흡사(恰似)하니, 태백(太白)의 청평사(淸平詞)[341]와 사마천(司馬遷)[342]

338) 유건(儒巾) : ≒민짜건. 조선 시대 유생들이 쓰던 실내용 두건의 하나.

339) 명지(名紙) : ≒시지(試紙). 과거 시험에서 쓰던 시험지.

340) 두루치다 : 휘두르다. 휘필(揮筆)하다.

341) 청평사(淸平詞) : 중국 당(唐) 나라 이백(李白 : 701-762)이 현종(玄宗)의 명을 받고 양귀비(楊貴妃)의 아름다움을 찬양하여 지은 시. 삼수(三首)로 되어 있다.

342) 사마천(司馬遷) ; 중국 전한(前漢)의 역사가(B.C.145~86). 자는 자장(子長). 기원전 104년에 공손경(公孫卿)과 함께 태초력(太初曆)을 제정하여 후세 역법

을 압두할 문장이라. 천안이 대열하시어 두어번 음영하시고 친히 장원을 정하시고, 여러 장 시권을 꽂아 수를 채우신 후, 시각이 늦으매 및 방을 떼어 장원을 호명하매, 항주인 윤광천의 년이 십이요, 부는 '고(故) 이부상서 홍문관 태학사 시(諡)안국공 현'이라 부르는 소리 세 번에, 일위 소년이 만인 중을 헤치고 몸을 빼어 옥계하에 추진하니, 높은 기상이 구추상천(九秋霜天)[343] 같고, 늠름한 풍채 일만 버들이 춘풍을 띠었음 같고, 면모 두렷하여 일륜명월(一輪明月)[344]이 한가한 듯, 높은 천정(天庭)은 옥을 무으고[345], 정화(精華)는 강산정기를 타 낳으니, 단순호치(丹脣皓齒)와 원비일요(猿臂逸腰)[346]라. 신장이 팔 척이요, 복중(腹中)에 제세안민(濟世安民)할 재주와 벌적능토(伐敵淩土)[347]할 지혜 있으니 천고영준(千古英俊)이오 세대무적(世代無敵)이라. 전상전하(殿上殿下) 윤장원의 풍채 신광을 보매 놀라지 않을 이 없고, 천안이 한번 살피시매 인재 얻음을 대열하시어, 즉시 전에 올려 그 머리에 계화(桂花)를 꽂으시고, 청삼(青衫)을 입히시며, 장원의 손을 잡으시고 추연함척(惆然含慽)하시어, 가라사대,

"산고옥출(山高玉出)이요 해심출주(海深出珠)라, 윤현의 선풍옥골(仙風玉骨)과 적심단충(赤心丹忠)으로, 자식을 두매 범연치 않으려니와 이다지도 기특함은 오히려 알지지 못하였노라. 군신은 부자 일체라 짐은 금일 경으로써 국가의 고굉(股肱)을 삼으나, 경부(卿父)가 산 얼굴로 영

의 기초를 세웠으며, 황제(黃帝)로부터 한나라 무제(武帝)에 이르기까지 삼천 여년의 일을 적은 기전체(紀傳體) 역사서 『사기(史記)』 130권을 저술하였다

343) 구추상천(九秋霜天) : 9월의 서리가 내리는 맑고 높은 밤하늘.

344) 일륜명월(一輪明月) : 매우 둥글고 밝은 달.

345) 무으다 : 만들다. 쌓다. 다듬다.

346) 원비일요(猿臂逸腰) : 긴 팔과 늘씬한 허리.

347) 벌적능토(伐敵淩土) : 적을 치고 땅을 짓밟음.

화를 보지 못하니 어찌 추연치 않으리오."

만조 일시에 만세를 불러 하례하고, 상이 또 장원더러 일러 가라사대,

"경부(卿父)는 국가를 위하여 명을 마치니 짐이 세월이 오랠수록 양신(良臣)을 아깝게 마침을 슬퍼하나니, 경은 짐으로써 군신의 엄한 것을 버리고 부자의 친을 다하여, 짐을 아비와 조금도 달리 알지 말라."

이에 중서사인집현전태학사(中書舍人集賢殿太學士)를 겸하여 삼일유가(三日遊街) 후 행공찰직(行公察職)하라 하시나, 장원이 엄부의 면목을 모름이 평생지통(平生之痛)이라. 오늘날 상교(上教)를 듣잡고 지척(咫尺) 천안(天顏)에 십분 참으나, 백옥용화(白玉容華)에 맑은 누수(淚水) 삼삼하여 체읍 배사 왈,

"신은 천지간 죄인이라. 아비 얼굴을 알지 못하는 슬픈 인생으로, 아자비[348]를 의지하와 장성하오니, 감히 청운을 더위잡아 어향(御香)[349]을 쏘일 줄은 생각지 아니하온 바라. 성은이 여천하시어 쇄신분골하오나 다 갚사옵지 못하리로소이다."

어음(語音)이 웅건청월(雄建淸越)함은 명천공과 잠깐 다르나 화열 장쾌함은 완연이 같은지라. 상이 그 슬퍼함을 보시고 더욱 처연하시니, 좌우 제신이 윤공을 생각고 슬퍼하는 자 많더라.

상이 추밀사 윤공을 전폐(殿陛)에 부르시어 특별히 위유하시어 왈,

"경이 광천에게 아자비의 정과 아비 소임을 다하여, 금일 등양케 하매 국가의 동냥을 삼고 경형(卿兄)의 신후(身後)를 빛내니 어찌 아름답지 않으리오."

---

348) 아자비 : 아저씨. 작은아버지.

349) 어향(御香) : 임금의 향기 또는 어전의 향기를 뜻하는 말로, 임금의 은혜를 비유적으로 표현한 말.

하시고 향온을 반사하시니, 윤공이 쌍수로 어주(御酒)를 받자와 거우르고 사은하여 황공 불감하니, 상이 다시금 가라사대,

"경의 형이 쌍태를 두었다 하더니 광천의 동생이 있느냐?"

추밀이 배복 왈,

"광천의 동생이 있사와 신이 계후(繼後)하였나이다."

상 왈,

"광천의 아우 과갑에 참예함이 있느냐?"

공이 대 왈,

"신자는 제 형과 상실(相實)치 못함으로 참방치 못하였나이다."

상이 여러 신래(新來)를 차례로 부르시니, 화대(花帶)[350]를 주실새, 장원을 총애하심이 극하시어 은권이 만조에 드러나니, 이는 부형이 충절로 죽음을 슬퍼하심이요, 장원의 위인이 세대(世代)에 무쌍함을 사랑하심이라. 장원이 또한 작직(爵職)을 사양치 않고 종일토록 어전에서 진퇴하매, 수려한 풍광(風光)과 용화(容華)가 동탕하여 이백(李白)이 침향전(沈香殿)[351] 상(上)에 취한 풍신(風神)이라도 이에 더하지 못할지라.

날이 저물매 장원이 방하(榜下)를 거느려 궐문(闕門) 밖을 나매 아악(雅樂)이 전차후옹(前遮後擁)[352]하여, 청동쌍개(靑童雙個)[353]는 앞을 인도하며 금의재인(錦衣才人)은 재주를 비양(飛揚)하고, 만조 문무는 일시에 후배(後陪)[354]하여, 옥누항에 이르러 추밀께 하례할 새, 추밀이

---

350) 화대(花帶) : 조선시대에 과거 급제자에게 임금이 내리던 어사화(御賜花)와 옥대(玉帶)를 함께 이른 말.

351) 침향뎐(沈香殿) : 중국 서안(西安)에 있는 당(唐) 현종(玄宗)의 별궁(別宮)인 화청궁(華淸宮) 내의 한 전각.

352) 전차후옹(前遮後擁) : 여러 사람이 앞뒤에서 에워싸고 보호하여 나아감.

353) 청동쌍개(靑童雙個) : 푸른 옷을 입은 두 명의 화동(花童).

354) 후배(後陪) : =위요(圍繞). 무리지어 과거급제자를 뒤따르는 사람들.

장원을 앞세우고 두굿김[355]을 이기지 못하나, 선형(先兄)을 생각고 새로이 비통함을 이기지 못하더라.

인하여 장원을 데리고 경희전에 들어와 태부인께 뵈올 새, 장원이 존당 부모께 차례로 배알하고 슬전(膝前)에 모시니, 절인(絶人)한 재풍(才風)이 이날 더욱 새로워, 두상(頭上)의 어화(御花)는 춘풍에 휘영하고[356] 금수청삼(錦繡青衫)[357]은 봉익(鳳翼)에 비꼈으며[358], 팔척장신(八尺長身)에 풍채 절인(絶人)하여 비할 곳이 없더라. 옥배(玉杯) 어온(御醞)이 백련용화(白蓮容華)에 잠깐 주기(酒氣)를 띠었으니, 봉안(鳳眼)이 몽롱하여 더욱 기특하더라.

조부인이 이때를 당하여 석사를 생각고 아들의 영화를 선군(先君)이 보지 못함을 슬퍼하여, 장원의 손을 잡고 누수방방(淚水滂滂)하여 금치 못하니, 구파와 추밀이 또한 슬픔을 이기지 못하니, 유씨는 외조모의 상사(喪事)를 갓 지내고 돌아왔고, 태부인은 광천의 낙방을 축원하다가 의의(猗猗)히 장원랑이 되어 계화청삼(桂花青衫)[359]으로 돌아오니, 통완함과 미움이 각골(刻骨)하여 부아[360] 치밀어 경각에 칼로 지르고자 하

355) 두굿기다 : 자랑스러워하다. 대견해하다. 기뻐하다.
356) 휘영하다 : 휘영청하다. ①달빛 따위가 몹시 밝다. ②시원스럽게 솟아 밝히 빛나고 있다.
357) 금수청삼(錦繡青衫) : 비단에 수를 놓아 지은 청색도포로, 조선시대 과거급제자가 입던 겉옷.
358) 비끼다 : 비스듬히 놓이거나 늘어지다.
359) 계화청삼(桂花青衫) : 조선시대 과거급제자의 차림. 예전에 과거급제자는 임금이 내린 오사모(烏紗帽)와 계화(桂花)·청삼(青衫)·화대(花帶)로 몸차림을 하고 삼일유가를 하였는데, 그 차림새를 보면, 머리에는 오사모를 쓰고, 오사모 뒤에 종이로 만든 계화 꽃가지를 꽂아 머리 앞으로 구부려 늘어뜨리고, 몸에는 청색 도포를 입은 위에 허리 부분에 화대를 띤 차림을 하였다.
360) 부아 : 노엽거나 분한 마음.

나, 추밀이 대좌하였으니 한 말도 못하고, 흉한 성을 참으매 만신이 번열함을 이기지 못하여, 낯이 벌겋게 되어 눈물이 천항(千行)이라. 이를 악물고 느껴 왈,

"오늘 이 같은 경사를 네 아비 보지 못하고 노모 혼자 보니 무엇이 쾌하고 즐거우리오."

유씨 또한 붙들고 체읍하여 분한 눈물이 낯에 가득하나, 도리어 석사를 슬퍼하는 체하니, 추밀은 소활한 장부라. 모친의 악악한 흉심을 어찌 알리오. 심하에 석사를 생각고 슬퍼함이 괴이치 아니타 하여, 공이 역시 슬퍼하고 장원이 읍읍유체(泣泣流涕)하니 새로운 지통을 이기지 못하더라.

즉시 사묘의 올라 신위에 배알할 새, 공이 어루만져 예를 마치매, 하객이 운집하여 신래(新來)를 부르는 소리 진천(振天)하니, 공이 장원으로 더불어 대객할 새, 모든 명공이 신래를 백단으로 유희하니, 어시에 장원이 영호발양(英豪發揚)한 충천장기로써 금일 엄부 재당하시면 즐거움이 어떠하리오마는, 평생 지통이 구곡에 맺힌 바로써 흥황(興況)이 사연(捨然)하나, 마지못하여 강인(强忍) 화색(和色)하더니, 제객이 각산귀가(各散歸家)하고 추밀이 장원으로 더불어 촉을 이어 말씀할 새, 태부인과 유씨 흐르는 말씀으로 두굿김을 한없이 하는 체하나, 구파의 깃거함은 혈심으로 바라는 바일러라. 이때 조부인은 촉사(觸事)[361]에 근심이 깊어 아자(兒子)의 등과함을 조금도 즐김이 없더라.

장원이 명일 취운산에 나아가 매저(妹姐)를 보고 금후 부부께 배현하려 할 새, 길에서 낙양후를 만나 신래를 불러 자기 집에 가, 유희하기를 날회고 종용이 당의 올라 말씀할 새, 장원의 주순호치(朱脣皓齒) 사이로

361) 촉사(觸事) : 닿는 일마다. 일어나는 일마다.

첩첩한 언론이 산협수(山峽水)[362] 흐르는 듯, 수려상활(秀麗爽闊)함이 얼핏 정천흥과 방불한지라. 진공이 흠찬 경복하고 반일을 문답하매 아름다움을 이기지 못하더니, 문득 금평후 사인으로 더불어 이르렀음을 보(報)하니, 진공이 일어나 맞아 한훤 필에, 금후 장원을 보고 웃으며 왈,

"사원이 영매와 나를 먼저 찾음이 옳거늘, 준서(俊壻)[363] 진공을 먼저 봄이 옳으냐?"

장원이 공경 배사 왈,

"소생이 바야흐로 존부의 나아가옵더니 진합하 부르심을 만나 이곳의 먼저 왔나이다."

금후 진공을 돌아보아 가로되,

"형이 잡고 돌아 보내지 않음은 무슨 뜻이뇨?"

진공이 답 소왈,

"우제 형의 애서로 더불어 반일 담화하매 사랑함을 이기지 못하여 차마 놓아 보내지 못하나니, 형의 택서 잘함과 질아의 평생이 쾌할 바를 부러워하노라."

금후 소왈,

"형은 택서함이 너무 비상하므로 여아의 혼사를 결단치 못함을 소제는 괴이히 여기노라."

진공이 탄 왈,

"천연이 정한 곳에 친사를 이루려니와, 소제 바라는 바는 천흥과 윤사원 같은 자를 원하나, 세상에 또 어찌 이 같은 영웅준걸이 있으리오."

---

362) 산협수(山峽水) : 산속의 큰 골짜기를 흐르는 물.
363) 준서(俊壻) : '사위'를 젊잖게 이르는 말.

정공이 소왈,

"천흥은 호방한 아해라. 사원을 바라지 못하려니와, 형의 택서는 너무 비범하니 어찌 쉬우리오.

진공이 미소 왈,

"이러므로 가장 민민(憫憫)해 하는 바라."

주객이 이렇듯 한담(閑談)하다가 날이 늦으매, 장원이 하직을 고하고 금후로 더불어 정부에 나아가 매저를 볼 새, 윤부인이 제남(弟男)의 등과함을 영행하나, 야야의 보지 못하심을 슬퍼 남매 서로 대하여 척연 감상함을 마지아니하고, 순태부인 고식(姑媳)[364]이 장원의 풍채를 엿보고, 여아의 쌍이 가즉함[365]을 깃거하나, 그 가정의 불평함을 탄하더라."

장원이 이윽히 머물러 저저를 보고 금후로 말씀하다가 돌아가니, 태부인이 금후더러 왈,

"노모 금일 윤장원을 보니 진실로 천상랑(天上郞) 같아서, 혜주의 쌍이로되 그 가변을 생각하면 심신이 놀라움을 이기지 못하나니, 길사(吉事)가 머지않으니, '손아의 전정이 어떠할꼬?' 경경한 염려 가없도다."

금후 대 왈,

"만사 다 저의 팔자에 달렸사오니 근심하여 밎지 못할지라. 다만 광천의 위인이 세대 영걸이요, 여아는 복을 받으며 수를 누릴 아이라, 소자는 저의 복록지상(福祿之相)을 믿나이다."

진부인이 말을 않으나 심려(心慮) 비경(非輕)하더라.

윤장원이 삼일유가를 맞고 선산에 배알코자 하나, 길일이 사오일이

---

364) 고식(姑媳) : =고부(姑婦). 시어머니와 며느리를 아울러 이르는 말.

365) 가즉하다 : 가지런하다. 나란하다. 여기서는 '서로 잘 어울린다'다는 의미.

격하였으므로 추밀공이 명하여 길례 후 소분(掃墳)하라 하니라.

이러구러 길일이 다다르니 추밀이 대연을 개장하여, 신랑을 보내며 신부를 맞을 새, 이날 태부인과 유씨 사나운 것을 감추고 인자한 낯빛으로 경사를 두굿기고 석사를 느껴, 빈객을 대하여 흔연 접화(接話)할 새, 흉인의 내외 다름이 창졸에 보건대, 타인은 위태부인을 가장 화순하고 유덕한 부인으로 알고, 유씨는 인자온공(仁慈溫恭)한 사람으로 알더라.

조부인은 비록 아자의 혼취(婚娶)나 연석에 나지 않고, 방중에서 빈객을 맞아 석사를 슬퍼하며 비창함을 마지않으니, 제객이 또한 추연 위로하더니, 날이 늦으매 공이 신랑을 데리고 내당에 들어와, 길복을 입혀 전안행례(奠雁行禮)를 습의(習儀)하니, 사인의 옥면호풍이 더욱 새로워 천일지표와 용봉자질이 기특하니 빈객이 경찬하더라.

사인이 조모와 자위께 하직하고, 허다 위의를 거느려 취운산에 나아갈 새, 정부에서 대연을 진설하고 신랑을 맞을 새, 내외 빈객이 운집하여 금후와 태부인께 치하 분분하고, 진부인이 여부를 거느려 좌의 나니, 월광이 찬란하여 청중에 조요(照耀)하더라.

날이 늦으매 소저를 단장하여 청중(廳中)에서 습례할 새, 그 광휘염광(光輝艶光)이 동일(東日)이 처음으로 부상(扶桑)에 오르며, 팔채미우(八彩眉宇)[366]에 성자기맥(聖姿奇脈)을 이어 숙덕성행(淑德性行)이 어리어, 견자(見者)로 하여금 혀를 내두르고 침이 마르게 하니, 태부인의 한없이 두굿겨함과 금평후 부부의 만면 춘풍이 흡연하여 웃는 입을 줄이지 못하더라.

이윽고 신랑이 이르러 옥상에 홍안(鴻雁)을 전하고 천지께 예를 마치

---

366) 팔채미우(八彩眉宇) : 눈빛. 눈의 정채(精彩). *팔채(八彩); 팔(八)자 모양의 눈썹 주위에서 나는 광채. 곧 눈빛. *미우(眉宇); 이마의 눈썹 근처.

매, 정사인 인흥이 읍양하여 좌에 들새, 금평후 그 선풍 옥골을 처음 봄이 아니로되, 금일 보매는 더욱 아름다움을 이기지 못하여, 손을 잡아 사랑함이 아들에 감치 아니하고, 홀연 석사를 생각하여 명천공의 보지 못함을 탄하여 가로되,

"윤·정 양문이 겹겹이 자녀를 바꾸어 자별한 정의는 갈수록 더하되, 나의 비척(悲慽)함은 명천 형이 경사를 한 가지로 보지 못함을 애달아하나니, 길석(吉席)을 임하여 고사를 생각하매 추감(惆憾)하노라."

신랑이 옥면화풍에 슬픔이 가득하여 와잠용미(臥蠶龍眉)에 수운(愁雲)이 명명하고, 단봉양안(丹鳳兩眼)에 추태(惆態) 어리니, 좌우 다 감동하여 윤공을 알던 자는 다 낯빛을 고치고 금평후에게 쾌서 얻음을 하례하니, 금후 흔연 사사 왈,

"서랑은 복에게 외람한 사위라, 열위(列位) 일컬으심을 사양치 아니하나이다."

좌객이 주인의 즐김을 인하여 또한 연차(宴遮)의 쾌함을 마지아니하고, 날이 늦고 돌아갈 길이 먼지라, 신부의 상교를 재촉할 새, 금후 들어와 여아를 보내매, 윤부인이 소고(小姑)[367]와 한가지로 가 모친을 뵙고자 하나, 감히 이에 청치 못하고, 금후 자부를 보아 이르되,

"현부 여아로 더불어 옥누항에 가 여아의 행례를 보고 즐김이 마땅하되, 오히려 추풍이 삽삽(颯颯)하여 상할까 보내지 못하나니, 현부 반드시 결연(缺然)하여[368] 하리로다."

윤부인이 오직 공순하여 듣자올 뿐이오, 말씀이 없으니, 진부인이 여

367) 소고(小姑) : 시누이.

368) 결연(缺然)하다 ; 무엇인가 모자라거나 빠진 것이 있는 것 같아 서운한 마음이 들다.

아를 경계하여 보낼 새, 금후 어루만져 가로되,

"여자유행(女子有行)은 원부모형제(遠父母兄弟)라[369]. 이 이별이 어느 사람에게 없으리오. 효봉구고(孝奉舅姑)하고 승순군자(承順君子)하여 마침내 어진 이름을 얻으라."

태부인은 노인의 심사 베는 듯하여, 지란(芝蘭) 같은 손녀로써 위태한 가중에 보내는 정이 창연하니, 눈물을 금치 못하는지라. 평후 과도하심을 간하고, 소저 존당 부모께 하직하고 화교(華轎)에 드니, 사인이 순금쇄약(純金鎖鑰)을 가져 문을 잠그고 상마하여 본부로 돌아오니, 허다 요객(繞客)이 대로를 덮었고 생소고악(笙簫鼓樂)이 훤천(喧天)하여, 행하여 옥누항에 다다르니, 예관(禮官)이 상명을 받들어 명성숙녈문(明聖淑烈門)을 높이고 연석에 참예하니, 영광이 세대에 무쌍하더라.

청중(廳中)에 금련(金蓮)[370]・채화석(彩畵蓆)과 기린촉(麒麟燭)[371]이 휘황한 데, 부부 양 신인이 합근교배(合巹交拜)[372]를 맞고 금수선(錦繡扇)[373]을 반개(半開)하니, 신랑의 용봉기질(龍鳳氣質)과 신부의 일월염광(日月艶光)이 서로 바애여[374], 남풍여모(男風女貌) 발월하니 천정일

---

369) 여자유행 원부모형제(女子有行 遠父母兄弟) : '여자는 시집가면 부모형제와 멀어진다'는 뜻으로, 『시경(詩經)』〈패풍(邶風)〉 '泉水'편에 나오는 말이다. 예전에 부모가 딸을 시집보내면서 딸에게 '친가의 부모형제를 생각지 말고, 시가의 부모형제를 공경하고 우애하여 잘 살 것'을 당부하며 이르는 말.

370) 금련(金蓮) : 금으로 만든 연꽃이라는 뜻으로, '미인의 예쁜 걸음걸이'를 비유적으로 이르는 말. 중국 남조(南朝) 때 동혼후(東昏侯)가 금으로 만든 연꽃을 땅에 깔아 놓고 반비(潘妃)에게 그 위를 걷게 하였다는 고사에서 유래한다. 여기서는 신부가 신은 '꽃신'을 말함.

371) 기린촉(麒麟燭) : 기린의 목처럼 굽은 막대기에 매단 등촉(燈燭).

372) 합근교배(合巹交拜) : 전통 혼례에서, 신랑 신부가 서로 잔을 주고받고, 절을 주고받고 하는 의례.

373) 금수선(錦繡扇) : 화려한 수를 놓은 비단으로 살을 붙여 만든 부채.

374) 바애다 : 빛나다. (눈이) 부시다.

대(天定一對)[375]더라. 예파(禮罷)에 신부 단장을 고쳐 폐백을 받들어 태부인께 헌(獻)할새, 조부인은 좌에 나지 않아, 태부인께 배현한 후 바로 사묘(祠廟)에 현알(見謁)하라 하고 방중을 나지 않으니, 추밀이 권하여 '모친과 한가지로 폐백을 받으소서.' 하니, 조부인이 마지못하여 좌에 나니, 비회 더욱 새롭더라. 신부 조율을 받들어 태부인께 나올 새 채봉(彩鳳) 같은 어깨에 홍금수적의(紅錦繡翟衣)[376]를 입고, 섬섬세요(纖纖細腰)에 자금수라상(紫錦繡羅裳)[377]을 착하였으니, 청천(靑天)에 반월이 비껴 있는 듯, 천연한 성덕이 미우에 현출하고, 씩씩하고 어리로운[378] 태도 천고무쌍(千古無雙)이러라. 행신 법도 관일(貫一) 신중하여 규합(閨閤)의 공맹(孔孟)이요, 여중군왕(女中君王)이라. 중빈(衆賓)이 칭선(稱善)하여 조부인께 치하(致賀) 분분하더라.

조부인은 신부를 보나 선군의 보지 못함을 슬퍼하고, 아자의 배위 가작함을 만심환희하더라. 차시 위태부인과 유씨는 신부를 보매 더욱 분한하여 흉중에 이검(利劍)을 품었더라.

추밀이 신부를 보매 대희 과망하여 수수께 하례하니,

조부인이 체루 대 왈,

"첩의 명완(命頑)함이 천붕지통(天崩之痛)의 설움을 능히 견뎌, 광아의 입신 성취하는 경사를 당하오니, 불혜박덕(不慧薄德)으로 지금까지 누리고 선군은 능히 자녀의 혼취를 보지 못하시니, 인사의 괴이함을 슬

---

375) 천정일대(天定一對) : 하늘이 정한 한 쌍.

376) 홍금수적의(紅錦繡翟衣) : 붉은 비단에 수를 놓아 지은 신부의 예복. 적의(翟衣)는 나라의 중요한 의식 때 왕비가 입던 예복을 가리키는 말로 붉은 비단에 청색의 꿩을 수놓아 만들었음.

377) 자금수라상(紫錦繡羅裳) : 붉은 비단에 수(繡)를 놓아 만든 치마.

378) 어리롭다 : 아리땁다. 귀엽다.

펴하오나, 신부의 비상 특이함은 소망(所望)의 과의(過矣)라. 영행함을 이기지 못하나이다."

공이 즉시 사인을 불러 부부 쌍으로 사묘(祠廟)에 현성(見聖)[379]케 하니, 사인이 부공 사묘의 다다라는 실성오읍(失性嗚泣)하니, 신부 인심에 추연함을 마지않고 공이 비루(悲淚) 주줄하여[380] 감창(感愴)함을 마지않더라.

석양에 파연하여 제빈(諸賓)이 각각 흩어져 제 집으로 돌아가매, 신부 숙소를 채봉각에 정하여 보내고, 사인을 경계하여,

"신방을 비우지 말고 숙녀를 공경하라."

하니, 사인이 수명(受命) 배사(拜謝)하고 야심하매 계부(季父)를 모셔 외헌의 나와, 취침하신 후 날호여 신방에 이르니, 소제 일어나 맞아 좌정하매, 추파성모(秋波星眸)[381]에 각별한 재덕이 절승하니 사인이 심하에 환열하여, 생각하되,

"나 사원이 부모의 생휵지은(生慉之恩)으로 재기(才氣) 하등이 아니요, 평생 숙녀를 오매사복(寤寐思服)하더니, 이제 정씨의 기특함은 나의 소원이라. 내 엄안을 알지 못함으로 평생 슬픔을 자처하더니, 오늘날을 당하니 어찌 통박(痛迫)지 않으리오."

이에 두어 조(條) 말씀을 열어 왈,

"생은 재박(才薄)하고 용우박렬(庸愚薄劣)하거늘, 악장의 사랑하시는 은혜로 강보(襁褓)에 동상(東床)[382]을 정하시어, 행빙(行聘)하매 양가

---

379) 현성(見聖) : ① 자손이 돌아가신 조상의 무덤이나 위패 앞에 나가 절하고 뵙는 일. ②살아있는 사람이 성인의 신령 앞에 나가 예배(禮拜)하는 일. *현성(顯聖) : 지위가 높고 귀한 사람이 죽은 뒤에 신령이 되어 그 모습이 나타남.

380) 주줄하다 : 줄줄 흐르다. 굵은 물줄기 따위가 잇따라 부드럽게 흘러내리다.

381) 추파성모(秋波星眸) : 가을의 맑은 물결 같고 별처럼 빛나는 눈동자.

(兩家) 길월(吉月)만 등대(等待)하고, 그 사이 사고(事故)가 있을 줄은 알지 못하였더니, 그대 간선(揀選)에 참예하여 여상명절(如霜名節)[383]이 천의(天意)를 감동하고 어필(御筆)로 정문포장(旌門褒奬)하시는 은영이 계시니, 여자의 얻기 어려운 영광이라. 금루옥궐(金樓玉闕)의 부귀를 폐(閉)하고 생을 위하여 절을 완전히 하니, 생이 그윽이 감사하거니와, 혹(或) 박복(薄福) 불민(不敏)함이 숙녀를 저버릴까 두려워하노라."

소저 수용정금(修容整襟)하여 묵연 부답하니, 천연한 위의 추천명월(秋天明月)이 상풍(霜風)을 띠었음 같으니, 사인이 천고영걸(千古英傑)로 호색하는 마음이 있으되, 가내에 변괴 층첩(層疊)하니 흥황(興況)이 사연(捨然)하나, 뜻인 즉 숙녀 미색으로 집을 메우고자 하는지라. 이에 촉을 물리고 숙녀를 붙들어 상요(床褥)에 나아가니, 견권지정(繾綣之情)이 하해(河海)같더라.

구파 신부의 천향아질(天香雅質)과 쇄락한 용모를 흠찬(欽讚)하고, 사인의 배우 이같이 특이함을 불승흔열(不勝欣悅)하여, 신방(新房)을 규시(窺視)하매, 부부의 은정을 가히 알지라. 이에 조부인께 차언을 전하고 아름다움을 이기지 못하니, 부인이 또한 두굿겨 하나 가중사(家中事)를 두려워하여 근심이 방하(放下)치 못하고, 여아를 그리는 회포 간절하나, 진부인께 귀녕을 청치 못하고 모녀의 결연한 사정을 이기지 못하더라.

명조에 신부 존당 구고께 신성(晨省)하니, 조부인은 볼수록 두굿김을 이기지 못하나, 태부인 고식(姑媳)은 볼수록 가슴이 벌떡이고 분이 뛰놀아, 평일 조부인 삼모자와 정천흥 부인만 해코자 하더니, 도금(到今)하

---

382) 동상(東床) : '동쪽 평상'이라는 뜻으로, '사위'를 달리 이르는 말. 중국 진(晉)나라의 극감(郄鑒)이 사위를 고르는데, 왕도(王導)의 아들 가운데 동쪽 평상 위에서 배를 드러내고 누워 있는 왕희지를 골랐다는 고사에서 유래한다.

383) 여상명절(如霜名節) : 서릿발 같이 엄격한 절의.

여는 정씨를 죽이고자 함이 착급하되, 암해(暗害)코자 하므로 오히려 빛을 나타내지 아니하더라.

사인이 혼례 후 선묘(先墓) 소분(掃墳)을 위해 길을 나, 수십여 일만에 항주에 이르러 선묘에 배현하고 부친 묘소에 현성(見聖)[384]하매, 탄성읍혈(歎聲泣血)하여 광수(廣袖)를 적시니, 좌우 시자(侍者)가 위하여 감창하더라. 여러 날이 되매 환가하여 돌아오니 새로운 비회 중첩하더라.

정소저 인하여 구가에 머물러 효봉구고(孝奉舅姑)하니 출류(出類)한 성행과 사덕(四德)이 규각의 숙녀라. 청현(淸賢) 검소(儉素)한 말씀과 비약(卑弱) 겸공(謙恭)한 행사가 진선진미(盡善盡美)하여, 쌍안을 낮추고 앵순(櫻脣)[385]을 닫아 무사무려한 듯, 스스로 재덕을 드러내지 않으나, 현심숙덕이 가작하고 웃고 말씀하매 일만 화신(花神)이 다투어 춘양(春陽)에 웃는 듯, 오채(五彩)[386] 영롱하니, 조부인의 만심 귀중함이 사인에게 지지 아니하고, 공이 자애 각별하여 구숙지의(舅叔之義)[387] 엄구(嚴舅)의 지지 않아, 어루만져 무애하고 웃는 입을 줄이지 못하더라. 구파 또한 황홀한 사랑이 비할 곳이 없으나, 위・유의 흉심은 처음은 사랑하는 체하더니 점점 수삭(數朔)이 되매 작심이 어찌 오래리오. 시호지심(豺虎之心)으로써 이르되,

"정씨 구가(舅家)를 능멸(凌蔑)하고 불인한 고모(姑母)와 동심하여 조

384) 현성(見聖) : ①자손이 돌아가신 조상의 무덤이나 위패 앞에 나가 절하고 뵙는 일. ②살아있는 사람이 성인의 신령 앞에 나가 예배하는 일. *현성(顯聖) : 지위가 높고 귀한 사람이 죽은 뒤에 신령이 되어 그 모습이 나타남.

385) 앵순(櫻脣) ; 앵두처럼 붉고 고운 입술.

386) 오채(五彩) : 파랑, 노랑, 빨강, 하양, 검정의 다섯 가지 색.

387) 구숙지의(舅叔之義) : 시숙부(媤叔父)의 의리.

모를 원망한다."

하여 불측한 거조 층출(層出)하고 조석 식반을 주지 않아 괴이한 재강(滓糠)[388]과 측한[389] 맥죽(麥粥)을 주니, 정소저 생어부귀(生於富貴)하고 장어호치(長於豪侈)하여, 존당 부모 만금 무애하여 사람이 자기를 향하여 불평한 소리함을 듣지 못하고, 상시(常時) 옥식진찬(玉食珍饌)을 염(厭)하던 바로, 재강 맥죽을 꿈에나 보았으리오마는, 성혼 수삭에 간고 험난이 이 같아서, 무고한 호령과 무죄한 질책(叱責)이 연면(連綿)하니, 두려운 마음이 여림박빙(如臨薄氷)하되 사람 됨이 천지(天地)로 방불(彷彿)하여 하해지량(河海之量)이라. 춘풍화기로 존당 질책을 당하나 온순 화열이 사죄하고 천연 나직함이 전후 한가지요, 재강 맥죽을 불식함이 없어 비위 거스르나 강인하여 먹기를 일삼되, 유모 시아 등이 원망함을 마지않으니, 소저 유랑을 엄책하여 감히 원언(怨言)을 발치 못하게 하니 그 덕행의 엄준(嚴峻)함이 이 같더라.

조부인이 당시(當時)하여는 자기 신세의 괴로움은 잊히고, 식부의 불평하고 간초(艱楚)한 정경을 연애하여 고식(姑媳)의 정이 모녀에 감치 않아, 구파로 하여금 궁극히 진찬화미(珍饌華味)를 간신이 장만하여 틈을 타 소저를 자기 침소로 불러 어루만져 무애하며, 진미를 권하여 장위(腸胃)를 눅이며, 가중 형세를 헤아리매 슬픈 한을 이기지 못하니, 정소저 존고의 무애지정을 황공 감사하고, 가중 참참한 곡경이 무궁함을 보매 지극한 효심에 절인(絶人)한 근심이 가득하여 자기 괴로움을 깨닫지 못하더니, 이제 도리어 존고가 자기를 유념하여 이렇게까지 하심을 불승감은(不勝感恩)하여, 이에 부복 주왈(奏曰),

---

388) 재강(滓糠) : ≒술비지・술찌끼. 술을 거르고 남은 찌끼.

389) 측하다 : 추악하다. 망측하다, 꺼림하다. 언짢다.

"아해 비박지질(卑薄之質)로 만사 불초하옵거늘, 존문(尊門) 용도 군핍하여 핍절(乏絶)함이 있사옵는지라, 소년배 재강 맥죽이 족하온지라, 아해 어찌 아사(餓死)할 바 있으리까? 복망 존고는 물려(勿慮)하소서."

부인이,

"현부 귀골(貴骨)이 조강(糟糠)[390]의 간고험난(艱苦險難)을 결단코 못 견디리니, 모름지기 자보지도(自保之道)를 각별이 하여 날로 하여금 참통하는 염려를 덜게 하라."

소제 재배 사사(謝辭)하고 주시는 바 화미진찬(華味珍饌)을 싫은 때라도 순순이 감식(甘食)하는지라. 조부인이 구파로 더불어 비복 등에게 구구히 부탁하나, 위·유 모르게 진찬을 장만하여 식부를 보호하여 아사(餓死)할까 두려워하니 그 정이 처연(悽然)하더라.

윤사인이 직임에 나가매 충절명행이 조야에 드레고 표치풍광(標致風光)은 만조에 솟아나니, 인인(人人)이 공경하여 저마다 선생이라 칭하고, 천총(天寵)이 융융하시어 태자 제왕과 일반이라. 사인이 더욱 성은을 감격하여 진충갈력(盡忠竭力)하니, 입조(入朝) 삼삭(三朔)에 청현아망(淸賢雅望)이 사류(士類)의 추앙(推仰)하는 바 되어, 별호를 청문선생이라 하더라.

익설. 정남대원수(征南大元帥) 삼도도총병마대도독(三道都總兵馬大都督) 정천흥이 삼만 정병과 십원 명장을 거느려 천자의 축단배장(築壇拜將)[391]하는 총(寵)을 입으며, 자원출정하여 호호탕탕(浩浩蕩蕩)히[392]

---

390) 조강(糟糠) : 지게미와 쌀겨라는 뜻으로, 가난한 사람이 먹는 변변치 못한 음식을 이르는 말.

391) 축단배장(築壇拜將) : 출정을 앞둔 장수를 위해 황제가 제단(祭壇)을 쌓고 장수를 제배(除拜)하는 뜻을 하늘에 고함.

392) 호호탕탕(浩浩蕩蕩)히 : 기세 있고 힘차게.

행하니, 백모황월(白旄黃鉞)[393]과 도창검극(刀槍劍戟)[394]이 날빛[395]을 가리고, 원수의 쇄락한 풍뉴신광(風流身光)이 일로(一路)에 휘황하니, 제장이 흔흔 열복하여 원수를 바람이 적자(赤子)[396] 자모(慈母)를 바람 같고, 한번 영(令)이 나면 못 미칠 듯하여 두려워함이 군신 같으니, 진중에 살육(殺戮)이 없고 형벌을 쓰지 않으나, 부원수로부터 말좌(末座) 군졸에 이르기까지 위엄을 두려워하고 덕화를 감격하니, 행군 기율이 정제 엄숙하여 지나는 길의 군현(郡縣)을 추호도 범함이 없으니, 계견(鷄犬)이 놀라지 않고, 초목이 상치 않으니 백성 부로(父老)의 송덕(頌德)하는 소리 멀리 들리니, 주현 자사들이 황황(遑遑)히 지영(祗迎)하되, 원수 영(令)을 내려 각 읍의 영송(迎送)[397]을 금하고, 청검절차(淸儉切磋)한 덕이 고루 미치니, 처처(處處)의 주현으로부터 백성이 흔흔 심복하여 칭찬함을 마지않더라.

행하여 전당(錢塘)[398]의 다다라서는 풍세(風勢) 불순하여 대군이 배로 건너기 어려우니 절도사 오순이 고 왈,

"전당강(錢塘江)을 건너는 때는 우마(牛馬)를 죽여 제하여 월강(越江)하나니, 불연즉 건너지 못하리이다."

하니, 원수 정색 왈,

---

393) 백모황월(白旄黃鉞) : 흰 쇠꼬리를 단 깃발과 황금으로 장식한 도끼.
394) 도창검극(刀槍劍戟) : 칼과 창 따위의 각종 병기.
395) 날빛 : 햇빛. 햇빛을 받아서 나는 온 세상의 빛.
396) 적자(赤子) : ①갓난아이. ②임금이 갓난아이처럼 여겨 사랑한다는 뜻으로, 그 나라의 '백성'을 이르던 말.
397) 영송(迎送) : 맞아들이는 일과 보내는 일.
398) 전당(錢塘) : =전당강(錢塘江), 중국 절강성(浙江省) 동부를 흐르는 강. 절강(浙江)이라고도 한다. *절강성(浙江省); 중국 동남부의 동중국해 연안에 있는 성. 고대 월나라의 땅이었으며, 주산군도(舟山群島)에는 불교의 4대 명산 중 하나인 보타산(普陀山)이 있고, 성도(省都)는 항주(杭州)다.

"수신이 간대로 사람을 해할 바 아니요, 사람이 왕래할 적마다 죽여 제(祭)하는 버릇이 가장 불가하니, 선인은 무지하여 축제(祝祭)를 청하나, 절도사의 장기(壯氣)로 전당의 조그만 수신(水神)을 두려워함을 가소로워 하노라."

언파에 선인을 호령하여 대군이 여러 척 배를 잡아 일시에 승선하여 물을 건너라 할 새, 문득 광풍이 대작(大作)하고 운무(雲霧) 사색(四塞)하여, 백일(白日)이 감춰지고 경각에 칠야(漆夜) 같아서 지척을 분변치 못하고, 벽력과 번개가 여러 선중에 대란하여 주즙(舟楫)이 거의 엎칠 듯하는지라, 사졸(士卒)이 저마다 경황하여 살기를 축원하며, 바람이 급하여 물결이 배 위로 치닫기를 자주 하니, 선중(船中) 만군장졸이 다 속수(束手)하여 경구(驚懼)치 않는 이 없으되, 정원수 침연위좌(沈然危坐)[399]하여 사색(辭色)을 불변하더니, 이슥고 흉한 야채(夜叉)[400] 두엇이 몸을 반은 수중에 두고 반은 선창(船艙)[401]에 걸쳐 벽력같이 소리를 지르니 경각에 엎칠 듯한지라. 제인이 일시에 꿇어 무죄함을 일컬어 살기를 빌며, 허겁한 유(類)는 다 기절하여 거꾸러지는지라. 원수 부원수와 좌우 선봉을 다 곁에 앉히고 경동(驚動)치 말라 하며, 야차를 향하여 소리를 엄히 하여,

"흉한 소축(小畜)이 사람을 대하여 전당강을 왕래하는 행인의 우마를 죽여 제를 받음을 규례로 알거니와, 대군이 월강하매 무슨 축제(祝祭)를 하여 업축(業畜)[402]을 두리리오[403]. 수중 으뜸 용신을 짓쳐[404] 평상시

---

399) 침연위좌(沈然危坐) : 묵묵히 엄숙하고 바른 자세로 앉아 있음.

400) 야채(夜叉) : =두억시니. 모질고 사나운 귀신의 하나.

401) 선창(船艙) : ①물가에 다리처럼 만들어 배가 닿을 수 있게 한 곳. =부두. ② 배를 잇달아 띄워 놓고 그 위에 널빤지를 깐 다리. =배다리.

402) 업축(業畜) : 전생에 지은 죄로 인하여 이승에 태어난 짐승.

왕래인(往來人)을 해함이 없게 하리라."

언필에 주필(朱筆)을 들어 부작(符籍)[405]을 써 소화(消火)하니, 야차가 바야흐로 사람을 해코자 하다가 원수의 소리를 듣고 경황하여 자세히 살피매, 과연 천신(天神)이 하강(下降)하였는지라. 좌우로 성신(星辰)이 호위(護衛)하고 용신(龍神)이 서렸으니[406], 천상 성신임을 어찌 몰라보리오. 야차가 죽은 듯이 선창(船艙)에 걸쳐있더니, 이윽고 뇌정(雷霆)[407]이 천지 진동하니, 중인이 낯을 가리고 황황할 새, 일진 벽력이 일시에 야채를 분쇄하고 불덩이 강수로 들이닫더니, 기이한 소리 천지를 움직이니, 강수(江水) 뒤집혀 수신이 많이 죽음을 알지라. 이윽고 운무 걷히며 백일이 중천에 한가하여 바람이 순하며 선중이 안온하니, 여러 배의 사람이 하나도 상한 이 없어 일행 선중인(船中人)이 다 원수께 고두사은(叩頭謝恩)하고 무사히 월강(越江)함을 치하하니, 원수 왈,

"이 구태여 나의 재주 아니거니와 원래 조그만 수신을 두려워할 바 아니거늘, 창졸히 이같이 겁을 먹으니 흉봉(凶鋒)을 당키 어렵도다."

하더라.

이미 전당강을 무사히 건너 대군이 물밀 듯 운남(雲南)[408]으로 나아가, 월후관(關)에 채책(寨柵)[409]을 정하고 먼저 격서(檄書)를 날리니,

---

403) 두리다 : '두려워하다'의 옛말.

404) 짓치다 : 함부로 마구 치다.

405) 부작(符籍) : 잡귀를 쫓고 재앙을 물리치기 위하여 붉은색으로 글씨를 쓰거나 그림을 그린 종이.

406) 서리다 : 뱀 따위가 몸을 똬리처럼 둥그렇게 감다.

407) 뇌정(雷霆) : =뇌정벽력(雷霆霹靂). 천둥과 벼락. 또는 천둥과 벼락이 격렬하게 침.

408) 운남(雲南) : 중국 남부, 운귀고원(雲貴高原)의 서남부에 있는 성(省). 미얀마, 라오스, 베트남 등과 국경을 이루고 있고, 성도(省都)는 곤명(昆明)이다.

409) 채책(寨柵) : 통나무 따위를 이어 박아 세운 목책(木柵). 또는 목책을 세워 구

차시 운남왕 목진평이 수하(手下)에 장사가 구름 같고, 대장 육비달과 선봉 농무기 풍우를 부르며 귀신을 제어하고, 만인적(萬人敵)[410]이 있으니, 목왕이 총애(寵愛)하여 남만지세(南蠻地勢)를 탈취코자 하여, 장사를 거느려 호호탕탕히 황성을 엿볼 뜻이 급하더니, 문득 천조(天朝)에서 발병하여 대원수 군사를 몰아옴을 듣고, 체탐(諦探)[411]하여 원수 이하의 행군 기율(紀律)을 알아오라 하니, 탐군(探軍)이 청령(聽令)하여 전당강에 이르러 지세를 살피고 돌아와 소유를 고할 새, 전당강에 임하여 수신을 죽이고, 축제(祝祭)함이 없이 무사히 월강함을 이르고, 그 연기 십칠 세임을 일일이 들어 본진의 고하니, 목왕이 소왈,

"송(宋)이 사람 없음을 알리라. 십칠세 황구소애(黃口小兒)[412]에게 천병을 거느려 만 리 새외(塞外)에 보내리오. 그 얼굴이 고음은 미약한 소년의 예사요, 전당강 수신이 죽음은 마침 천벌(天罰)을 입음이니, 구태여 정천흥의 재주리요."

정언간(停言間)에 송진(宋陣) 격서 이르니, 왕의 군신이 다 모여 볼 새, 먼저 필획(筆劃)이 용사(龍蛇)[413] 찬란하여 단봉(丹鳳)[414]이 춤추는 듯한지라. 격서에 쓰였으되,

"대송 병부상서 대사마 용두각 태학사 남정대원수 삼로도총병 정모는

축한 진지(陣地).

410) 만인적(萬人敵) : ①군사를 쓰는 전술이 뛰어난 사람. ②혼자서 많은 적과 대항할 만한 지혜나 용기. 또는 그러한 지혜나 용기를 갖춘 사람.

411) 체탐(諦探) : 적의 형편이나 지형 따위를 정찰하고 탐색함.

412) 황구소애(黃口小兒) : ≒황구유아(黃口幼兒). 젖내 나는 어린아이라는 뜻으로, 철없이 미숙한 사람을 낮잡아 이르는 말.

413) 용사(龍蛇) : 용과 뱀을 아울러 이르는 말로 여기서는 '글자《한자》의 모양'을 비유적으로 이르는 말.

414) 단봉(丹鳳) : 목과 날개가 붉은 봉황.

서하노라. 희라! 유천지(有天地) 연후(然後)에 군신유의(君臣有義) 부자유친(父子有親)이 만고강상(萬古綱常)의 중(重)한 뜻이라. 금(今)에 성천자(聖天子) 교화 대행(大行)하여, 사이(四夷)[415] 번국이 귀순(歸順)치 않는 이 없고, 성덕이 두터우시어 천하 만방이 머리를 두드려 덕화를 감열(感悅)하고, 남풍(南風)[416]의 시(詩)를 읊으니, 국태민안(國泰民安)하여 오래 병혁을 버렸던 바라. 이제 운남이 역천 무도하여 대국 섬기기를 폐하고, 감히 천위를 범하니 천자 진노하시어 삼만 정병과 십원 대장으로써, 남국을 문죄하라 하시니, 내 비록 재주 없으나 남국 군사를 두려워할 바 아니로되, '보천지하(普天之下)가 막비왕토(莫非王土)요, 솔토지빈(率土之濱)이 막비왕신(莫非王臣)이라'[417], 어느 땅이 대국토지(大國土地) 아니며, 어느 백성이 우리 송조신민(宋朝臣民)이 아니리오. 왕을 위함이 아니라, 우리 성상(聖上)의 억만 생령(生靈)이 한낱 불인의 왕을 위하여 옥석(玉石)이 구분하고 어육이 될 바를 참연하여, 먼저 격서를 전하나니, '고침이 귀하다' 함은 성교(聖敎)의 허하신 바라. 남왕이 일찍 그릇이 있으나 개과천선하여 다시 천조를 섬겨 군신대의(君臣大義)를 상해(傷害)하지 않고, 성문을 열어 대군을 맞으면, 남국 생민을 일인도 상해하지 않으려니와, 불인지심(不仁之心)으로 항거코자 한 즉, 한

---

415) 사이(四夷) : 예전에, 중국의 사방에 있던 동이, 서융, 남만, 북적의 종족들을 통틀어 이르던 말.

416) 남풍(南風) : 『시경』 〈국풍(國風)〉 패풍(邶風)편의 개풍(凱風)시를 말함. 일곱 명의 자식들이 그 어머니에 대한 못 다한 효성을 노래하고 있다. '개풍(凱風)'은 '남풍(南風)'을 이르는 말이다.

417) 보천지하(普天之下)가 막비왕토(莫非王土)요, 솔토지빈(率土之濱)이 막비왕신(莫非王臣)이라 : 온 하늘 밑이 왕의 땅 아닌 데가 없고, 온 영토 안에 사는 사람들이 다 왕의 신하 아닌 사람이 없다는 말. 『맹자』 〈만장장구 상(萬章章句上)〉에 있는 글.

싸움에 성을 함몰하리니, 백년왕낙(百年王樂)을 속절없이 잃어 종묘를 소화하고, 수족과 머리 전장에 버릴 것이니, 그 이해득실(利害得失)이 어떠하뇨? 싸우며 아니 싸움은 왕의 뜻에 있으니 타일 뉘우치지 말라."

하였더라.

목왕이 간필에 대로하여 글을 찢어 왈,

"황구소아(黃口小兒) 감히 날을 업신여겨 이다지도 무례하리오. 뉘 능히 나를 위하여 정천흥을 잡아 진중에 호령할꼬?"

대장 육비달이 출반 주 왈,

"신이 대왕의 총우(寵遇)하신 대은을 갚사올 바를 알지 못 하옵나니, 일지병(一枝兵)을 빌려주시면, 송장을 베고 송국을 멸하여, 전하로 하여금 만 리 강산을 두시게 하리이다."

왕이 깃거 그 충의를 일컫고 군을 일으켜 우명일(又明日) 접전함을 통하니, 승상 목녹은 왕의 질재(姪子)라. 나아와 주 왈,

"전하는 정천흥의 연소함을 경(輕)이히 여기지 마시고, 대진하여 그 군법 기세를 보시고, 당키 어렵거든 순히 항하여, 왕위를 안락하시고 종묘를 보전하심이 옳으니이다."

왕이 변색 왈,

"경은 나의 친질이요, 국중대사를 정하며 괴이한 말을 하여 삼군의 예기(銳氣)를 최절(摧折)[418]케 하고 적군의 위풍을 돕는다? 육비달 같은 선봉을 두었으니 다른 장사는 이르지 말고, 풍우를 임의로 부르며 귀신을 부리는 재주 적군을 파함이 여반장(如反掌) 같은지라. 경은 정천흥을 보지도 않고 지레 두려워 말라."

목녹이 대간(對諫) 왈,

---

418) 최절(摧折) : (사람이)어떤 일에 대한 의지나 기운이 꺾이다.

"신이 정천흥을 두리고 아군의 예기(銳氣)를 최절케 함이 아니라, 대국의 웅병맹장(雄兵猛將)이 적지 않을 것이로되, 구태여 연소한 정천흥으로 원융을 삼아 십원 명장과 삼만 정병을 통솔케 한 바, 반드시 재덕이 있는가 하옵나니, 탐군의 말을 듣자오매 정천흥이 십사 세에 문무 장원이 되고 지략이 과인하다 하오니, 혹자 싸움에 불리할까 하나이다."

왕이 분노하여 목녹을 질퇴(叱退)하고 장사를 거느려 친히 출정하여 적진을 바라보니, 개갑(介甲)이 선명하고 대외(隊伍) 정제하여 진중에 경운이 둘렀으니, 청풍이 일어나며 기이(奇異)한 광채 자연한지라. 육비달은 천문지리(天文地理)와 병법이 숙달하고 그 장사의 기이함을 지기(知機)하되, 저의 재주를 믿어 조금도 구겁함이 없더라.

목왕이 도창검극(刀創劍戟)의 위의를 정히 하여 농무기로 앞을 당하라 하고, 육비달로 대군을 거느려 좌우로 있으라 하고, 사졸로 웨여 승부를 결하자 하니, 송진 문기(門旗) 열리는 곳에 대기(大旗) 융동(隆動)하며 허다 군졸이 사륜거(四輪車)를 밀어 나오니 좌우에 선봉이 갑주(甲冑)를 갖추어 위의(威儀)를 잡았는데, 정원수 몸에 홍금수전포(紅錦繡戰袍)[419]에 황금쇄자갑(黃錦鎖子甲)[420]을 껴입고, 머리에 봉시(鳳翅)투구를 쓰고 요하(腰下)의 양지백옥대(兩枝白玉帶)[421]를 둘러 거중(車中)에 단좌하였으니, 영광이 찬란하여 부상홍일(扶桑紅日)이요, 양미정화(兩眉精華)는 산천영기(山川靈氣)를 거두었으며, 봉안영채(鳳眼靈彩)가 삼

419) 홍금수전포(紅錦繡戰袍) : 붉은 비단에 화려하게 수를 놓아 지은 전포(戰袍). 전포는 장수가 입던 긴 웃옷.

420) 황금쇄자갑(黃錦鎖子甲) :갑옷의 일종. 누런 비단옷에 사방 두 치 정도 되는 돼지가죽으로 된 미늘을 작은 고리로 꿰어 붙여서 만들었다.

421) 양지백옥대(兩枝白玉帶) : 명주에 백옥(白玉)을 붙여 만든 허리띠를 양 끝이 가닥이 나게 맨 모양.

군(三軍[422])에 비취니, 바라보매 송연치경(悚然致敬)하는 의사 일어나는지라. 남왕의 군신이 한번 바라보매 흠복하는 마음이 비길 곳 없어, 운남이 본디 인물이 영한(零罕)하여 여자도 미색이 드므니, 어찌 정원수의 옥모 영풍을 몽리(夢裏)에나 보았으리요. 목왕이 외람한 의사(意思)나, 원수를 달래어 운남에 두고자 뜻이 있어, 마상에서 흔연히 읍하고 소리를 가다듬어 가로되,

"소방이 구태여 대국을 항거함이 없거늘 원수 어찌 만 리 새외(塞外)에 사졸을 거느려 전진의 수고로움을 이루시느뇨?"

원수 길이 답읍 왈,

"운남이 반상(叛狀)이 없으면 대국이 어찌 문죄함이 있으리오마는, 남녘을 범하여 황성을 엿보고, 일분도 번신(藩臣)의 직분(職分)이 없으니, 성천자(聖天子) 아등으로 운남을 정벌하라 하시니, 나의 뜻을 통하였으되, 왕이 뜻을 고치는 일이 없으니, 승부와 자웅을 결하리라."

남왕이 희희(喜喜) 소왈,

"원수 연소하여 천운의 길흉을 오히려 깨닫지 못하는지라. 교병(交兵)하여 패할까 근심은 없거니와, 원수의 표치 풍광을 보매 그림의 신선이라. 앉아서 고금을 통함이 마땅하니, 천병만마중(千兵萬馬中) 원수(元帥) 상장(上將)은 가치 않으니, 나의 수하(手下) 명장(名將)과 적수(敵手) 되지 못할지라. 만리 새외에 아깝게 성명을 보전치 못하면 어찌 참절(慘絶)치 않으리오. 자고로 천하는 일인의 천하가 아니라, 덕 있는 데로 돌아가나니, 이제 과인이 응천순인(應天順人)하여 만 리 강산을 두고

---

422) 삼군(三軍) : 상군(上軍)・중군(中軍)・하군(下軍) 또는 중군(中軍)과 좌익(左翼)・우익(右翼)을 합한 군 전체를 이르는 말. 현대는 육군・해군・공군을 합한 군 전체를 이른다.

자 하나니, 원수 과인과 한가지로 뜻을 결하여 대사를 이룰진대, 강산을 반을 베어 원수의 토지를 삼고 부귀를 누리게 하리니, 원수의 뜻이 어떠하뇨?"

원수 청파에 봉안이 두렷하여 와잠미를 거사려[423] 길이 남왕을 대매(大罵) 왈,

"반국적신(叛國敵臣)이 감히 천조대장(天朝大將)을 대하여 무상한 말을 하니, 그 죄가 불용주(不容誅)[424]라. 무익한 구설(口舌)로 너의 용맹을 자랑치 말고 빨리 승부를 결하라."

남왕이 말로써 달래지 못할 줄 알고 부디 생금하여 항복을 받고자 함으로 대 왈,

"양국 교병(交兵)에 사재(射才)를 먼저 시험코자 하나니, 과인의 장사 육비달과 원수의 장사와 사법(射法) 진법(陣法)을 겨뤄, 다 이기면 과인이 갑을 벗고 항복하리니, 내 한 진을 치거든 원수 보고 또 일진을 쳐 고하(高下)를 정하자."

원수 미소왈,

"그 무엇이 어려우리오. 왕이 먼저 진을 치라."

남왕이 육비달로 더불어 북을 울녀 일진을 이루니 오문(五門)이 두렷하고 오행(五行)을 응하였는지라. 왕이 진을 가르쳐 왈,

"원수 또한 진을 치라."

원수 즉시 손에 기를 휘둘러 장사를 영(令)하여 진세(陣勢)를 이룰 새 경각에 팔문(八門)이 두렷하고 진중에 채운이 둘렀으니, 장졸 다소를 알

423) 거사리다 : 긴 것을 힘 있게 빙빙 돌려서 포개어지게 하다. 여기서는 '눈을 부릅떠 눈썹을 위로 치켜 올리다'의 의미.

424) 불용주(不容誅) : (그 죄가) 죽음을 용납지 않는다는 뜻으로, (죄가 너무 커서) 목을 베어도 오히려 부족하다는 말.

지 못하나 밖에 허한 듯하여 하되, 안이 굳어 비조(飛鳥)도 들기 어려우니, 그 중 조화 무궁하여, 육정팔괘(六丁八卦)[425] 둔갑조화(遁甲造化)가 불측하더라. 원수 남왕더러 문 왈,

"왕이 내 진을 능히 알소냐?"

왕과 육비달이 서로 보아 자세히 살피되 진 이름을 능히 알지 못하여, 군중에 가만히 전령하여 가로되,

"대송 진 이름을 아는 재 있으면 천금 상(賞)의 대장군을 봉하리라."

하니, 일인도 응성(應聲)하리 없고 농무기 좌우로 돌며 자세히 보아 왕께 고 왈,

"신이 전일 들으니 천지사방팔문오행진(天地四方八門五行陣)인가 하되 친 바를 알지 못하니, 이 진이 천지(天地) 서광(瑞光)을 띠고 팔문(八門)이 두렷하고 조화 무궁하니 전하(殿下) 여차여차 하소서."

왕이 깃거 비로소 원수를 향하여 가로되,

"원수의 진이 팔문오행진(八門五行陣)이거니와 우리 남방은 이런 진을 숭상치 않음으로 기특함을 알지 못하노라."

원수 미소왈,

"숭상을 아니하나 알기조차 못하리오. 왕의 병법이 숙달치 못함이로다."

왕이 웃고 서로 결하여, 양진 사이에 백 보씩 같이 나눠어 승부를 볼새, 남왕이 먼저 송진 제장으로 좌편을 쏘라 하니, 원수가 스스로 암축하여 귀신을 부려 살이 비록 내려질 듯하여도 붙들어 과녁으로 나가게 하니, 십장이 쏘아 구슬 꿰듯이 맞혀 한 살도 낙누(落漏)함이 없으니,

---

425) 육정팔괘(六丁八卦) : 둔갑법(遁甲法)의 육정육갑(六丁六甲)과 주역(周易)의 팔괘(八卦)를 조합한 말.

송진상(宋陣上)에서 북을 울녀 즐기니, 남진장(南陣將) 육비달 농무기 두 장수 겨우 우편으로 쏘아 맞히고 기여 팔장(八蔣)은 마치지 못하니, 남왕이 크게 실망하여 불열하되, 짐짓 원수를 향하여 왈,

"사재(射才)는 겨뤘거니와 창법(槍法)과 법술(法術)을 보리라."

원수 냉소왈,

"우리 제장이 하나도 낙루함이 없이 맞혔으되 왕의 제장은 겨우 둘이 맞혔으니 사재의 대패하였거니와, 창검으로 승부를 결하면 인명이 상(傷)하리니, 다만 투구를 벗기고 말을 죽이며 패주(敗走)하는 이로 승부를 결하고, 몸을 상케 말미 가하니라."

하니 왕이 가로되,

"역시 좋다."

하고, 즉시 십장(十將)이 칼을 들고 오백 군을 거느려 송병과 겨루자 하니, 원수 십원(十員) 제장을 불러 창검 쓰는 법을 지휘하여 일일이 가르치고, 오백 군을 거느려 남장(南將)으로 접전할 새, 제장이 일시의 고함하고 승부를 겨룰 새, 쟁북 소리 진천하고 검극이 날빛을 가리오니, 원수 멀리 바라보니 육비달 농무기의 강용(剛勇)이 비상하여 제어키 어려움을 보고, 가만히 부작을 써 북으로 향하여 소화(消火)하고 조화(造化)를 지으니, 송장(宋將)의 몸이 날내고 정신이 백배하여 육비달 농무기를 지르며 투구를 앗으니, 남장이 대적치 못하는지라. 송진 제장이 승승하여 말을 죽이며 활을 받아 춤추어 용무양위(勇武揚威)하여 돌아가니, 왕이 분연 대로하여 정창출마(挺槍出馬)하여 왈,

"송 원수 진실로 재주 있거든 날과 자웅을 결하자."

하니 원수 소왈,

"왕이 날과 교전하려 하면 생명이 남지 못하리니, 스스로 죽기를 자취하는지라. 내 어찌 접전치 않으리오마는, 금일 양진이 처음으로 교병하

여 인마(人馬) 곤핍(困乏)하고, 날이 저물었는지라, 명일 접전하리니 왕은 지실(知悉)하라."

왕이 불청(不聽)하고 싸움을 재촉하니, 원수 백옥(白玉)[426]에 단사(丹砂)[427]가 영롱하여 가로되,

"왕으로 더불어 처음 언약이 진법과 창법과 사재(射才)를 겨뤄 패하는 이로 항복하자 하더니, 내 진명을 몰라 반일 만에야 서로 가르쳐 줌을 얻어 지기(知機)하여 일렀고, 기여 창법·사법을 대패하니, 다 나의 장사에게 당할 재주 없으니, 진실로 개연(慨然)할 것이거늘, 또 부끄러움을 무릅써 날과 겨루고자 하니 어찌 우습지 않으리오. 내 비록 무용(無勇)하나 두렵지 않으니, 빨리 나와 자웅을 결하라."

왕이 분연하여 왈,

"승부는 병가(兵家)의 상사(常事)니, 과인의 말이 비록 그러하나 어찌 조고만 재주에 항복하리오."

언필에 농·육 양장이 왕을 호위하여 원수를 취하니, 원수 제장을 지휘하여 손에 상방검(尙方劍)을 잡고 대진할 새, 날이 어두오매 양진이 일시의 불을 켜며 양마 교전할 새, 고각(鼓角)[428]이 연천(連天)하고 함성이 대진하니, 원수의 개세(蓋世)한 용력이 천고 무쌍한지라. 동(東)을 치며 서(西)를 대적하고 남으로 달리며 북을 충돌하니, 왕과 농·육 이장(二將)이 정신이 어질하여 당치 못할 줄 알고, 급히 바람과 안개를 지어 신병(神兵)을 청하니, 원수 기를 들어 사면으로 두르며 안개를 헤치니, 바람과 신병이 감히 자취를 뵈지 못하니, 농무기 착급하여 저의 재

---

426) 백옥(白玉) : 하얀 얼굴을 달리 포현한 말.
427) 단사(丹砂) : 붉은 입술을 달리 표현한 말.
428) 고각(鼓角) : 군중(軍中)에서 호령할 때 쓰던 북과 나발.

주를 발하니, 차는 비달의 술과 달라 입과 코로 모진 기운을 토하여 요매지기(妖魅之氣)를 쏘이니, 입과 코를 거스르는지라. 사람이 정신이 아득하고 기운이 엄엄하여 정신이 황홀하니, 송진 장졸이 낯을 싸고 아무리 할 줄 모르더니, 원수 입으로 '청명' 두자를 부르며 금선(錦扇)으로 쓰리쳐 버리니, 경각에 독기 걷으며 사졸이 정신이 씩씩하여 적장(敵將)을 대적할 새, 농·육 양장이 원수의 신기한 재주를 보매, 계교 궁진하여 비달이 다시 운무를 감추고 비검을 들어 원수를 대적하니, 원수 원비(猿臂)를 늘여 비달의 투구를 벗기고 머리를 잡아내려 자기 말 위에 눌러 타고, 칼을 두르며 남왕에게 달려들어 말을 질너 엎지르니, 왕이 마하(馬下)의 떨어지는지라. 칼을 들어 대즐 왈,

"마땅히 벨 것이로되, 개과(改過)함을 기다리고 아직 돌려보내노라."

하고, 기를 둘러 본진으로 돌아오니, 당당한 예기 고금에 무적이라. 농무기 겨우 왕을 구하여 본진으로 돌아가니, 원수 군을 거두매 장졸이 고왈,

"금일 목진평을 잡아 죽이려 하거늘, 군을 거두심은 어찌된 일이니까?"

원수 소왈,

"궁지에 몰린 도적은 쫓지 않는 법이라."

하고, 비달을 잡아 장대(將臺아래 꿇리고 왈,

"네 항치 아니랴?"

비달이 앙천 탄 왈,

"나의 재주로 오늘날 잡힐 줄 어찌 알았으리요. 아주(我主) 만일 항복할진대 한가지로 항하고 살기를 구하려니와, 님군의 뜻을 모르고 지레 항(降)할진대, 이는 역신(逆臣)이라. 오직 죽기를 바랄 따름이로소이다."

원수 탄 왈,

"비달이 번신(藩臣)이나 충심이 여차하니 내 어찌 죽이리오. 들으니 네 남왕을 촉하여 천조(天朝)를 범하다 함이 옳으냐?"

비달이 대 왈,

"소장이 자부하여 금천하제일(今天下第一)로 알아, 임금의 뜻을 응하여 대국을 항거함도 없지 않으니이다."

원수 왈,

"너의 죄 당당이 주륙함 즉하되, 왕이 불인(不仁)하여 네 말을 곧이들었으니, 홀로 네 죄로· 삼지 아니하여, 이제 너를 방송(放送)하나니, 다시 님군을 불인으로 돕지 말라."

하고 놓아 보내니, 제장이 말리되 원수 불청하니, 비달이 고두사은하고 돌아가거늘, 남왕이 농무기의 구함을 입어 본진에 돌아오나, 불승분한(不勝憤恨)하여 비달이 혹 죽은가 하여 염려하더니, 이윽고 달이 돌아오니 왕이 놀라 그 연고를 물은데, 달이 원수의 말을 전하고 눈물을 흘려 왈,

"신이 초에 그릇 생각하와 정천흥을 경적(輕敵)하였더니, 그 재주는 고금에 무쌍한지라. 만일 항치 아니면 남국이 보전키 어려울까 하나이다."

왕이 불열(不悅) 왈,

"승패(勝敗)는 병가(兵家)의 상사(常事)라. 한번 패함으로써 송에 항(降)함이 가장 불가하도다."

비달이 이해(利害)로써 여러 번 간하니, 왕이 드디어 군신 장졸로 더불어 귀순(歸順)하니라.

원수 초춘(初春)[429]에 황성을 떠나 계춘(季春)[430]에 남왕과 접전하여 하시월(夏四月)에 항복받고 추칠월(秋七月)까지 운남에 머물러 인심을

진정하고, 국도를 편히 하니, 삼사 삭에 교화 대행하니, 도적이 화하여 양민이 되고, 인심이 순후하며 밤에도 문을 닫지 않으며, 남녀가 길을 사양하니, 운남왕으로 더불어 백성까지 원수 바람이 적자(赤子) 자모(慈母)를 바람 같고, 우러르는 정성이 간절하되, 감히 재보(財寶)로써 정표(情表)치 못하고, 왕이 제신과 의논하여, 성(城) 남문(南門) 밖에 일좌고루(一座高樓)를 짓고 원수의 화상을 만들어 봉안하고, 사시향화(四時香火)를 끊지 않으려 하더라.

원수 만리타국에 와 춘하(春夏)를 보내고 초추(初秋)를 당하여 군친을 사모하는 회포를 이기지 못하여, 매양 제향(帝鄕)을 바라고 군친께 등배(登拜)할 뜻이 간절한지라. 비로소 기치(旗幟)를 돌려 경사로 향할 새, 남왕이 천조에 사죄하는 표문과 조공을 받들어 대연(大宴)으로 송별할 새, 십리(十里) 장정(長亭)[431]에 나와 연연(戀戀) 함루(含淚) 왈,

"과인이 무식불인(無識不仁)하여 망국지화(亡國之禍)를 자취하였거늘, 천지 같은 대덕과 산처럼 높고 바다처럼 넓은 은혜로써 죄를 사하고, 왕위를 누리게 하시니, 감은각골(感恩刻骨)하되 정표(情表)할 것이 없으니, 오직 함환결초(銜環結草)[432]하리로소이다."

---

429) 초춘(初春) : 음력 1월.

430) 계춘(季春) : 음력 3월.

431) 장정(長亭) : 예전에, 먼 길을 떠나는 사람을 전송하던 곳.

432) 함환결초(銜環結草) : '남에게 입은 은혜를 꼭 갚는다' 의미를 가진 '함환이보(銜環以報)'와 '결초보은(結草報恩)'이라는 두 개의 보은담(報恩譚)을 아울러 이르는 말로, '남에게 받은 은혜를 살아서는 물론 죽어서까지도 꼭 갚겠다.'는 보다 강조된 의미가 담긴 뜻으로 쓰인다. 두 보은담의 유래를 보면, '함환이보'는 중국 후한 때 양보(楊寶)라는 소년이 다친 꾀꼬리 한 마리를 잘 치료하여 살려 보낸 일이 있었는데, 후에 이 꾀꼬리가 양보에게 백옥환(白玉環)을 물어다 주어 보은했다는 남북조 시기 양(梁)나라 사람 오균(吳均)이 지은 『속제해기(續齊諧記)』의 고사에서 유래한 말이다. 또 '결초보은'은 중국 춘추 시대에, 진

원수 흔연 사사하여 불감당(不堪當)이라 하고, 치국안민하여 천승지위를 길이 누림을 이르고, 서로 배작(杯酌)을 날려 이정(離情)을 펴고, 일색이 늦으매 분수하니 왕의 거전(車前)을 우러러 가로되,

"우리 원수 오늘날 돌아가시니 하일하시(何日何時)의 다시 이곳에 이르리오. 국중이 대란(大亂)하여 생민이 보전할 길이 없거늘, 원수의 대은으로 남은 백성을 진정하고 예의를 수련하니, 돌아가신 후 원수를 일시도 잊기 어렵도소이다."

하고 모육(毛肉)[433]과 각주(殼酒)[434]를 가져 정을 표하니, 원수 흔연히 받아 맛보고 면면이 위유하여 좋이[435] 있음을 이르고, 호통(號筒) 삼차에 대군이 물밀듯이 나아가니, 백성이 길을 막아 적자(赤子) 자모를 원별(遠別)함 같더라.

남왕이 원수를 이별하고 돌아와 재보(財寶)를 내어 남문 외에 일좌대각(一座大閣)을 이루니라.

나라 사람 위과(魏顆)가 아버지가 세상을 떠난 후에 서모를 개가시켜 순사(殉死)하지 않게 하였더니, 그 뒤 싸움터에서 그 서모 아버지의 혼이 적군의 앞길에 풀을 묶어 적을 넘어뜨려 위과가 공을 세울 수 있도록 하였다는 『춘추좌전』〈선공(宣公)〉15년 조(條))의 고사에서 유래하였다.

433) 모육(毛肉) : 소, 돼지 등 털 있는 짐승의 고기.

434) 각주(殼酒) : 껍질 있는 곡식으로 담근 술.

435) 좋이 : 별 탈 없이 잘.

ꕥ

명주보월빙 권지십오

재설 정원수 반사(班師)[436]한 후, 남왕이 원수를 이별하고 돌아와, 재보를 내어 남문외의 일좌 대각을 이루고 원수의 화상을 봉안하고, 누(樓) 이름을 정죽청영당(鄭竹靑影堂)이라 하여 받듦을 지극히 하니, 백성이 오래도록 그 덕화를 잊지 못하여, 혹 지성으로 축원하는 일이 있으면 영험이 있어 그 소원을 이루되, 다만 불인지사(不仁之事)는 지성으로 빌어도 반드시 벌(罰)이 있어 화를 만나니, 인인(人人)이 비록 화상이나 원수를 우러름 같더라.

왕에게 일녀가 있으니 명은 운영이라. 정원수의 표치 풍광을 흠모하니, 왕과 세자가 여행(女行)이 한심함을 책하되, 운영이 뜻을 조금도 고침이 없어, 밖으로 사죄하나 내심에 정원수 위한 정이 금석 같아서 주야 탈신지계(脫身之計)를 도모하여, 심복 궁녀 경향을 데리고 가만히 남의(男衣)를 개착(改着)하며 금은진보(金銀珍寶)를 도적하여 월야를 타 탈신할 새, 성을 넘어 도주(逃走)하여, 노주가 천리마를 사 타고 원수의 뒤를 좇아 황성으로 향할 새, 원수는 수십일 전 먼저 발행하여 아무데로 간 줄을 알지 못하고, 여자가 길을 걸어서 행하는 일이 실로 어려울 뿐 아니라, 본국 국경 안에서는 밤으로 행하며 낮은 심산궁곡에 숨어 부왕

---

436) 반사(班師) : 군사를 이끌고 돌아옴.

의 추적을 피해 행하는지라. 기년(朞年)만에 황성에 득달하니, 공주 노상에서 천신만고를 겪고 작용이 또한 어떠한고? 분석 하회(下回)하라.

이때 정원수 첩보(捷報)를 주(奏)하고, 개가(凱歌)로 승전곡을 울녀 돌아올 새, 전당강(錢塘江)을 건너 행선(行船)을 무사히 하니, 군친을 영모하는 정이 급하여, 빨리 행하여 절강(浙江)에 이르러는, 계추(季秋)를 당하여 풍국(楓菊)이 보암직하되, 유람에 경(景)이 없어 바삐 행하려 하다가, 부원수 등이 유람을 청하니, 원수의 친우 경춘기 부상(父喪)을 만나 절강에 내려온 후, 그 숙부 참정공은 금평후 친위라. 갈 제는 직로(直路)로 가고 올 제는 경학사 보기를 위하여 절강으로 행하여, 부원수 등더러 유람하라 하고, 자기는 백포유건(白袍儒巾)으로 위의(威儀)를 떨쳐두고, 서동으로 경참정 부중을 가리키라 하니, 절강 소흥부에 일좌 고루화각(高樓花閣)이 있으니, 경사 왕공후문(王公侯門)이라 다르지 않은 곳을 가리켜 경부라 하는지라.

원수 문외에서 왔음을 통하니 경학사 춘기 반가움을 이기지 못하여 바삐 문외에 나와 맞으니, 피차(彼此) 집수 척연하여 삼기(三忌) 덧없음을 치위(致慰)하고 눈물을 흘려, 명완불사(命頑不死)하여 삼기(三忌)를 훌훌이 지남을 슬퍼하니, 원수 위로하고 가로되,

"형이 참정 합하의 계후(繼後)되었다 하니, 영대인이 이곳에 계시냐?"

학사 대인이 계심으로 대답하니, 원수 왈,

"내 영대인께 배현(拜見)하기를 위하고, 또 형을 보려고 작로(作路)를 이리로 하였나니 영존께 뵙기를 청하노라."

경학사 그 소매를 이끌어.

"가엄이 중헌(中軒) 계시니 형이 나와 한가지로 들어갈 것이라."

원수 좇아 들어가니, 차일 참정이 소녀 숙혜소저를 중헌에 나오라 하여, 좌우로 장(帳)을 높이 걷고 지게를 쾌히 열어, 산상국화(山上菊花)

와 계변단풍(溪邊丹楓)을 구경하며 여아를 연애(憐愛)하여 이르대,

"국화와 단풍을 응하여 일수 시를 지으라."

하니, 소제 응명코자 할 즈음에 그 거거(哥哥)가 일위 장부를 이끌어 오는지라. 연망이 후창으로 피하니, 원수의 유성지안(流星之眼)으로 얼핏 보아도 그 사람의 이목구비(耳目口鼻)와 성행(性行) 현불초(賢不肖)를 꿰뚫는지라. 경소저를 한번 보매 옥면성안(玉面星眼)과 유미화협(柳眉花頰)의 단순호치(丹脣皓齒) 한갓 경국지색(傾國之色)일 뿐 아니라, 미우(眉宇) 천정(天庭) 사이에 복록이 완전하고, 명모(明眸)에 성덕(聖德)이 어리어 현성덕질(賢性德質)이 진실로 숙녀 철부라. 복색이 규수니 흠복함을 마지아니하되 즉시 번신(翻身)하여 퇴하니, 경학사 또한 소매 서실에 나와 있음을 모르고 원수를 데려 이름을 놀라더니, 경공이 정원수를 보고 크게 반겨 학사를 명하여 창백을 데려 어서 승당하라 하니, 학사 원수를 청왈,

"소매 들어가시니 형은 놀라지 말고 대인께 현알(見謁)하라."

원수 비로소 승당 배현할 새 공이 바삐 집수 관비(款備) 왈,

"사제 기세함으로부터 고택을 볼 뜻이 없어 이곳에서 여러 춘추를 지내다보니, 피차 소식을 통할 길이 없는지라. 거춘에 조보(朝報)[437]로 좇아 창백의 출사(出師)함을 들었더니, 이제 불모지지(不毛之地)에 남방을 평정하고 개가로 환경(還京)하니, 위로 국가의 큰 근심을 덜고 아래로 창백의 재덕과 신기위무(神氣威武) 사해(四海)[438]에 드레니[439], 행

---

437) 조보(朝報) : 조선 시대에, 승정원에서 재결 사항을 기록하고 서사(書寫)하여 반포하던 관보. 조칙, 장주(章奏), 조정의 결정 사항, 관리 임면, 지방관의 장계(狀啓)를 비롯하여 사회의 돌발 사건까지 실었다.

438) 사해(四海) : 온 세상.

439) 드레다 : 널리 알려지다.

렬함을 하례하노라.”

원수 흠신 대 왈,

“합하(閤下) 환향(還鄕)하신 지 여러 춘추 바뀌니 가엄이 사상(思想)하시는 회포를 이기지 못하시나, 봉친시하의 일시 집을 떠나시어 친히 내려와 상봉치 못하시니, 연질배(緣姪輩) 또한 하회를 베풀 곳이 없사온지라. 금춘에 출정하여 국가 홍복(洪福)으로 남방을 평정하고 합하께 배현하기를 위하여 작로(作路)하여 존전에 현알하오니, 미정(微情)을 위로드리되, 광음이 훌훌하여 계합하(季閤下) 삼기(三忌)를 맞자오니, 감척(感慽)한 심사를 이기지 못 하리로소이다.”

경공이 추연 탄식하고 인하여 경사 소식과 남방을 평정하던 바를 물어 반기기를 마지않으니, 원수 또한 종용이 담화하여 이슥하매 서동으로 부원수를 찾아가 자기 경부의 머무는 바를 전하고, ‘바로 관아로 들어가소서.’ 전하라 하고, 경공부자로 종일 한담하다가 물어 가로되,

“합하 본디 무자(無子)하심은 아옵거니와 슬하에 딸을 두신 일이 없더니까?”

경공이 탄 왈,

“내 적악이 중하여 한낱 아들이 없으나 망제 춘기 형제를 두었으니 구태여 아들이 없음을 슬퍼할 바 아니라. 춘기로 명령(螟蛉)440)을 정하여 조선 봉사와 신후를 의탁하고, 환기로 망제의 후사를 받들게 하였나니, 비록 명령이나 타인의 십자를 부러워 않는 바요, 만래(晩來)에 일녀를 얻어 금년이 십이(十二)라, 행여 용우키를 면하였으나, 택서함이 어려우니 그윽이 민울(悶鬱)하도다.”

원수 짐짓 규수의 근본을 알고자 하다가 경공의 여아임을 알고 그윽

440) 명령(螟蛉) : 양자(養子)를 달리 이르는 말.

이 유의(有意)하되, 경공의 위인이 명현하되 그 뜻이 고산(高山) 같아서, 천금 일녀로써 자기 넷째 부실(副室)을 삼지 않을까 하여 정히 발구(發口)치 못하더니, 날이 어두오매 경공은 내헌에서 숙침하고, 학사와 한가지로 밤을 지내라 하니, 원수 행희하여 학사와 연침(連枕)하여 오래 상모(相慕)하던 정을 일러 한담할 새, 원수 문득 소왈,

"영존(令尊)이 택서를 근심하시니 차라리 용우하나 날 같은 유(類)를 가려서 문난(門欄)의 광채를 돋움이 어떠하뇨?"

학사 가장 반겨 듣고 가로되,

"신랑이 어떠하뇨?"

원수 왈,

"영매(令妹) 소제(小姐) 합하 면전에 계시던 규수냐?"

답왈,

"연하다."

원수 우소왈(又笑曰),

"신랑의 풍류 기상과 문벌이며 재화 덕망이 날 같으면 어떠할까 싶으냐?"

학사 왈,

"어이 신랑이 물망 재덕이 또 창백 같더뇨? 우리 비록 창백같이 기특치 못할지라도 가엄의 소망이 명문벌열(名門閥閱)로 옥인현사의 재화(才華) 유명한 이를 구하시나, 뜻 같지 못하여 정히 민울한지라. 만일 신랑이 만사 창백 같을진대 불감청(不敢請)이언정 고소원(固所願)이라."

하니 원수 크게 웃어 왈,

"소제 백사에 취할 곳이 적되 천유가 본디 마음을 기울이고 정을 허하여 대접하던 바라. 형이 날 같은 매부(妹夫)를 불감청이언정 고소원이라 하니, 형이 소제를 지기(知己)로 대접함이 감격한 고로, 차라리 날로써

매부를 삼기를 바라노라."

경학사는 정원수를 금천하제일(今天下第一)로 아는지라. 비록 소매 여러 째 부실이 되나 허혼코자 하되, 부모 낙(諾)하실 줄 몰라 이르대,

"나는 네 말을 못 알아듣고 어디에 창백 같은 초취신랑(初娶新郎)이나 있는가 여겼더니, 창백이 자청하니 어찌 우습지 않으리오. 부모 천선이 하강하였다 하여도 소매로써 재실도 의논치 못하시거늘, 창백이 비록 기특한들 실중에 여러 부인이 계시거늘, 지란(芝蘭) 같은 누이로써 탕객의 여러 째 처실을 삼으리오. 하 방자한 말 말라."

원수 호호(晧晧)히 웃으며 왈,

"너의 집 버릇은 남자 취실함을 가장 방자한 줄로 알아 감히 그 같은 말을 못할 줄로 아나, 내 원간 실중에 삼체(三妻) 있어 번사(繁事)를 다시 구할 바 아니로되, 장부 처세에 숙녀 미희를 사양할 바 아니라. 마음의 찬 숙녀와 미희를 거두어 실중을 메우지 못하랴?"

학사 소왈,

"창백이 타문(他門)에는 임의대로 구하려니와 오가(吾家)에는 창백을 사위 삼지 않으리니 무익한 말 말라."

원수 소왈,

"형은 날을 나무라 허혼(許婚)치 않거니와 영존께 청혼하여 허락을 얻으리라."

학사 소왈,

"네 비록 소장(蘇張)[441]의 구변(口辯)이 있어도 가엄이 결단코 너를 사위 삼지 않으시리니 어린 뜻을 두지 말라."

---

441) 소장(蘇張) : 중국 전국 시대의 세객(說客)인 소진(蘇秦)과 장의(張儀)를 아울러 이르는 말.

원수 소왈,

"형은 날로써 서랑이 되지 못할까 여기니 형은 생각하여 보라. 소제의 제악장(諸岳丈)이 뉘 영존만 못하리오. 윤상서는 아시에 날을 보대 비상함을 알아 정혼 행빙(行聘)하였고, 이학사는 그 딸로써 나의 삼실 주기를 못 미칠 듯이 서둘러 급급히 동상을 맞았으니, 이로 볼진대 나 정창백이 경참정 동상(東床) 됨이 외람하랴?"

학사 자기 뜻으로 할진대 일언에 쾌허할 것이로되 부모의 뜻을 모르므로 우소왈(又笑曰),

"네 아무리 취처 잘함을 자랑하여도, 내 집은 본디 여자로 남의 부실(副室) 주는 일이 없으니 괴이한 말을 이르지 말라."

원수 다시 구혼함을 그치지 아니하니, 학사 진정으로 가로되,

"만일 아심 같을진대 쾌허할 것이로되 부모 허치 않으시리니 어찌하리오."

원수 왈,

"은정의 중(重)한 바는 원비·부실로 가지 아니하나니, 소제 삼처(三妻) 있으나 시속 질투를 면하여 추악한 유(類)가 아니니, 영매 나의 네 번째 부실이 되어도 일생 괴로움이 없으리라."

학사 소왈,

"창백의 면청이 여차 간절하니 부모께 고하여 보려니와, 허혼하실 줄 알지 못하노라."

이렇듯 한화하여 야심 후 취침하니라.

경참정 부인이 만래(晩來)에 일녀를 생하니, 용화기질(容華氣質)이 기려승절(奇麗勝絶)하여 성행(性行) 사덕(四德)이 온유정정(溫柔貞靜)하니, 공의 부부 과애(過愛)하여 택서하는 염려 일시도 방하(放下)치 못하나, 눈에 찬 가랑이 없음을 민울하더라.

숙혜, 문학(文學)이 출인(出人)한 고로 공이 추경(秋景)을 응하여 일수 시를 지으라 하다가, 정원수를 본 바 되니, 소저 경황하여 급히 들어와 장신(藏身) 못함을 부끄러워하더니, 차야에 공이 여아를 어루만져 왈,

"오애 마침 밖에 나왔다가 정천흥을 만나니 반드시 부끄러워하여 뉘우치리라."

화부인이 양평장부인으로 형제라. 정원수의 왔음을 듣고 반겨 경사 소식을 몰라 우민(憂悶)하더니, 공의 전함으로 좇아 운남 파적(破敵)하던 설화를 듣고, 부인이 그 소년 대재를 칭복함을 마지 않으니, 공이 가로되,

"정천흥의 위인은 천하의 영걸이라. 청망(淸望)이 해내의 들레니, 국가의 주석지신(柱石之臣)이라. 부인의 질녀 유복하여 저의 재실이 되었느니라."

부인이 탄 왈,

"우리도 언제나 저 같은 신랑을 맞아 문란(門欄)[442]의 광채를 이루리오."

공이 탄 왈,

"세대(世代)에 정천흥 일인 있음도 국가의 홍복이거늘 또 어찌 바라리오."

이렇듯 담화하다가 상요의 나아갔더니, 일몽을 얻으니 숙혜소저 침소 채화당에 경운이 어리고 서광이 애애(藹藹)한 중 일만장(一萬丈)이나 한 황룡이 중성(衆星)을 거느려 채화당을 둘렀으니, 공의 부부 놀라 깨달아

442) 문란(門欄) : 문루(門樓)의 난간(欄干)을 뜻하는 말로 가문(家門)을 달리 이르는 말.

가보니, 숙혜 황룡 앞에 섰더니 이윽고 용이 변하여 자포 금관의 언연한 대장부 되어 풍광이 동탕하고 기상이 발호하여 청천백일(靑天白日) 같으니, 공의 부부 서로 돌아보고 놀라 말을 못하더니, 동녘 상요에 일위 선관이 채색 실을 손에 들고, 유리배(琉璃杯)를 가져 정원수와 숙혜에게 홍사(紅絲)를 늘어뜨리며 배작(杯酌)을 날려 왈,

"월하에 붉은 실을 맺으매, 동주(同住)하여 자손이 만당하고 부귀 극하리니, 좋이 친사를 이루고 제사부빈(第四副嬪)을 혐의치 말라."

경공이 변색 왈,

"우리 자녀 여럿이 아니라 어찌 만금농주(萬金弄珠)로 정가 제사부빈을 주리오. 천관은 원컨대 이런 괴이한 거조를 마소서."

선관이 호호히 웃으며 왈,

"그대를 현명한 장부라 하였더니, 불통함이 이 같으냐? 영녀(令女) 세상에 나기를 정천흥의 가실(家室)이 되게 정하였으니, 천명을 순수하라."

공이 번신(翻身)하여 깨달으니 침상 일몽이라. 심중에 경아하여 명조에 자녀 신성할 새, 학사 부전에 꿇어 야래(夜來) 정원수의 문답사를 일일이 고하니, 공이 침사양구(沈思良久)에 왈,

"오가(吾家) 문지(門地) 벌열(閥閱)로써 일녀를 남의 사취(四娶)를 주지 않으려든, 천흥이 스스로 구하여 우리 뜻을 모르고 위력으로 동상이 되고자 하나, 그 기운이 충천(衝天)하여 지란(芝蘭)같은 약녀(弱女)를 진압(鎭壓)할 길이 없으니 허치 못하리로다."

부인이 작야(昨夜) 몽사를 이르고 떼치지 말라 하니, 공이 소왈,

"허탄한 몽사를 취신하리요. 몽사란 것은 우습거니와 내 평생에 창백으로써 만고일인(萬古一人)만 여기니, 역시 이 혼인을 허코자하나, 내 경사의 올라가 정형을 보고 의논하여 하리라."

학사 고 왈,

“금평후는 본디 단정한 성정으로 창백의 호신(豪身)을 엄금하니, 혼사를 상의하실진대, 이곳에서 혼사를 지내고 창백으로 끝을 여물어 좋도록 하라 하소서.”

경공이 웃고 가로되,

“가히 정천흥이 남활(濫闊)한 놈이로다.”

하고, 학사를 데리고 외루(外樓)의 나오니, 원수 바야흐로 깨어 옷을 입다가 공을 보고 허튼 머리에 관을 집어 얹으며, 이리허리[443]에 띠를 둘러 맞으니, 쇄락한 옥면이 소세(梳洗)를 않았으나 찬연수려(燦然秀麗)하여, 백년(白蓮)이 가을 못에 성개한 듯, 명월이 중천에 한가(閑暇)한 듯, 녹빈방천(綠鬢方天)[444]에 두발이 흐트러지매, 깃[445] 거스른[446] 봉(鳳)이요, 날개 벌린 학(鶴)이라. 팔 척 신장에 가득한 풍류(風流)[447] 늠연(凜然) 척탕(滌蕩)하여, 앙앙(昻昻)한 격조(格調)가 대귀인의 기상을 가졌으니, 천승(千乘)을 기필할지라. 경공이 흠애(欽愛)함을 이기지 못하여 앉음을 잊었더니, 이윽고 좌를 정하매 종용이 담화할 새, 원수 짐짓 경학사를 돌아보며 미미히 웃어 왈,

“형이 작야 소제의 말로써 합하께 고하였나냐?”

---

443) 이리허리 ; 늑대의 허리처럼 늘씬하게 잘 생긴 허리.

444) 녹빈방천(綠鬢方天) : 푸른빛이 도는 귀밑머리와 이마의 양 옆 가장자리에 난 머리털을 함께 이르는 말. 녹빈(綠鬢); 푸른 빛이 도는 고운 귀밑머리. 방천(方天); 방천극(方天戟) 중앙 날 양 옆에 붙여놓은 두 개의 초승달 모양의 날[이것을 월아(月牙)라 함]을 말하는 것으로, 여기서는 이마의 양 옆 가장자리의 머리를 뜻한다.

445) 깃 : 새의 날개. 깃털.

446) 거스르다 : 거스르다. 새 따위가 날거나 위험에 대처하기 위해, 날개를 접은 상태에서 활짝 펴다.

447) 풍류(風流) : 멋. 또는 멋스러운 모습.

학사 함소 답 왈,

"소제 정신이 부족하여 잊었으니, 형이 이제 고하라."

원수 단사(丹砂)448)에 백옥이 찬연하여 가로되,

"그 사이 잊을 리 없으니 허언을 말라."

학사 웃고 말을 않으니, 공이 혼사 말임을 지기하고 구태여 묻지 아녀 다른 말을 수작하더니, 원수 문득 무릎을 쓸며 경공을 향하여 궤고(跪告) 왈,

"소생이 외람히 소회(所懷) 있을 새 은닉치 못하고 합하(閤下)께 고하옴은, 평일 과애하시는 은혜를 입사와, 우러옵는 의사 범연한 곳에 비치 못하올 바오니 고하나이다. 이제 합하의 슬하 적막하와 천유로 계후를 정하시고, 일개 규와(閨瓦)를 두시어 택서를 근심하시니, 소생의 용우박렬(庸愚薄劣)함이 가취지사(可取之事) 없사오나 피차 문미 가세 상당함으로써, 주진(朱陳)의 호연(好緣)449)을 맺을진대 소생의 어린 정성이 반자(半子)450)의 예(禮)를 다하고, 천유로 더불어 지극한 정분에 다시 일가의 의를 맺고자 하오미라. 합하 천금 옥녀로써 소생의 여러 째 부실을 욕되게 여기사 허치 않으시려니와, 소생이 본디 소회를 감추지 못하므로 고하나이다."

언파에 기운이 충천하여 일분 어려이 여기는 바 없으니, 공이 면모에 은은한 웃음을 띠어 이윽히 말을 아니 하더니, 날호여 답 왈,

---

448) 단사(丹砂) : =주사(朱砂). 여기서는 붉은 입술을 비유적으로 표현한 말.

449) 주진(朱陳)의 호연(好緣) : 주진(朱陳)은 중국 당(唐)나라 때에 주씨와 진씨 두 성씨가 함께 살아오던 마을 이름인데, 한 마을에 오직 주씨와 진씨만 대대로 살아오면서 서로 혼인을 하였다고 하여, 두 성씨간의 혼인을 일컬어 '주진(朱陳)의 호연(好緣)'이라 한다.

450) 반자(半子) : 사위를 달리 이르는 말.

"미약한 여식을 창백이 이렇듯 구혼하니 가장 감사하거니와, 군의 실중에 삼 부인이 내사를 임찰(臨察)한다 하니, 소녀의 불민 용우함이 군자 건기(巾器)[451]를 소임치 못하며, 삼 부인으로 좋이 화목치 못할까 하여 능히 허치 못하나니, 창백이 부디 취하려 하거든 미혼 전 결단을 두어, 소녀로 하여금 우리 생전의 슬하(膝下)를 불리(不離)케 하여, 존문에 데려가지 않으려 하면 오히려 허(許)하리라."

원수 화이 웃고 가로되,

"여자유행(女子有行)이 원부모형제(遠父母兄弟)니 합하 비록 일녀 있으나 어찌 매양 슬하에 두리까? 소생의 삼취 다 질투는 벗어난지라. 영녀(令女) 비록 여러 째 부인이나 일생인즉 안연평석(晏然平席)하오리니 합하는 소소호의(小小狐疑)를 두지 마시고 천연(天緣)이 정하심을 생각하소서."

경공이 저의 당면하여 이같이 보챔을 듣고 몽사를 생각하매 차마 박절치 못하여,

"나의 허락을 얻으면 어찌 취하려 하느뇨?"

원수 소이대 왈(笑而對曰),

"만일 허하실진대 부형을 속인 죄는 소생이 몸 위에 실으려니와, 이곳에서 급히 취(娶)하고 합하 경사의 오신 후, 영녀(令女)를 다시 혼례를 이뤄, 친전에 불고이취(不告而娶)[452]함을 은닉고자 하나이다."

경공이 도리어 소왈,

"군의 계교 기특하거니와 호사다마(好事多魔)라, 그 사이 연고 있어 행례(行禮)를 못하고 영엄(令嚴)이 먼저 알면 어찌하려 하느뇨?"

---

451) 건기(巾器) : 수건그릇. '건즐(巾櫛)'과 같은 말.

452) 불고이취(不告而娶) : 부모의 허락을 얻지 않고 장가를 듦.

원수 소왈,

"가엄이 소생의 호신을 금하시나, 벌써 취한 후는 일시 수책(數責)이 엄하시나 이만 일에 죽이든 않으시리이다."

공이 그 호기를 흠애(欽愛)하여 차마 퇴혼(退婚)치 못하고, 비록 사취(四娶)나 인물이 지극히 기려(奇麗)한 고로 소원이 아니로되 웃고 가로되,

"창백이 진정으로 구혼하니 내 심약(心弱)하여 굳게 퇴(退)치 못하고 허하나니 마음대로 쉬이 취하라."

원수 대열하여 사례하고 가로되,

"소생의 행도 가장 긴급하오니 영녀의 생월일시를 이르시어, 길일을 속택(速擇)하사이다."

공이 소왈,

"신랑으로서는 완만하고 너무 잔부끄러움이 업도다."

인하여 생년월일시를 이르니 원수 택일하매 촉박하여 수삼일이 격하매 공이 소왈,

"비록 배현구고지례(拜見舅姑之禮)[453]를 아니하나 길기 너무 착급하여 성례지절(成禮之節)도 차리기 어렵도다."

원수 대 왈,

"소생의 행거(行車)가 급하오니 부질없이 번화(繁華)로써 날을 물리치지 마소서."

공이 즉시 내당에 정혼함을 전하여 혼수를 차리라 하고, 원수더러 빙

---

453) 배현구고지례(拜見舅姑之禮) : =현구고례(見舅姑禮). 전통혼인례에서 신부가 시집에 와서 신랑의 부모에게 절하여 처음 뵈는 예(禮)를 행하는 의식. 이 때 신부는 신랑의 부모에게 8번 큰절을 올려 예(禮)를 표한다.

물을 먼저 내라 하니 원수 소왈,

"빙물 할 것이 없으니 소생의 건잠(巾簪)이 여자의 장염(粧奩)[454]이 아니나 권도(權道)로 빙물을 삼아지이다."

언파의 두상(頭上)의 백옥잠(白玉簪)을 빼고 혼서(婚書)를 써 한가지로 공의 앞에 놓으니, 그 청검(淸儉)함이 남만을 평정하고 돌아오되, 한낱 보물이 몸 가에 머물지 않았음을 더욱 항복하더라.

원수 왈,

"길일이 임박한데 존부에 있음이 불가하니 길례 전 하처(下處)[455]에 있으려 하나이다."

정언간에 본 읍 태수 현알을 청하니 원수 의관을 수렴하고 날호여 청하여 서로 볼 새, 태수 들어와 청말(廳末)에서 재배(再拜)하니 원수 장읍불배(長揖不拜)[456]하니, 태수 공수궤좌(拱手跪坐)하여 작일 선문(先聞)이 없으므로 행로(行路)에 지영(祗迎)치 못함을 청죄한데, 원수 흔연 답왈,

"이곳에 잠깐 다녀갈 일이 있어 사행(私行)으로 작로(作路)하였으니, 구태여 태수 관읍에 선문할 바 아니라. 어찌 태수를 허물하리오."

태수 사사하고 관아로 감을 청하니, 원수 답 왈,

"하처를 잡아 머물 일이 있어 관아로 가지 못하나니, 태수는 수고로이 나오지 말고 풍악으로 영접할 의사를 말라."

태수 재청치 못하여 퇴하고, 부원수 이하 일시에 이르러 야간 존후를 물으니, 천병만마가 만산편야(滿山遍野)하여 경부를 들레니, 원수 군중

454) 장염(粧奩) : ①경대(鏡臺) ②몸을 치장하는 데 쓰는 갖가지 물건.
455) 하처(下處) : =사처. 손님이 길을 가다가 묵음. 또는 묵고 있는 그 집.
456) 장읍불배(長揖不拜) : 길게 읍만 하고 절은 하지 않음. 상관이 하관의 절을 받고 답배(答拜)를 하지 않고 읍(揖)으로 대신함.

에 하령하여 제장군졸(諸將軍卒)이 각각 하처(下處)를 잡아 머물라 하니, 사졸(士卒)이 곡절을 모르고 청령(聽令)하여 물러나고, 부원수 종용이 물어 왈,

"원수 행로(行路)를 바빠하시더니, 이제 이곳에서 여러 날 묵으심은 어찌오?"

원수 잠소왈,

"우연이 경공 여아와 정혼하여 길기 수일이 격하였으니, 혼사를 지내고 청류(請留)함을 인하여 사오일 머물러 갈 것이매, 자연 십여 일이 되리로다."

부원수 잠소 무언이러라.

이러구러 길기 다다르니 경부에서 대연을 베풀어 신랑 맞는 예를 풍비(豐備)히 차리니, 원래 경부 가계 부요하니 일녀의 혼수를 미리 조비(造備)하여 범사에 군핍함이 없더라.

날이 반오(半午)에 신부를 단장하여 청중(廳中)에 세우니 천향아질(天香雅質)이 해상(海上)의 명월주(明月珠)요, 동리(東籬)[457]의 금(金)봉오리[458]라. 옥태화염(玉態花艷)이 당세에 독보 절염이니 하객이 칭선불이(稱善不已) 하더라.

원수 위의를 거느려 경부로 향할 새, 부원수 이하 다 관면(冠冕)을 갖추고 좌우로 옹호하여 행하니, 요량(嘹喨)한 생가(笙歌)는 구소(九霄)[459]에 들레고, 절월기둑(節鉞旗纛)[460]이 십리에 벌여 있으니, 본 읍

---

457) 동니(東籬) : 동쪽 울타리라는 뜻으로, 국화를 심은 곳을 이르는 말. 도연명의 시 〈음주(飮酒)〉에 '동쪽 울밑에 핀 국화를 따 들고, 유연히 남산을 바라보네(採菊東籬下 悠然見南山).'라는 구에서 유래하였다.

458) 금(金)봉오리 : 노란 국화꽃 봉오리.

459) 구소(九霄) : ≒층소(層霄). 높은 하늘.

태수로부터 주현 자사가 아니 모인 이 없더라.

경부에 이르러 옥상에 홍안을 전하고, 천지에 배례를 마치매, 경학사 등이 팔 밀어 내당 중헌에 다다라, 채석(彩席)이 정제(整齊)하고 화촉이 영롱한데 허다 차환(叉鬟)이 소저를 붙들어 교배석(交拜席)에 임하니, 원수 교배를 파하고 공작선(孔雀扇)을 반개하니, 소저의 높은 기질과 좋은 격조, 곤산미옥(崑山美玉)이요, 천택(川澤)의 향련(香蓮)이 취우(翠雨)를 떨쳐있는 듯, 효성 쌍안에 영기(靈氣) 발월하니, 백태제미(百態齊美)하고 만광이 찬란(燦爛)하여 무쌍한 색태라. 원수의 용봉 기질과 배우의 상적(相敵)함이 겸금양옥(兼金良玉) 같으니, 경공 부부의 두굿김과 학사의 기쁨이 무비(無比)하여 희기 영롱하더라.

예파에 원수 경공 부자로 밖에 나와 좌를 이루니, 태수 등과 향중사유(鄕中師友) 등이 연성칭찬(連聲稱讚)하여 경공께 쾌서 언음을 치하하니, 공이 치하를 사양치 않아 화열함을 이기지 못하니, 빈주(賓主) 낙극진환(樂極盡歡)하여 일색이 서산의 기우니 빈객이 각산(各散)하고, 촉을 이어 경공 부자로 담화하더니, 공이 학사를 명하여 원수를 신방으로 인도하라 하니, 학사 원수의 소매를 이끌어 신방에 이르니, 소저 긴 단장을 벗고 단의홍군(丹衣紅裙)으로 일어나 맞는지라. 학사는 즉시 출외하고 원수 팔 밀어 좌정한 후 다시 살피건대, 소저의 색모염광(色貌艶光)이 암실에 조요(照耀)하니 숙염(淑艶)의 숙녀라. 비록 윤부인의 대현군자 같은 풍도와 어위찬[461] 격조에 불급하나, 양부인의 인자 온공한 성질로 비컨대 일분 내린 곳이 없어, 천연여일(天然如一)함은 오히려 신부 더한지라. 원수 심리에 흡연한 은정이 유출(流出)하여, 이에 말씀을 펴 가로

460) 절월기둑(節鉞旗纛) : 군대의 행진에 따르는 절월(節鉞)과 여러 깃발들.
461) 어위차다 : 넓고 크다. 너그럽다.

되,

“생은 경사인으로 이곳에 올 리 없으되, 마침 남만을 평정하고 환경하는 길에, 영존께 배현하매, 인연이 괴이하여 악장 동상(東床)의 참예하니, 그윽이 다행하나, 생의 용우함이 숙녀의 평생을 욕할까 하나이다.”

소저 염용단좌(斂容端坐)하여 잠깐 공경할 따름이라. 원수 흔연히 웃고 촉을 물린 후 신부를 붙들어 상요에 나아가니, 취중 견권한 은애 여산약해(如山若海)하니, 비록 백 미인을 모아도 이 은정은 변치 않을러라.

계명(鷄鳴)에 소저는 일어나 정당으로 들어가고, 평명(平明)[462]에 원수 일어나 소세하니, 학사 들어와 원수의 손을 이끌어 내당에 현알하니, 화부인이 서랑을 살피매 해월천정(海月天庭)[463]에 금관을 숙이고, 백년빈상(白蓮鬢上)[464]에 재상의 관자(貫子) 두렷하니, 은은한 귀격과 동탕한 풍류 특이하여, 만고에 둘 없는 영웅 준걸이라. 부인이 서랑을 보매 그 사취(四娶)를 혐의치 않아 흔연히 말씀을 펴 성공함을 치하하고, 여아의 미약함이 군자의 배위 불가하되, 오히려 질아(姪兒) 있으니 타일 황영(皇英)[465]의 자매 같을 바를 이르고, 여아의 용우(庸愚)함을 관사(寬赦)하여 일생을 길이 평안케 함을 부탁하니, 원수 잠깐 보매 현숙함이 그 안모에 나타나 양평장 부인으로 방불하니, 동기 같음을 깨달아 흠신 사사할 뿐이라.

경공 부부 두굿김을 마마지않으나 쉬이 돌아갈 바를 생각하매 훌연함

---

462) 평명(平明) : 해가 뜨는 시각. 또는 해가 돋아 밝아질 때.
463) 해월천정(海月天庭) : 바다위에 떠 있는 달처럼 둥근 이마.
464) 백년빈상(白蓮鬢上) : 백련 같이 하얀 귀밑머리.
465) 황영(皇英) : 중국 순(舜)임금의 두 왕비이자 요(堯)임금의 두 딸인 아황(娥皇)과 여영(女英)을 함께 이르는 말.

을 이기지 못하더라.

원수 십여 일 머물 새 주찬을 성비하고 소작(小酌)을 열어 즐기니, 원수의 식량(食量)이 만반진수를 그릇이 비도록 먹으며, 주준(酒樽)을 내리 거울러 한없이 취하니, 학사 희롱하여 음식에 주린 귓것[466]이라 한즉, 원수 욕하기를 낭자히 하여 희소(喜笑)가 그칠 사이 없이 즐기더니, 경공이 일일은 풍악을 개장하고 절색미인 수십 인을 대후(待候)하니, 공이 명하여 각각 재주를 보이라 하고, 원수 기녀로 더불어 즐김을 마지않으니, 제창이 홍수(紅袖)를 떨치고 청가(淸歌)를 부르니, 개개 미창(美娼)이라. 향당인리(鄕黨隣里)에 풍류랑 등이 모두 황홀히 정을 머물러 집수 희락하되, 제창이 다 원수의 풍신 용화를 우러러 한번 돌아보기를 원하니, 원수 평생 호신이 어디 가고 없으리오. 제창 중 사창(四娼)을 뽑아 이름과 연치를 물으니, 이르되 부용・옥앵・세요・미화라. 다 년이 십이삼(十二三)이요, 일찍 사람을 좇지 않아 비상앵혈(臂上鸚血)이 완연하니, 원수 뜻을 기울여 총희를 삼고자 할 새, 사녀의 외모 요악(妖惡)지 않음을 깃거 사창의 손을 잡고, 경공을 향하여 고 왈,

"악장이 부질없이 창악(唱樂)으로 연석을 베푸신 고로, 소서(小壻) 사창(四娼)을 가축(家畜)게 되었으니 영녀의 적인(敵人)을 모아 주심이로소이다."

공이 흔연이 소왈,

"백 미인을 모아도 제가(齊家)를 공평히 하면 근심이 없나니, 내 이미 창백으로 동상을 삼고 이런 일을 괘념하랴?"

원수 호호히 웃고 사창의 근본을 물으니 읍저(邑底)[467] 창녀 아니요,

---

466) 귓것 : =귀신.

467) 읍저(邑底) : 읍내(邑內).

촌중 고대랑이란 과모(寡母) 사창을 길러 무수(舞袖) 현가(絃歌)를 가르쳤으되, 일찍 사람을 뵌 일이 없으니 금일은 경가 노재 위력으로 앗아 왔다 하거늘, 원수 우문(又問) 왈,

"과모(寡母) 여등(汝等)을 천금으로 바꾸어주랴?"

사창이 대 왈,

"천첩 등이 무부모(無父母)함으로 저의 양육을 받아 피차 정의 모녀로 다르지 않아, 일생 떠나지 말고자 하나이다."

원수 군관 유겸으로 천금준마(千金駿馬)에 사녀를 실어 바로 경사의 가 월루(月樓)에 머물게 하라 하고, 고대랑을 불러,

"사창을 팔려하면 천금을 줄 것이요, 떠나기 싫거든 유군관을 좇아 사녀를 데리고 상경하라."

하니, 대랑이 원수의 호풍을 멀리서 구경하였으나, 이 같은 은명을 몽리에나 생각하였으리오. 기쁨이 흔들리니 도리어 두렵고 황황경구(惶惶驚懼)하여 순순(順順) 응명이퇴(應命而退)하니, 원수 야심 후 바야흐로 근시를 물리고 사녀로 동숙(同宿)하니 그 용모 아질을 사랑하여 자못 견권하더라.

명조에 유겸을 분부하여 고대랑과 사녀를 거느려 먼저 발행하라 하니, 유겸이 수명하매, 은자 백냥을 주어 보내니라. 원수 내당에 들어와 악부모께 뵈오니, 공의 부부 볼 적마다 애경함을 마지아니하니, 학사 등이 웃고 주왈,

"창백이 가장 방자 완만하여 엊그제 신랑으로 아무리 기신(氣神)이 조혼들 처가에서 창녀를 영접하니, 넘는 행사 밉고 괘씸하기 측량없삽거늘, 대인과 자위 무엇이 어여쁘고 두굿거워 웃으시니까?"

공이 소왈,

"이 신랑이 처첩이 번화하고 기운이 세차 종요로운 서랑이 되지 못할

줄은 아이에 알고 얻었으니, 새로이 염려할 바 아니로다."

한림 등이 무언(無言) 대소(大笑)하고 화부인이 미소하니 원수 역(亦) 소왈,

"형 등이 악부모의 날 사랑하심을 시기하여 이런 말을 하니, 진실로 장부의 도량이 아니로다."

학사 등이 웃더라.

일자 총총하여 수일이 적은 덧 지나니, 이에 상별(相別)할 새 경공이 가로되,

"명년이면 상경하리니, 모임이 얼마 오래리오."

부인이 결연함을 이기지 못하여 재삼 후회(後會) 가까움을 일컬어, 주배 가운데 장화(長話) 천서만단(千緖萬端)[468]이니 원수 또한 간절히 청하여, 명춘(明春)으로 상경하심을 언약하고, 그 사이 성체 안강하심을 청하여 피차 정의 상득하더라.

학사 형제 결연함을 이기지 못하며, 공이 시아로 소저를 불러 곁에 앉히고 이별할 새, 공의 부부 여서(女壻)[469]를 좌우로 앉히고 새로이 두굿기나, 원수의 돌아감을 연연하여 날이 늦으매, 원수 공의 부부께 예(禮)하니, 소저는 멀리 섰으니 아리따운 태도와 기려한 용안이 더욱 새로우니, 연연함을 띠어 미미히 웃고 가로되,

"생이 부인을 향하여 예를 다하는 데, 그대 능히 서있으랴?"

학사 소왈,

"불고이취(不告而娶)하는 행사가 아내에게 절 받기 쉽지 아니하니, 소

468) 천서만단(千緖萬端) : 천 가지 만 가지 일의 실마리라는 뜻으로, 수없이 많은 일의 갈피를 이르는 말

469) 여서(女壻) : 딸과 사위.

매는 서 있지도 말고 앉아 언연이 창백의 하석배례(下席拜禮)를 받으라."

소제 수색이 은영(隱映)하여 원수를 향하여 예(禮)하니, 원수 답네 작별한 후 학사를 돌아보아 소왈,

"형의 문풍은 아내를 높이고 공순히 배례 하는가 싶거니와, 나는 그런 규구(規矩)를 알지 못하나니 무식불법(無識不法)의 말로 영매를 가르치지 말라."

언파에 배별하고 밖으로 나가니, 부인은 별루(別淚)를 금치 못하고, 공의 부자는 문외에 나와 작별하니, 장졸을 거느려 호호탕탕이 물밀듯이 나아가니, 동십월(冬十月)에 상경하는 선성(先聲)이 황성에 이르니, 천자 첩보를 들으시고 크게 기뻐하시어 금후를 자주 부르시어 천흥의 재주를 칭찬하시고, 상방(尙方)470) 어주(御酒)를 상사하시어 은영이 날로 더하시니, 금후 황공 감은함을 이기지 못하더니, 원수의 환경하는 날, 상이 만조 문무를 거느려 남교(南郊) 십리외(十里外)에서 맞으실 새, 취막(聚幕)은 구름을 연(連)하고, 균천광악(鈞天廣樂)은 하늘을 흔들며, 금수포진(錦繡布陳)이 정제하여 옥좌를 높이 배설하고, 문무 제신이 좌우에 시위하였으니, 일단 풍화(風化)하여 태평기상(太平氣象)을 알리러라.

날이 반오에 승전곡과 개가소리 은은하며 기치 절월이 비추더니, 군정 장졸이 일시에 산호만세 하여 국가대경을 진하(進賀)하니, 상이 환열하시어 옥배에 향온을 부어 취토록 권하시고 금평후를 가까이 명초하시어 이에 가라사대,

---

470) 상방(尙方) : ≒상의원(尙衣院). 조선 시대에, 임금의 의복과 궁내의 일용품, 보물 따위의 관리를 맡아보던 관아.

"군신은 부자일체라. 이제 천홍의 소년 영재 이렇듯 기이하니. 차는 만세불멸지공(萬歲不滅之功)이라. 짐의 충량 둠과 경의 영자 둠이 군신의 큰 복이라."

하시고, 어온을 반사하시니 금후 부복하여 받잡고 황공 불감함을 마지않으니, 상이 군정사(軍政事)를 올리라 하신데, 원수 참군사 원봉으로 군정을 상달하고, 부자 형제 서로 대하나 사정을 이르지 못하여, 다만 그 사이 부모의 안강하심을 짐작하여 춘풍화기 미우를 움직이니, 동탕한 신채 더욱 기이하여 만 리 전진에 분주하매 반드시 수패(瘦敗)할까 하였더니, 풍완언건(豊完偃蹇)[471]함이 전에서 더한지라. 상이 군정록(軍政錄)을 올려 어람하실 새, 원수의 큰 공은 스스로 나타냄을 깃거 않아 군정사(軍政使)에 분부하여 빼니, 부원수 이하로 정원수의 덕을 우러러 차마 저의 지모를 감춤을 아껴, 중군 대장군이 사사로이 원수의 공을 치부하여 올리니, 상이 괴이히 여기사 문 왈,

"대원수 정천홍의 지모 대재를 군정사에 올리지 않고 중군에서 각각하뇨?"

제장이 주왈,

"정천홍의 지모 대재는 진유자(陳孺子)[472]와 무후(武侯)[473]의 남만(南蠻)을 항복 받던 지혜 만사오대, 스스로 재주를 나타냄을 깃거 않아 이름을 군정록에 올리려 아니하오니, 중군 장졸이 사사로이 기록하와

---

471) 풍완언건(豊完偃蹇) : 몸이 살찌고 튼실하며 풍채가 늠름함.

472) 진유자(陳孺子) : 진평(陳平)을 달리 이르는 말. *진평(陳平). ? - BC178. 중국 한(漢)나라 때 정치가. 한 고조 유방(劉邦)를 도와 여섯 번이나 기발한 꾀를 내, 천하를 평정케 함.

473) 무후(武侯) : 중국 삼국 시대 촉한의 정치가 제갈량(諸葛亮; 181-234). 자(字)는 공명(孔明). 시호는 충무(忠武). 뛰어난 군사 전략가로, 유비를 도와 촉한(蜀漢)을 세웠다.

영웅의 재주를 민멸함을 아까워하옴이니 천감(天監)을 바라나이다."

상이 웃으시고 이에 정원수를 배(拜)하시어 병부상서 용두각태학사 병마절제사 제로도총병 좌장군 평남후(兵部尙書龍頭閣太學士兵馬節制使諸路都總兵左將軍平南侯)를 봉하시니, 원수 대경하여 평남후를 환수하심을 진정으로 주(奏)하오대, 상이 종불윤(終不允)하시고, 부원수 이하로 봉작을 더하시니, 원수 할 일 없어 사은하매, 상이 환궁하실 새, 원수를 명하시어 대군을 거느려 앞에서라 하시고, 황상은 만조를 거느려 뒤에 행하시며 금평후로 난여(鸞輿) 곁에 시위하여 원수의 행군함을 보라 하시니, 금후 황감하여 갚사올 바를 알지 못하더라.

원수 장졸을 거느려 성내로 들어올 새 도창검극(刀創劍戟)이 상설(霜雪) 같고 기치절월(旗幟節鉞)이 햇빛을 가리워 대로상에 티끌이 일며 천병만마가 원수를 호위하여 대오를 분하니, 호통(號筒) 삼차에 위풍이 삼녈(森列)하여 일로에 휘황하고, 행군 기율은 한신(韓信)[474]·주아부(周亞夫)[475]에 세 번 더한지라. 상이 바라보시고 대열 칭찬하시며 도성 만민이 다투어 구경하며, 원수의 신위(神威)를 흠복 갈채하고, 인인이 금평후의 유복함을 일컬어 아들을 두매 정원수 같기를 원하더라.

행하여 궐문에 다다라 사졸이 결진하고 성가(聖駕) 문화전에 들으시니, 원수와 문무양관(文武兩官)이 시위하여 조회를 파하신 후, 퇴하여 나아갈 새, 사졸을 영(令)하여 각각 돌아가 부모처자를 반기라 하니, 삼만 정병과 십원 장사가 다 원수의 덕이라 수무족도(手舞足蹈)[476]하여

---

474) 한신(韓信) : ? - BC196. 중국 한(漢)나라 때의 무장(武將). 한 고조를 도와 조(趙)·위(魏)·연(燕)·제(齊)나라를 멸망시키고 항우를 공격하여 큰 공을 세웠다.

475) 주아부(周亞夫) : 중국 전한(前漢) 전기의 무장, 정치가. 오초칠국(吳楚七國)의 난을 평정해 공을 세웠고 승상에 올랐다.

환성이 여류(如流)하여 차례로 작상(爵賞)을 받자오매, 흔흔 심복하여 사중(士衆)에 말함과 격조(隔朝)에 웅성거림이 없더라

차일 황후 낭랑이 육원 비빈(妃嬪)과 황친 국척과 태자비 공주 등을 거느리시고, 고루에 올라 정원수의 승전 환조하는 위의를 보시니, 황후 낭랑으로부터 만궁인(滿宮人)이 그 소년 영풍이 비상함을 탄복하더라. 그 중 문양공주는 김귀비 소생이라. 성정이 총민하고 애용(愛容)이 절세하되 내재(內在) 정숙치 못하여 교사간음(驕肆奸淫)함이 극하더니, 이날 고루에서 정원수를 한번 보매 삼혼칠백(三魂七魄)[477]이 유유표탕(悠悠飄蕩)하여, 기이코 아름다움을 이기지 못하여 원수를 칭찬함이 사람의 부끄러워함을 모르니, 황후께서 침전에 돌아와 문양을 책(責)하시어, 왈,

"짐이 본디 외전(外殿)을 규시(窺視)함이 없더니, 금일 정자가 입공하여 돌아오매 짐이 한가함을 타 그 위의를 관광함이러니, 네 규녀의 도리로써 외조 신료를 기림이 불가(不可)코 한심(寒心)한지라, 모름지기 행실을 닦고 스스로 허물이 없게 하라."

하시니, 유후 총명 신기하시며 현숙 명철하시고 위의 단엄하신지라, 공주 두리고 조심하여 일언을 못하고 침소에 돌아와 석식을 폐하고 상요에 몸져누우니, 김귀비 크게 심려하더라.

원수 부공을 모시고 사인으로 더불어 취운산 본부로 나아오니 벌써 밤이 깊었는지라. 문에 임하여 부공을 붙들어 거륜에 내리시게 할 새, 뜰에서 절하여 존후를 묻잡더니, 세흥이 태모(太母)[478]의 착급히 기다

---

476) 수무족도(手舞足蹈) : 몹시 좋아서 날뜀.

477) 삼혼칠백(三魂七魄) : 삼혼(三魂 : 業相・轉相・現想)과 칠백(七魄 : 두 눈, 두 귀, 두 콧구멍, 입)을 아울러 이르는 말.

478) 태모(太母) : 대모(大母 : 할머니)를 달리 이르는 말.

리시는 연유를 고하니, 평후 원수로 바삐 내루(內樓)에 이르매 태부인이 난두(欄頭)에 나와 기다리더라.

금후 붙들어 침전에 드시기를 청하고, 원수 태모(太母)와 자전(慈殿)에 바삐 절하매, 태부인이 연망이 손을 잡고 황홀이 반겨하미 아무 곳으로부터 남을 깨닫지 못하여, 눈을 들어 보매, 늠연한 기상이 조금도 수패(瘦敗)치 않았으니 더욱 기쁨을 이기지 못하니, 원수 오래 이측한 하회(下懷)를 고하며 존당 부모 안강하심을 희행(喜幸)하니, 태부인이 손을 잡고 등을 두드려 두굿김을 마지아니하고, 진부인이 역시 집수 애중하여 반김을 마지않으니, 원수 이성화기(怡聲和氣)로 영모하던 하회(下懷)를 고할 새, 태부인이 윤・양 이부인의 순산함을 일러, 윤씨의 아들은 기품이 완연하고 벌써 말을 옮겨, 비범함을 이르며, 양씨 여아는 기묘 절세하여 해상명주(海上明珠)와 금분모란(金盆牡丹) 같음을 전하여, 웃는 입을 주리지 못하니, 원수 영행함을 이기지 못하여, 비로소 눈을 들어 좌우를 살피니, 윤・양・이 삼부인과 사인 부인 이씨 멀리 시립하였으니, 이씨를 향하여 예하고, 삼부인으로 더불어 예하매, 금후 사인의 앉기를 명하고 원수더러 파적하던 설화를 물어 그윽이 두굿기나, 능려(凌厲) 활발(活潑)함이 타인과 달라, 만여 리 왕반에 무슨 남사(濫事) 있는가 그윽이 염려하나, 불고이취(不告而娶)와 사창(四娼) 실어온 곡절이야 어찌 알리오. 다만 문 왈,

"운남서 소항(蘇杭)[479]까지는 신속히 왔으되 절강(浙江)서 상경하기는 어찌 더디뇨?"

원수 작죄함이 있으매 야야(爺爺)의 물으심을 경동하되, 사색을 고침

---

479) 소항(蘇杭) : 소주(蘇州)와 항주(杭州)를 함께 이르는 말. *소주(蘇州);중국 강소성(江蘇省)에 있는 도시. *항주(杭州); 중국 절강성(浙江省) 북부에 있는 도시.

이 없어 피석 부복 대 왈,

"운남서 소항까지는 빨리 행하였삽더니, 절강의 이르러는 미양(微恙)으로 신음하여 완완(緩緩)이 행하매 자연 더디었나이다."

금후의 의심이 절강서 남사 있어 호주성색(好酒聲色)하여 음주단란(飮酒團欒)이 낭자(狼藉)턴가 여기던 바와 어찌 내도치[480] 않으리오. 태부인이 평후와 원수의 석반을 나오라 하니 평후 대 왈,

"소자는 어전에서 술과 팔진경찬(八珍瓊饌)을 과식하였사오니 밥 먹기 불가하이다."

하고, 좌우로 원수 형제 식반을 나오라[481] 하고 자기는 두어 잔 술을 마실 뿐이라. 원수 형제 석반을 파하매 모셔 말씀할 새, 남후 쾌활함을 이기지 못하고, 심중에 경씨를 생각하여 부디 묘한 계교로 야야를 속이고 다시 취하여 일택(一宅)에 즐김을 기약하고, 사창을 한가지로 빈희(嬪姬)[482]의 수를 채우고자 뜻이 급하되, 엄훈을 두려 감히 생의치 못하더라. 태부인이 남후 부부 좌우에 벌여있음을 보고 두굿김을 이기지 못하여, 남후의 손을 잡고 등을 어루만져 만심 탄복함을 마지않아, 언언이 오문(吾門)의 천리구(千里駒)[483]라 일컬어,

"노모가 오늘 밤 죽는다고 해도 무슨 한이 있으리오. 연(然)이나 윤현부 홍안이 너무 수려하니 조물이 극한 바를 두려워하거늘, 윤가 가중이 종용치 못하니 미구(未久)에 혜주의 계활(契活)[484]이 어떠할꼬? 타인은

---

480) 내도하다 : 매우 다르다. 판이(判異)하다.
481) 나오다 : (음식을) 내오다. (음식을) 드리다. (음식을) 들다.
482) 빈희(嬪姬) : 희첩(姬妾). 정식 아내 외에 데리고 사는 여자.
483) 천리귀(千里駒) : =천리마(千里馬). 뛰어나게 잘난 자손을 칭찬하여 이르는 말.
484) 계활(契活) : ①삶을 위하여 애쓰고 고생함. ②멀리 떨어져 있어 서로 소식이 끊어짐.

무심하나 노모의 마음은 근심이 일시도 방하치 못하노라."

남후 호언으로 위로하더니, 외당에 하객이 분분하니 금후 부자 나와 대객(待客)하여 돌려보내고, 다시 들어와 종용이 모셔 말씀할 새, 그 사이 혜주의 성혼함과, 궐정의 들어가 절의를 완전하여 정문포장하심을 태부인과 평후 전하고, 진부인이 번국 인물과 풍속을 물으니, 남후 일일이 고하되, 남왕지녀(南王之女)의 말을 않으니, 비록 번국지례(藩國之女)나 규수의 음악 무례함을 이르지 아님이라.

이렇듯 담화하여 효신(曉晨)에 이르니, 평후 모친의 침수(寢睡)하심을 청하니, 태부인이 소왈,

"천아를 보니 반가운 정이 황홀하여 잠이 없으니 너희 잇브거든[485] 나가고 노모는 염려 말라."

평후 모부인 기운이 상하실가 두려 재삼 청하여 상요에 나가신 후, 남후 형제 야야를 모셔 외헌에 나와 공의 침금을 포설하여 취침하신 후, 광금장침(廣衾長枕)에 형제 집수연비(執手聯臂)하여 이정(離情)을 이르며, 평후 원수를 곁에 눕게 하매 태산이 앞에 있는 듯, 부자(父子) 천륜자애(天倫慈愛)로써 그 신기위무(神技威武)를 두굿기고, 해외 전진에 흉봉을 대적하매 만리행역(萬里行役)에 조금도 수패(瘦敗)치 않았음을 행희(幸喜)하여 귀중함이 비길 데 없으나, 무슨 남사를 저지르고 왔는가 염려하여, 희연(喜然)이 무애(撫愛)함은 없더라.

명조에 부자형제 존당에 문안하매, 원수의 자녀 태부인 슬상에 있는지라. 평후 웃고 원수를 가르쳐 왈,

"저것이 네 아비니 가보라."

여아는 아무런 줄 모르되, 아자는 능히 알아듣고 원수의 앞에 나아가

---

485) 잇브다 : '고단하다'의 옛말.

앉는지라. 남후 눈을 들어 살피니 생세 겨우 구 삭이로되, 영형석대(英形碩大)함이 범아의 삼사 세나 하고, 용모 두렷하여 일월 같은 천창(天窓)[486]이 옥으로 높이 만들었으며, 봉안(鳳眼)이 유성(流星)[487] 같고, 명광(明光)이 찬란하여 윤부인 천생 염모(艶貌)를 습하였으니, 자태 기려(奇麗)함은 오히려 자기 위라. 호치단순(皓齒丹脣)과 연협설빈(蓮頰雪鬢)[488]이 복록을 응하며, 성자기맥(聖者氣脈)을 타 낳았으니 진정 봉취(鳳雛)라. 귀중함이 유출하고 기쁨이 무궁하니, 만면에 희기(喜氣) 동(動)하여 소용(笑容)을 가견(可見)이러니, 태부인이 여아를 안아주어 왈,

"아들은 용린(龍鱗) 같고 여아는 주화(珠花) 같으니 너희 자녀 잘 낳음이, 아비를 계적(繼蹟)하도다."

남후 쌍수로 받아 곁에 놓으니, 양아가 다 전에 보던 것 같아서 반가움이 극한지라. 여아의 기려한 애용(愛容)이 모풍(母風)을 전주(專主)하여 기기절묘하니 애련함을 형상치 못하고, 윤・양・이 삼부인이 재좌함을 보니 경씨를 그윽이 생각하여, 묘계(妙計)로 야야를 속이고 다시 취하여 일택에 즐김을 기약하며, 형아 등 제창을 모아 빈희의 수를 채우고자 뜻이 참기 어려우나, 부친이 모르시는 바니 일념의 방하(放下)[489]치 못하더라.

평후 남후더러 왈,

"혜아의 혼사를 이미 이뤘으니 하아도 희천과 성혼코자 하나, 윤명강이 전일 하아 얻어온 곡절을 몰랐으려니와, 저 집이 기이던[490] 줄 기이

---

486) 천창(天窓) : '눈' 또는 '눈꺼풀'을 비유적으로 이른 말. 여기서는 '눈꺼풀'.
487) 유성(流星) : 지구의 대기권 안으로 들어와 빛을 내며 떨어지는 작은 물체.
488) 연협설빈(蓮頰雪鬢) : 연꽃처럼 발그레한 뺨과 눈처럼 하얀 귀밑털.
489) 방하(放下) : =방심(放心). 마음을 다잡지 아니하고 풀어 놓아 버림.
490) 기이다 : 어떤 일을 숨기고 바른대로 말하지 않다.

히 여길까 하노라."

남후 대 왈,

"윤가에 결친코자 뜻이 없사오나 이미 행빙(行聘)한 혼사오니, 세월을 천연함이 무익하고, 각각 저의 팔자(八字)에 화복길흉이 달렸사오며 인력으로 벗어날 바 아니오니, 소자 금일이라도 윤사원을 보아 의논하여 쉬이 성혼케 하사이다."

순태부인이 탄 왈,

"혜주를 성혼 삼삭(三朔)에 지금 데려오지 못하고 호혈(虎穴)에 두었으니, 경경지례 (耿耿之禮) 일일 심한지라. 하아를 맞아 성인(成姻)하여 보내고 이 마음을 형상키 어렵도다."

남후 웃고 위로 왈,

"위태부인과 유부인의 천흉 만악이 무비(無比)하오나, 매제를 간대로 죽이진 못할 것이오. 하매는 비록 위란을 당할지라도 윤씨같이 손을 맺고 안연이 좋은 일같이 사화(死禍)를 취치 않으리니 태모는 과려치 마소서."

부인이 탄 왈,

"어느 사람이 사화를 즐겨 하리요마는, 윤현부는 그 때 형세 반드시 변통을 못할 지경으로 하릴없이[491] 사경(死境)을 당하였나니, 혜주 비록 총명하고 영오하나 모진 수단을 면하리오. 내 진실로 생래 괴로움을 알지 못하더니, 혜아를 성인함으로부터 주주야야(晝晝夜夜)에 절박한 근심이 일시 방하치 못하노라."

남후 호언으로 위로하더니 밖에 하객이 모임을 고하니, 외당에 나와 빈객을 맞을 새, 왕공열후(王公列侯)와 청현명류(淸賢名流)들이 벌 뭉기

---

491) 하릴없다 : 달리 어떻게 할 도리가 없다.

듯[492] 이르러 남후의 공적이 청사에 빛남을 하례하며, 남후를 대하여 만 리 전진에 입공(立功) 승전(勝戰)하여 개가(凱歌)로 회군함을 치하하니, 평후 오직 좌수우응(左酬右應)에 불감(不堪) 사사(謝辭)하고, 남후 부전(父前)에 염슬단좌(斂膝端坐)하여 날호여 흠신(欠身) 사사 왈,

"위로 국가 홍복(洪福)을 힘입고 아래로 장졸(將卒)의 도움을 인하여 남만을 평정하니, 소생의 재덕이 아니거늘, 성은(聖恩)이 과도하시어 어가(御駕) 교외에 친림하시며, 외람한 작위를 받자와 만사 옮은 복에 과함을 송률(悚慄)하더니, 열위 명공이 폐사에 굴림(屈臨)하시어 광채를 이루시고, 소생의 부재 박덕을 과장하시니 불승 황감하도소이다."

정언간에 하리 윤추밀과 윤학사의 내림(來臨)함을 고하니, 남후 등이 하당영지(下堂迎之)할 새 사인을 보고 소왈,

"작일 어전에서 태학사 반열에 사원이 있음을 보매 그 사이 등양하여 금달(禁闥)[493]에 출입함을 다행하되, 천위지척(天威咫尺)에 사정을 펴지 못하고, 파조시(罷朝時)에 데리고 오랴 하다가 혼야(昏夜)에 아무데로 간 줄 알지 못하여, 그저 나오매 결연하더니 이제 이르니 피차 이정(離情)을 위로하리로다."

사인이 웃고 계부(季父)를 모셔 승당하매, 추밀이 남후의 손을 잡고 벌적(伐敵)을 성공(成功)함을 칭하(稱賀)하며, 평후를 향하여 함소 왈,

"창백의 승전 환조하는 위의 성가(聖駕) 문외에 친히 맞으시니 영광의 장함은 이르지도 말고, 남만을 평정하니 국가 대경이요, 정문의 대복이라. 우연한 남이라도 창백의 기특함을 아니 일컬을 이 없으니, 형의 마음을 이르랴?"

---

492) 뭉기다 : 뭉치다. 엉겨서 무더기를 이루다. 한데 합쳐서 한 덩어리가 되다.
493) 금달(禁闥) : 궐내에서 임금이 평소에 거처하는 궁전의 앞문.

평후 미소 왈,

“연소 해아(孩兒) 불사(不似)한 재덕으로 외람한 은권이 여차하시니 엷은 복에 과의(過矣)라, 부자가 기쁨을 알지 못하고 황황전율(惶惶戰慄)하여 여좌침상(如坐針上)이라, 일분 쾌활함이 없도다.”

추밀이 너무 과겸(過謙)함을 이르고, 남후로 파적하던 설화를 물어 담화하더니, 빈객이 연속부절하여 안마(鞍馬)[494] 거륜(車輪)이 구름 모이듯하며, 벽제쌍곡(辟除雙曲)[495]과 하리 추종이 운산 만수동에 메였으니, 동구(洞口)를 들레는지라. 윤추밀이 정히 말씀하다가 내당(內堂)이 분요(紛擾)할 듯한 고로, 질녀를 보지 못하고 돌아가려 하거늘, 금평후 가로되,

“형이 어찌 식부를 아니 보고 가려하느뇨?”

추밀이 답왈,

“질아를 보고자 하나 내당이 분답(紛沓)할지라. 일후의 다시 오기를 기약하노라.”

금후 이에 남후를 명하여 추밀과 사인을 인도하여 식부를 보게 하라 하고, 사인을 돌아보아 가로되,

“네 비록 외생(外甥)[496]이나 자당이 너 사랑하심이 천흥 등과 다르지 아니하시니, 네 이에 온 때에도 배현치 않음이 실로 정의 박한지라, 여매(汝妹)를 본 후에 들어가 자당께 뵈오라.”

윤사인이 원래 성정이 발호하여 빙가(聘家)에 왕래 드물고 종요롭

---

494) 안마(鞍馬) : =안구마(鞍具馬). 안장을 얹은 말. 사람이 이동수단으로 타고 다니는 말.

495) 벽제쌍곡(辟除雙曲) : 지위가 높은 사람이 행차할 때, 방해받지 않도록 잡인의 통행을 금하는 피리나 나팔 등의 악기 소리.

496) 외생(外甥) : 편지글에서, 사위가 장인·장모에게 자기를 이르는 일인칭 대명사.

지[497] 못한지라, 웃음을 띠어 대 왈,

"소서 이곳에 온 적마다 내당에 배현함을 구실삼아 하옵나니, 금일이라고 해서 그저 가리까? 죽청 형이 돌아오니 내헌(內軒)이 분요할지라. 외인의 자취 폐(弊)가 될까 하나이다."

금후 웃고 분요치 않음을 이르더라.

남후 윤공 숙질로 더불어 선월정에 이르니 윤부인이 계부께 배알하고, 사인으로 더불어 반가움을 이기지 못하니, 수려한 용안과 찬란한 광영이 실중의 조요하여 백태천광이 볼수록 새로우니, 이팔청춘(二八靑春)에 공후(公侯)의 원비(元妃) 되어 체체한[498] 위의와 존중한 거동이 비록 겸약손순(謙弱遜順)키를 위주(爲主)하나, 자연한 귀격이 범류와 내도하니, 추밀이 애중하여 남후의 승전반사(勝戰班師)함을 일러 기쁨을 이기지 못하고, 유아를 찾아 슬상에 앉혀 어루만져 왈,

"수수(嫂嫂)께서 차아의 얼굴을 알지 못하시고, 질아(姪兒)가 옥누항에 왕래치 않은 지 삼년이라. 여자유행(女子有行)이 원부모형제(遠父母兄弟)라 한들, 질아같이 본부에 왕래치 못하는 이 있으리오. 모름지기 근간에 귀녕(歸寧)하여 유아를 데려오게 하라."

소저 미처 대치 못하여서, 남후 백안(白眼)[499]으로 추밀을 보며 미미히 웃고, 숙연이 무릎을 쓸어 가로되,

"남녀 행신이 다르오나 위친사정(爲親私情)이야 어찌 다르리까? 존부슬하 적막하시니 형인이 잠간 귀녕하여 존당과 악부모께 뵘이 정리에 당연 하오되, 형인(荊人)[500]이 미혼 전에도 실산지화(失散之禍)를 만나,

---

497) 종요롭다 : ①없어서는 안 될 정도로 매우 긴요하다. ②정이 깊고 부드럽다.
498) 체체하다 : 행동이나 몸가짐이 너절하지 아니하고 깨끗하며 트인 맛이 있다.
499) 백안(白眼) : 기거나 냉대하여 흘겨보는 눈.
500) 형인(荊人) : ≒형처(荊妻). 형실(荊室). 가시나무로 만든 비녀를 꽂고 있는 사

구차히 남장으로 음양을 변체하고 산사에 우유(迂留)[501]하다가, 소생이 공교히 만나 비로소 근본을 알아 성례 한 바 되오니, 부인네 약하신 심장이 예로부터 장부의 호의(狐疑) 없기와 같지 못하여, 대모 매양 형인을 위하여 무복(巫卜)에게 운수를 추점하시면 존부에는 잠시라도 귀녕한 즉 사화(死禍)를 만나리라 하고, 조모 경동하시어 일절이 귀녕을 막으시니 가친이 어찌 그렇지 아닌 줄을 모르시리까마는, 노친의 뜻을 우기지 못하시고, 소생이 평소 무복을 허망이 여겨 일찍 가까이 본 일이 없고, 조모의 근심을 풀고자 금년 신정에 주역팔괘(周易八卦)를 벌여 영질의 운수를 추점하니, 과연 귀녕한 즉 그 몸이 필유사화(必有死禍)할 듯하니, 도리어 가소롭고 점사(占辭)가 무복(巫卜)과 같음을 기괴히 여기오나, 이 일로 드디어 실인의 옥누항 왕래는 가장 어려운지라. 소생의 집에 안정한 별당이 딴 집 같으니, 악모 보고자 하실진대 간간이 별당에 와 형인 모자를 보심이 무방하시니이다."

추밀의 소활한 성정이 남다른 고로 남후의 말치[502]를 모르고 소왈,

"창백이 명달한 장부인가 하였더니 금일지언(今日之言)이 호의만단(狐疑萬端)하니 어찌 괴이치 않으리오. 질녀를 귀근치 못하게 한 즉 영매 또 귀근치 못하리라."

남후 자약히 웃어 왈,

"여필종부(女必從夫)라, 존부 사람이 되매 화복고락(禍福苦樂)이 사원에게 달렸으니 사정에 절박한 일이 있은들 매양 어찌 데리고 있고자 하

람이란 뜻으로, 자기 아내를 남에게 낮추어 이르는 말. 후한 때에 양홍(梁鴻)의 아내 맹광(孟光)이 가시나무 비녀를 꽂고 무명으로 만든 치마를 입었다는 데서 유래한다.

501) 우유(迂留) : 멀리 세상과 동떨어진 곳에서 머물다.

502) 말치 : 남의 말 속에 담긴 속 뜻.

리까? 귀근을 일생 허치 않으시나 그 몸이 무사한 즉 영행이라. 영질 아니 보냄을 연좌(緣坐)하시어 소매의 귀녕을 막으심이 괴이튼 않으시나, 피차 형세를 탁량(度量)치 못하심을 그윽이 실소(失笑)하옵나니, 영질은 성혼 사년에 자식을 두고 생의 집이 적막치 아니하되, 대모와 이친(二親)이 영질의 잔미함을 혐의치 않으시고 사랑하심이 소생이 바랄 바 아니오나, 소매는 연기 유충한 아해(兒孩) 존부에 속현(續絃)[503]하매 악장이 아니 계시고, 합하 비록 극진이 무애하시나, 제 마음이 집의 있을 적 같지 못함이 많사오리니, 절장보단(切長補短)[504]하여도 소매 위인인 즉 영질의 위에 있을 것이로되, 구가에 나아가매 아무 근심이 없어 즐겁기는 영질만 못하리이다."

추밀이 차언(此言)의 당하여는, 모친이 부자(不慈)하시므로 남후 알고 이리 이름인가 여기더라.

---

503) 속현(續絃) : '거문고 줄을 잇는다.'는 뜻으로, '혼인(婚姻)'을 비유적으로 이르는 말.

504) 절장보단(切長補短) : 긴 것을 잘라서 짧은 것을 보충한다는 뜻으로, 장점이나 넉넉한 것으로 단점이나 부족한 것을 보충함을 이르는 말.

ꕥ

명주보월빙 권지십육

설표 윤추밀이 남후의 말을 들으매, 모친이 부자(不慈)하시므로 남후 알고 이리 이름인가 여기나, 모친이 정씨를 자기 보는 데는 예사로이 대접하니, 각별 불평한 사단을 알지 못하되, 대개 질녀의 편(便)키만 못한 줄 알아 호호히 웃고 왈,

"창백이 격언(激言)을 하거니와, 영매의 기특함이 범연이 보는 자라도 그 아름답고 사랑함을 이기지 못할 바니, 오가(吾家) 비록 발적(發摘)하나 영매 대단이 불평할 리 없으니, 창백은 물념(勿念)하라."

남후 윤공의 총명함으로써 그 가사를 모르기에 다다라는 일공(一空)[505]이 막혀 칠야같이 어두움을 그윽이 웃어, 화한 얼굴에 호치(皓齒) 현출하여 간간이 명목(明目)으로 윤공을 보며, 불명(不明) 소활(疎豁)이 남다름을 괴이히 여기니, 사인은 전후 말에 간예함이 없어 오직 질아를 어루만져 사랑할 뿐이라. 윤부인이 소고(小姑)[506]의 친사 이룸으로부터 더욱 우렴(憂念)함이 일시 방심치 못하더니, 남후의 말을 듣고 그윽이 불평하여 말을 않으니, 남후 그 남매의 회포 남다름을 위하여 추연하되 사색치 않고, 우(又) 소왈,

"소생이 합하께는 가장 유공(有功)한 일이 있으나 알지 못하시고, 진

---

505) 일공(一空) : 온 하늘. 하늘 전체.

506) 소고(小姑) : 시누이.

실로 생의 집과 겨루시어 소매의 귀근을 허치 않으시니, 소생이 입이 있으나 말을 아니하옵나니, 타일 자연 고하리이다."

공이 웃고 유공지사를 묻거늘, 남후가 부인 구한 말을 일컫지 않고 내도히 두루처[507], 대 왈,

"합하 희천의 혼사를 하부에 정하시고 이미 납빙(納聘)을 하여 세월이 흘러 양가 자녀 등대(等待)하거늘, 일이 공교하여 하연숙이 딸을 실산하시니, 사빈의 혼사에 명주 임자를 모르니 하씨를 위하여 환거(鰥居)튼 못하려니와, 구약(舊約)을 성전(成典)치 못할진대 불행이 그 어떠하리까마는, 소생이 구하여 결약남매(結約男妹)하여 부모 슬하의 둔 지 하마 삼년이라. 이 도시(都是)[508] 하매의 복이 장원(長遠)한 연고거니와, 또한 소생으로 인하여 합하 숙녀 현부를 잃지 않으심이니, 차사에 다다라는 유공하다 여기심 즉하고, 오가를 범연히 아심 즉하지 않은 일이 많으니, 영질이 산사의 유우(留寓)하였을 적도, 소생이 찾아내지 않았으면 머리 희도록 남복으로 추월암을 떠나지 못하였을 것이고, 합하 친히 찾으셔도 소생처럼 근본을 잘 알아내지 못하였을 것이니, 귀녕은 허하나 않으시나 십육 청춘에 옥동을 생하고, 공후의 원비로 저 부귀 소생 곳 아니면 어디로서 나리까? 합하 영질(令姪)을 사랑하시거든 먼저 소생을 귀중히 여기시어 거처 찾아냄을 감덕(感德)하심이 옳으시니이다."

추밀이 청미필에, 하씨 이곳에 있음을 들으니 만심 환열하여, 급히 문 왈,

"창백의 말이 다 옳으니 일생 감격히 여기려니와, 하씨를 어디 가서 구하여 결의남매(結義男妹)하여, 삼년을 이곳에 두고 지금까지 이르지

---

507) 두루치다 : 꼭 집어 말할 수 없이 여럿이 해당되게 에둘러 말하다

508) 도시(都是) : 모두.

않아, 이제야 토설(吐說)함은 어찐 연고뇨?"

남후 소이 대 왈,

"하매는 모년모일에 임산강수에서 여차여차 만나 즉시 결약남매하고, 데려와 부모 양녀(養女)로 정하여 존당과 이친(二親)의 연애하심이 친생에 내리지 아니하고, 하연숙께 차사를 벌써 통하여 하매를 촉지로 보내지 않고, 생의 집에서 성혼하여 존부로 보내기를 정하였으되, 이 말을 합하께 고치 못함은 그간 사고 허다함이라. 초에 하매 촉지에서 사화를 만나 실산함이, 구몽숙의 불미한 행사 괴이하여 하매 스스로 익수지변(溺水之變)을 취하되, 천신의 보호(保護)함을 힘입어 양일 주야를 널조각에서 노주 살 쏘듯 수상(水上)으로 행하여 임산강에 다다르니, 소생이 처음은 하매의 근본을 모르고 목전 인생의 급함을 참연하여 사지에서 구하오매, 피차 혐의를 없애고자 결의(結義)하니, 그 위인의 초출(超出)함은 이르지 말고, 여러 일월에 친동기로 다름이 없사오니이다. 합하 분한 일을 참지 못하시는 성품이시니, 구몽숙의 일을 알은 체하시어 사람의 전정을 마치실까 염려함이니, 이제 세월이 거의 잊혔고, 이제는 몽숙이 전일과 달라, 옥당금마(玉堂金馬)의 청현(淸賢)을 자임하니, 이 말이 난 즉, 저의 신명에 적지 않은 죄라. 바라건대 합하는 차사를 모르는 체하소서."

추밀이 청파의 크게 놀라, 몽숙의 작변곡절(作變曲折)을 자시 묻고, 촉행(蜀行)에 동행한 줄 천만 후회하여, 장탄 왈,

"인심(人心)은 불가측(不可測)이라, 내 몽숙을 앎이 재기과인(才氣過人)하고 위인이 총오하여 한낱 인재로 알았더니, 그토록 불인 할 줄 뜻하였으리요. 창백이 차사를 묻어둠을 당부하니, 내 또 사람의 신명(身命)을 맞지 않으려 하거니와, 여차(如此) 음악소인(淫惡小人)을 조항간(朝行間)에 옥대아홀(玉帶牙笏)로 경악(經幄)에 근시케 하니 어찌 통한

치 아니랴?"

남후 웃고 해위(解慰) 왈,

"말씀이 옳으시나 몽숙이 영오 총명하니 나이 차면 고칠 것이요, 혹자 불인을 고치지 못하나 '고삐 길면 밟히는'[509] 환을 당할지언정 우리 집으로 좇아 그 허물을 들어내면, 사람을 사지의 넣음이니, 합하는 함분(含憤)하시어 언두(言頭)에 올리지 마시고, 하매의 성례를 속속히 하실지니, 인심을 측량치 못하니, 하매 살아 소생의 집에 있음을 아직 아무더러도 이르지 마소서."

추밀이 그러히 여기고 어진 뜻을 항복하여 몽숙의 말을 아른 체 않으려 하더라.

공은 외헌으로 나가고 사인이 남후와 내당에 들어가 태부인과 진부인께 배현(拜見)하고, 남후의 입공반사(立功班師)함을 하례하니, 동탕 쇄락함이 남후와 방불한지라. 이 부인이 볼 적마다 애경하여 흔연 담화하며, 여아의 귀녕을 청한대, 사인이 대 왈,

"실인의 귀근을 악장이 사숙(舍叔)께 청하시어 허락하시면 소생이 막지 않으리이다."

남후 소왈,

"추밀공이 가내사(家內事)를 바이[510] 모르시고 영매(令妹)의 귀근을 허치 아니므로, 아매(我妹)의 귀근을 또 허치 않으리라 하시니, 그런 답답한 일이 어디 있으리오. 아매는 내 집의 있어도 화는 없으려니와, 영매를 잠간 옥누항에 보냈다가는 농에 든 시신을 만드니, 귀녕을 허치 못

---

509) 고삐 길면 밟힌다 : 나쁜 일을 아무리 남모르게 한다고 해도 오래 두고 여러 번 계속하면 결국에는 들키고 만다는 것을 비유적으로 이르는 말. ≒꼬리가 길면 밟힌다.

510) 바이 : 아주 전혀.

하노라."

사인이 구태여 답지 않고, 날이 늦음을 고하고 돌아가니, 남후 따라 나와 윤공을 송별하고 부전(父前)에 하매의 성혼할 길일을 택함을 고하니, 평후 즉시 택일하매 순일(旬日)이 격한지라. 남후 고 왈,

"명일 파조 후 옥누항에 나아가 윤공께 뵈온 후, 소매의 귀녕을 청하여 데리고 오리이다."

금후 점두하더라.

명일 파조 후 남후 옥누항에 나아가 윤공께 배알하고,

"택일하여 범구(凡具)를 미비함이 없게 하소서."

하니, 공이 희왈,

"작일 분요하여 이회(離懷)를 펴지 못하고 심히 창연하더니 현계(賢契)[511]의 후의를 다사 하노라."

남후 사사하고 사인이 고 왈,

"가중에 사색치 마시고 혼구(婚具)는 불과 일습(一襲) 의복이라. 매저(妹姐)에게 길복을 이뤄 보내라 하시고, 연석 기구는 밖으로서 준비하고, 빈객은 임시(臨時)하여 청함이 가(可)하온지라. 구몽숙이 숙모께 자로 배현하오니, 혹 비복의 전설함을 듣고 혼인 전 다시 작희(作戲)하온즉 큰 불행이니이다."

추밀이 불열 왈,

"일개 요인을 두려 대사를 은밀히 하며, 비복이 뉘 구태여 몽숙더러 이르리오. 내 아무리 잉분(忍憤)하나, 인륜대사(人倫大事)를 암밀(暗密)이 지닐 바 아니라. 몽숙을 쾌히 다스려 설한(雪恨)하고 싶되 창백이 하당부함으로 분한 것을 참노라."

---

511) 현계(賢契) : 문인(門人), 제자, 친구 등을 존중해서 이르는 말.

하니, 사인이 피석 대주 왈,

"명교 마땅하시나 언비천리(言飛千里)[512]라 하오니, 혼수를 차릴 즈음에 가내 요란하여 아니 알 리 없삽고, 비복이 설사 몽숙더러 이르지 아니하오나 유부 시애 조왕모래(朝往暮來)[513]하오니, 유부에서 안즉 몽숙이 알게 될지라. 몽숙이 알면 다시 작희하여 생각 밖 거조 있사오리니, 인륜대사를 은밀히 지내오미 심히 구차하오나, 하소저 신상에 유익하고 사제(舍弟) 배우를 순히 맞음이니, 몽숙을 두려워함이 아니오라 악인을 거워[514] 신상에 욕됨이 많사올 것이요, 일가에 미리 혼사를 알리면 뉘 집과 결혼함을 자연 말이 나오리니, 당일에 제우족친(諸友族親)을 청하시고, 대사를 지낸 후 몽숙이 알아도 스스로 생각하여 이곳에 자로 왕래치 못하리니, 하소저 용색을 흠모하나 벌써 성혼한 후는 할 일 없어 작희치 못하리이다."

남후 또한 말씀을 이어 고하되, 미리 소문을 퍼지오미 만만 해로우리니, 사원의 말대로 하심을 재삼 청한데, 공이 가로되,

"내 통해함이 극하나 창백과 질아의 뜻이 원려(遠慮) 많으니 그대로 하려니와 몽숙 요인을 종시 함묵하기 어렵도다."

남후 인분(忍憤)하심을 재삼 청하고 종용이 담화할 새, 추밀이 남후더러 질부를 보고 가라 한대, 남후 대 왈,

"소매는 이에서 보지 아니나 데려가 한 가지로 혼구를 차리고 이정을 펴고자 하나이다."

공이 소왈,

---

512) 언비천리(言飛千里) : 말이 천리를 날아간다는 뜻으로 말의 전파속도가 매우 빠름을 이르는 말.

513) 조왕모래(朝往暮來) : 왕래가 빈번하여 아침저녁으로 오고가고 함.

514) 거우다 : 집적거려 성나게 하다.

“영매와 질녀를 바꾸어 가려 하였더니 혼사가 박두하니 길일에 영매와 질부를 함께 보내라.”

남후 왈,

“데려가오나 형포(荊布)[515]는 못 보내올 줄 작일의 고한 바라. 악모 보고자 하시면 별원의 와 보실 것이요, 합하 보고자 하시거든 날마다 와 보시나 괴로워 않으리이다.”

공이 소왈,

“이 가작(假作)이라. 질녀 귀녕(歸寧)한다 하여 무엇이 해로우리오.”

남후 순순이 미소하여 귀녕치 못함을 대하고 내당에 배알코자 마음이 없으되, 악모께 뵈옵기를 청하여 내당의 현알하니, 추밀이 함께 들어가 위·조·유 삼부인께 현알하니 위·유 양부인이 만 리 전진에 입공함을 하례하니, 남후 피석 사례한대, 조부인이 또한 입공반사(立功班師)함을 치하하고, 여아와 양·이 등이 다 순산하여 자녀 선선(詵詵)함을 하례하고, 식부의 기질이 망외(望外)함을 일러 석사를 상감하니, 남후 본디 악모의 명현함을 탄복하고 그 정사가 남달리 괴롭고 슬픔을 추연(惆然)하는 고로, 화평히 말씀하여 반자지도(半子之道)[516]를 다하니, 화풍 경운의 희기 영롱한지라. 조부인의 두굿김과 위·유 양인의 미워함이 만복(滿腹)하더라.

정소저 거거(哥哥)를 보고 팔자아황(八字蛾黃)[517]에 희색이 영롱하여

515) 형포(荊布) : 형차포군(荊釵布裙)의 줄임말. 가시나무비녀를 꽂고 베로 지은 치마를 입고 있는 사람이란 뜻으로, 자기 아내를 남에게 낮추어 이르는 말. 후한 때에 양홍(梁鴻)의 아내 맹광(孟光)이 가시나무 비녀를 꽂고 무명으로 만든 치마를 입었다는 데서 유래한다.

516) 반자지도(半子之道) : 사위의 도리. *반자(半子); 아들이나 다름없다는 뜻으로, ‘사위’를 이르는 말.

517) 팔자아황(八字蛾黃) : 눈썹을 그리고 분을 바른 얼굴. 팔자(八字)와 아황(蛾

승전 귀가함을 하례하니, 봉관화리(鳳冠花罹)[518] 중 풍도(風度) 승절(勝絶)하여 좌중에 빛난지라. 남후 반기고 깃거 가로되,

"우형이 출정한 지 십 삭 만에 돌아오니 현매 집의 없으매 결연한 심회를 이기지 못하여, 금일 합하께 귀녕을 청하여 허하심을 얻었으니, 현매는 돌아갈 차비를 하라."

소제 유유하여 말씀이 없거늘 추밀이 가로되,

"창백이 질부를 데려가려 하니 능히 그 정을 막지 못하여 허하나니, 십여 일 머물고 돌아오라."

소저 비로소 배사 수명하니, 위흉이 남후를 향하여 손부의 선연아질(嬋姸雅質)과 난심혜행(蘭心蕙行)이 성문에 생장하여 갖추[519] 비상현철(非常賢哲)함이 특이함을 일컬어 겉으로 귀중하는 정이 과도하니, 남후 그 천흉만악과 내외 현격함을 더욱 흉히 여기고, 유씨 빛난 말씀으로 질부의 비상함과 광질의 처궁이 유복함을 일컬어 찬양함을 마지않으니, 남후 심리에 밉게 여겨 다만 사례할 뿐이요, 묵연정좌(黙然正坐)러니, 날호여 하직을 고하니. 위부인이 손녀의 귀녕을 감히 청치 못하고 심중에 춘월은 어찌 되었으며, 명아는 어찌하여 살아 저 같은 부귀를 누리는고? 심리에 분한함을 이기지 못하더라.

남후 밖에 나와,

"사인을 소매(小妹)와 한가지로 보내어 봉황의 쌍유함을 보게 하소서."

한데, 추밀이 흔연 답왈,

"군은 오가에 일야를 머무는 바 없고 질아의 귀녕도 괴이한 핑계로 막

黃)은 각각 눈썹과 얼굴에 바르는 분(粉)을 말함.

518) 봉관화리(鳳冠花罹) : 예전에 여성들이 쓰던 봉황 모양으로 장식한 관과 꽃을 수놓아 만든 얼굴 가리개.

519) 갖추 : 고루 있는 대로.

음을 생각한 즉, 천아 부부를 어찌 보내리오마는 군과 겨루지 않으려고, 군의 소청을 다 좇나니 그대도 날같이 하라."

남후 함소 대 왈,

"비록 형인(荊人)의 귀근을 허치 않을지라도 존부 소생의 집 풍속을 배우시면 가장 좋으시리니, 합하 실인(室人)으로써 범사의 누의와 같이 하랴 하시니, 영질과 소매로 비컨대 천지 현격한지라. 존부 사석(沙石)을 보내시고 명주(明珠)를 바꾸시며, 진토(塵土)로 미옥(美玉)을 바꿈과 같음을 생각하시면, 영질을 소매와 달리 알고계심 직하니이다."

공이 박소(拍笑) 왈,

"질부 비록 기특하나 질아 또 하등이 아니라, 어찌 그대도록 현격하리오. 창백은 안해라 하여 나무라지 말라. 오가(吾家)가 남달리 기특한 일은 없으나 군가 풍속을 닮는다고 무엇이 더 아름다우리오."

남후 역소(亦笑)하더라.

소저 존당에 하직하고 사실에 돌아와 시아로 사인에게 고하니 사인이 막지 않아 거교(車轎)를 차려 호송하니, 소저 승교(乘轎)하매 남후 호행할 새, 사인을 청하니 사인이 명일로 감을 대답하더라.

정소저 돌아와 존당 부모께 배현하니, 태부인과 형제 남매 기쁜 정이 비길 데 없는지라, 태부인이 집수 왈,

"너를 위태한 곳에 보내고 일야 절위(絶憂) 깊더니 삼삭지내(三朔之內)에 몸이 무사하여 돌아오니 영행하도다."

남후 소왈,

"현매는 위태부인이 아직 짓두드려 농에 넣기를 않으려 하더냐? 혹자 그런 변이 있을지라도 윤씨같이 손을 묶어 흉화(凶禍)를 당치 말고, 각별 탈신지계(脫身之計)를 생각하여 몸을 상해오지 말라."

소저 묵연이 부모 동기로 반길 뿐이라.

삼공자 세흥이 소왈,

“소제는 여자 같으면 그런 구가에 범사를 내 임의로 하고, 일분이나 괴로움이 있거든, 위태부인 눈에 재를 쥐어 넣고, 낯에 침을 뱉아, 일장(一場)을 수욕(數辱)하고, 내 집으로 돌아오리니, 어찌 그것의 슬하 되어 공순하리까?”

금후 대책하여 가로되,

“네 십세 지나 거의 인사를 알려든 무식한 말로 연인가(連姻家) 노태부인을 능욕함이 이 같으니, 후일 다시 이런 말을 할진대 사(赦)치 않으리라.”

공자 불승 황공하여 피석 사죄하니, 태부인이 소왈,

“세아(兒) 비록 말을 삼가지 못하나, 원간 오애 다섯 아들 중 세아를 각별 증염하니, 그 어찐 일이뇨?”

금후 부복 대 왈,

“세아 제아 중에 문호를 욕먹이고 박행(薄行)함이 심하오리니, 실로 세아를 볼 적마다 심화 깊삽거늘, 소자의 훈자(訓子)하옴이 불엄하오니 자책하옵는 바요, 자위 익애하시니 더욱 방약무인(傍若無人)하와 부모를 능경압두(凌輕壓頭)하여 행사가 날로 패려 무식하고, 성정이 붙는 불 같아서 앞에서 사후하는 서동이라도 제 마음에 불합하면, 죄의 경중을 묻지 아니하고 피 나기를 그음하여[520] 다스리고, 유학을 힘쓰지 않아 잡된 희학(戲謔)만 즐기오니, 소자 불승 통해하는 바로소이다.”

태부인은 본디 세흥을 사랑하는지라. 부공의 단엄함이 세흥의 호방함을 미흡하여, 눈을 바로 떠 보지 않으므로, 민망히 여겨, 세흥의 영오

---

520) 그음하다 : 작정하다. 끝장내다. 결딴내다. 끝을 내다. 한계나 기한 따위를 정하여 무슨 일을 하다.

준매함을 스스로 사랑하더라.

남후 윤공께 길일을 정하였음을 고하였으므로, 혼수를 차리소서 한대, 진부인이 답왈,

“혼구(婚具)는 자연 되려니와 친영하여 보낸 후, 근심이 절박한 일이로다.”

남후 소이주(笑而奏) 왈,

“명일 사원이 올 것이니 신방을 배설하여 소매 있을 동안 쌍유(雙遊)하게 하소서.”

태부인이 두굿겨 시녀를 명하여 선화정을 쇄소하고 별장(別莊)을 갖추어, 사인의 오기를 기다리며, 소저를 좇아갔던 시녀를 불러 위·유 양인의 소저 대접던 바를 물으니, 시녀배(侍女輩) 소저의 당부를 들었는지라 직고(直告)치 못하여,

“불평한 사단도 없고 구태여 황홀이 사랑하심도 없사오대, 조부인과 구파랑(婆娘)의 소저를 사랑하심이 지극하시고, 추밀 노야는 더욱 친녀같이 하시더이다.”

진부인은 구태여 묻지 않더라.

차야에 소저 모친 침전에서 영주로 더불어 이정(離情)을 펼 새, 부인이 문득 눈물을 흘려 가로되,

“너를 위태한 구가에 보내매 근심이 방하치 못하더니, 또 하아를 마저 행례하여 보내게 되니, 첩첩한 심려를 어찌 견디리오. 천사만상(千思萬想)하여도, 나의 두 여아 무사히 지내리라 말이 나지 않으니 시름이 적으리오.”

소저 모친의 간절하신 염려를 절민하여 안색을 화(和)히 하고 안서(安舒)521)히 대 왈,

“윤형이 마침 사화를 지냈기로 존당 부모 소녀를 위하여 근심과 염려

를 놓지 못하시나, 사람마다 그러하리까? 원간 사람의 액수(厄數)는 인력으로 할 바 아니오니, 혹자 소녀 등이 타일에 궂기는[522] 일이 있어도, 사망에 이르든 않으리니, 자위는 오지 않은 액을 미리 과려치 마시고, 절념(絶念) 소려(消慮)하소서. 만사 명이니이다."

부인이 척연 함한(含恨)하더라.

명일 윤사인이 이르니 금후 볼 적마다 반기고 사랑함이 체체하여[523] 여러 날 머물기를 이르니 사인이 답사 왈,

"소세 여러 형제 없고 집의 사제 일인 밖 시봉할 이 없사오니 가내 적료하온지라 어찌 오래 있으리까? 수일간만 머물다 갈소이다."

금후 소왈,

"네 집은 매양 있고 오가는 모처럼 왔으니 어찌 쉬이 가리오. 영숙이 달포[524] 묵으라 하였으니 네 비록 가고자 하나 임의로 못가리라."

사인이 미소(微笑) 무언(無言)이러라.

진학사 등이 이르러 사인을 보고 크게 반겨 서로 손을 이끌어 진부에 가 담화함을 청하니, 남후 사인과 진생을 데리고 가니, 한님 경연이 일폭 깁을 펴고 채색을 영롱이 가라 미인도(美人圖)를 이뤄, 스스로 재주를 칭찬하여 혼자말로 기리기를 마지않으니, 원래 진한림 화법이 기특한 고로 소매(小妹) 성염의 백태 천광이 기려함을 흠애(欽愛)하여, 마침 고요함을 타 화상을 이루더니, 남후 오는 양은 보나 윤사인의 오는 줄은 알지 못하는 고로, 구태여 감추지 않은지라. 사인은 그림을 먼저 보고

---

521) 안서(安舒)하다 : 마음이 편안하고 조용하다.

522) 궂기다 : 일에 헤살이 들거나 장애가 생기어 잘되지 않다.

523) 체체하다 : ①행동이나 몸가짐이 너절하지 아니하고 깨끗하며 트인 맛이 있다. ②마음이 깊고 진중하다.

524) 달포 : 한 달이 조금 넘는 기간.

그림가운데 규수의 옥모 선풍의 기묘 절승함과 의복이 시절을 좇은 바니 급히 들이달아, 그림을 거두어 자시 보려 한데, 진생 등이 모여 앗으려 하니, 사인이 소왈,

"친우 간 한 장 서화를 아조 가져가도 이다지 아니할진대, 잠간 보려 한데 이다지도 함은 어찌오? 원래 차화(此畵) 옛 것이 아니라 금세 사람 그림이니, 근본을 듣고자 하노라."

하고 진생 등을 밀치고 그림을 높이 들어 양구 숙시하니, 진한림이 착급하여 왈,

"수일 전 모양이 이러 한 화도를 파는 이 있거늘, 우연이 보고 화법을 시험코자 그린 바니 근본을 모르노라, 도로 주면 화도 근본을 알아 이르리라."

사인 왈,

"십년이라도 근본을 아니 이르면 아니 주리라."

하고, 소매의 넣고 쓰러져 눕거늘, 제생이 진력하여 앗으나 사인이 오는 족족 차 던지고 근본을 물으니, 남후 소왈,

"사원이 화도 근본을 알아 무엇 하려 하느뇨?"

사인 왈,

"진형 등이 하 기이니 수상하여 알려 하나이다."

남후 왈,

"이 그림은 우리 외숙의 무혈(無血)[525]한 여자를 표숙이 거두어 기르시니, 그 외구(外舅) 혼사를 정하여 향일(向日) 데려가매, 숙모가 친녀같이 무애하시다가 그 용모를 잊지 못하시어 결연하여 하시니, 표제(表弟)[526] 화도를 이뤄 숙모께 드리려 하던가 싶거니와, 규수의 화상을 외

525) 무혈(無血) : 같은 조상의 피를 나눈 혈족이 다 죽거나 하여 없음.

간남자가 가짐이 불가하도다."

사인이 번연(翻然) 동신(動身)하여 화도를 한림 앞에 던지고 남후를 향하여 왈,

"형이 소제를 내외하여 바로 이르지 않아, 사족 부녀면 신상에 둠이 불가하여 도로 내어주었나니, 형의 외숙이면 뉘 집 여자이뇨?"

남후 미소 무언이러니, 진태우의 아자(兒子) 영이 나이 오세라. 가장 영오하되 언어를 채 모르는지라. 이에 왈,

"이 그림은 우리 숙모 화상이니 어찌 무의(無依)한 사람이리오."

사인이 흠선(欽羨)하여 그윽이 재취를 도모코자 하되, 낙양후의 부귀로써 천금 소교를 재취는 아니 줄지라. 심사 여러 가지로 산란하되 사색치 않고 오래 담소하다가 날이 저문 후, 평남후로 더불어 정부의 돌아와 서재의 누어 종용이 회포를 이를 새, 남후의 소견이 숙녀 미희를 쌍쌍이 모아 규각(閨閣)을 메우고자 하는지라. 피차 심담(心膽)이 상조(相照)하니 어찌 은닉하리오. 사인이 소왈,

"소제 금일 미인도를 보매 실로 재취(再娶)하고자 뜻이 있으되, 영의 말을 들으니 진합하 딸이라 하니, 결(決)하여 소제의 용우(庸愚)함을 나무라 재취를 불허하리니, 형은 월로를 자임하여 진공께 좋도록 고하여 허락을 얻으면 소제 불승감격하리라."

남후 소이즐왈(笑而叱曰),

"네 십삼 소아로 아매(我妹)를 취하여 해도 바뀌지도 않아 어느 사이 재취할 뜻이 있느뇨? 표숙(表叔)의 택서(擇壻) 비상하시고 재실은 아이의 발구(發口)치 못하리니, 내 비록 지성으로 구하나 되지 못하리라."

사인이 웃고 빌어 왈,

526) 표제(表弟) : 외종제. 외종사촌 동생.

"소제 비록 용우하나 진공의 서랑 됨이 과람(過濫)치 않으리니 악장이나 진공이나 가세 문벌과 청망재덕(淸望才德)이야 어찌 고하(高下) 있으며, 영매와 진소저 다 아름다움이야 어찌 다르리요마는, 영매 이미 소제의 가실(家室)이 되었으니 진소저를 이루어 내사(內事)를 빛내고, 영매로 하여금 주남(周南)[527]의 성사(盛事)를 효칙(效則)하여 황영(皇英)[528]의 자매(姊妹)같이 하리니, 어찌 적인(敵人)으로 하리오. 형은 진공께 각별이 고하여 친사(親事)를 이루게 하소서."

남후 부답하나, 남아의 풍류호신과 숙녀 미희를 모으고자 함이 괴이치 아닌 줄로 알아, 자기 경학사를 보채여 불고이취(不告而娶)한 바를 생각고, 부디 표숙을 권하여 차혼이 되도록 할 뜻이 있으니, 사인이 남후의 기색을 보고 더욱 보채니, 남후 소왈,

"내 매부의 호신(豪身)을 도아 누이 적인(敵人)을 모음이 불가(不可)커니와, 네 청이 여차하니 종용한 때를 타 숙부께 고하여 보리라."

사인이 사례한 후, 안에 들어가기를 잊었더니, 세흥이 부명을 전하여 선화당으로 가자 하니, 사인이 세흥으로 더불어 선화당에 이르매 소저 일어나 맞으니, 사인이 소저의 좌를 청하고 세흥으로 더불어 담소하다가 공자 나가거늘, 시녀로 침금(寢衾)을 포설(鋪設)하라 하고, 소저더러 문 왈,

"자(子)의 표종(表從) 진소저 나이 얼마나 하고 위인이 용속치 않으니까?"

---

527) 주남(周南) : 『시경』의 편명. 주로 주(周)나라 문왕과 문왕의 비(妃) 태사(太姒)의 덕을 칭송하는 노래들로 이루어져 있다.

528) 황영(皇英) : 중국 요(堯)임금의 두 딸인 아황(娥皇)과 여영(女英)을 함께 이르는 말. 자매가 함께 순(舜)임금에게 시집 가, 서로 화목하며 순임금을 섬겼고, 순임금의 죽음 소식을 듣고 자매가 함께 소상강(瀟湘江)에 빠져 죽었다.

소저 여신한 총명이 유의함인 줄 지기(知機)하고 대 왈,

"표종의 연기(年紀) 첩으로 동년이요, 그 위인은 첩의 바랄 바 아니니이다."

사인이 소왈,

"그대 만일 숙녀의 명풍이 있을진대 영형(令兄)으로 더불어 영숙(令叔)께 청하여 진소저를 이르게 하여 백년안항(百年雁行)[529]을 삼고, 표종(表從)[530]의 정으로써 동렬(同列)[531]을 맺음이 어떠하뇨?"

소저 그윽이 구가 형세를 살피건대, 자기도 보전키 어려운지라. 지란(芝蘭) 같은 약질을 참혹히 보채일 곳에 속현(續絃)하여, 일신이 보전치 못하면 아깝게 마칠지라. 정금(整襟) 대 왈,

"표종 진소저는 우리 외구(外舅) 아들이 많으나 여러 숙부의 여아 진소저 일인이라, 그 귀함이 수십(數十) 군종형제(群從兄弟) 중 으뜸이라. 외구(外舅) 재실 줄 리도 없거니와, 첩의 우용(愚庸)한 마음에는 군자와 첩의 당한 바로, 아직은 호화에 뜻이 없을 듯하오나, 만일 군자 하고자 하실진대 가형이 본디 기운이 세차고 언변이 유여하시니, 가형 곳 아니면 감히 입을 열어 말할 자 없사오리니, 첩으로서는 소진(蘇秦)[532]의 구변(口辯)이라도 무가내하(無可奈何)[533]오니, 군자의 의향대로 하소

529) 백년안항(百年雁行) : =백년동렬(百年同列). 한 남자와 결혼하여 같은 아내의 지위를 갖고 함께 살아가는 여자들을 이르는 말.

530) 표종(表從) : 외종사촌형제.

531) 동렬(同列) : 일부다처의 가족제도에서 한 남자와 혼인 관계에 있는 처(妻; 아내)들을 한데 묶어 이르는 말.

532) 소진(蘇秦) : 중국 전국 시대의 유세가(遊說家). 진(秦)에 대항하여 산동(山東)의 6국인 연(燕), 조(趙), 한(韓), 위(魏), 제(齊), 초(楚)의 합종(合從)을 설득하여 성공했다.

533) 무가내하(無可奈何) : 어찌할 도리가 없음.

서.”

사인이 웃고 소저로 더불어 나위(羅幃)에 나아가매 새로운 은정이 여천지무궁(如天地無窮)[534]하여 백미인(百美人)을 취하나 정소저 향한 은정은 변치 않을지라. 순태부인이 영리한 차환으로 선화당을 규시하여, 부부 은정이 중함을 크게 두굿기고, 평후 사인의 가기를 막아 여러날 머물기를 지성 간청하더라.

어시에 낙양후 진공의 일녀 성염소저의 방년(芳年)이 십삼이라. 숙자아태(淑姿雅態)와 옥모화풍(玉貌和風)이 빙정수려(氷晶秀麗)하여 벽공신월(碧空新月)과 해상진주(海上珍珠)가 광휘(光輝)를 머금은 듯, 설부옥골(雪膚玉骨)과 취미성안(翠眉星眼)이며 월액화시(月額花顋)와 호치단순(皓齒丹脣)이 일세(一世)의 절염(絶艶)이요, 요조단일(窈窕端壹)한 성행덕도(性行德度) 청빙(淸氷)을 씻은 듯, 일동일정(一動一靜)이 예의를 심사(深思)하여, 규각(閨閣)의 도학군자러라.

진공 부부의 만금 교와(嬌瓦)로 부귀호치(富貴豪侈) 금달공주(禁闥公主)[535]를 부러워 않을지라. 금수나릉(錦繡羅綾)이 무거움을 염(厭)하고, 팔진경장(八珍瓊漿)은 무미(無味)함을 의심하니, 한번 웃음을 연즉 기화(奇花)로 알고, 한번 불평함을 큰 우환으로 아는지라. 위로 태우 등 사형(四兄)과 아래로 영주 등 제남(弟男)이 서로 우애하는 정이 고인의 나룻[536] 그슬림을 본받고, 숙부 진각노·진태상이 다 여러 아들을 두었으되, 여아 없는 고로, 세간에 소저 같은 성녀숙완(聖女淑婉)이 없을까 여기니, 금평후 부인이 매양 웃으며 왈,

---

534) 여천지무궁(如天地無窮) : 천지와 같이 끝이 없음.
535) 금달공주(禁闥公主) : 궁궐에서 사는 공주.
536) 나룻 : 수염.

"성염이 아름다우나, 소매의 혜주와 양아(養兒) 영주 오히려 성염에서 나은가 하나이다."

진후 소왈,

"현매 사정에 가려 그러함이라. 성염의 외모 기질이 어찌 남의 아래 되리오."

진부인이 짐짓 성염을 나무라 하고, 서로 딸을 자랑하여 남매 형제 즐김이 무궁한 중, 택서를 너무 과히 바라기로, 여아의 동상(東床)을 정치 못하여 민민불낙(憫憫不諾)하더니, 일일은 진부인이 여아로 더불어 협문으로 이르러 말씀하니, 진후 삼곤계와 주부인 제사(娣姒)[537]가 다 모여 자질 수십 인이 좌우로 성녈(盛列)하였으니, 정소저 두루 배현(拜見)하고 인하여 한화(閑話)할새, 원래 진태상이 오자(五子)요, 각노는 구자(九子)나 입신자(立身者) 십삼인이요, 낙양후는 육자(六子) 중 위로 사자(四子)가 옥당한원(玉堂翰苑)에 명환(名宦)을 자임하는 문사(文士)들이라. 문호(門戶)의 성번(盛繁)함과 자궁(子宮)의 유복함이 순씨팔농(荀氏八龍)[538]을 부러워 않을지라. 진후 혜주를 대하여 소왈,

"질아 비록 성념에게 달로 맏이나 동년(同年)이로되, 벌써 봉관화리(鳳冠花羅)의 명부(命婦) 되어 천하 영준을 배(配)하니, 어찌 일생이 쾌치 않으리오."

정언간에 평남후 들어와 좌에 들며 함소 왈,

"숙부께 뵈오려 왔삽더니 자위(慈闈) 또 이에 와 계시도소이다."

부인이 웃고 낙양후의 택서 못하여 근심함을 이르니, 남후 소이 주왈,

---

537) 제사(娣姒) : 형제의 아내 가운데 손아래 동서와 손위 동서.
538) 순씨팔용(荀氏八龍) : 중국 후한(後漢) 때 사람 순숙(純淑)이 아들 여덟을 두었는데, 모두 재명(才名)이 높아, 당시 세상 사람들이 이들 형제를 순씨팔룡이라 부른 데서 나온 말.

“구씨(舅氏)의 고의(高意) 천상랑(天上郞)을 가리심 같아서 범속자(凡俗子)와 의논치 못하려니와, 낭재(郞材)[539] 윤광천 같으면 어떠하리까?”

진후 소왈,

“사원은 나의 혹애(惑愛)하는 바라. 너와 일쌍 군자 준걸이니 그런 신랑은 얻을진대 어찌 만행이 아니리오.”

남후 소안(笑顔)이 미미하여, 화성유어로 나직이 고 왈,

“숙부 택서를 근심하시고 사원을 과히 아르시니 소질의 우견에는 차라리 사원으로 동상을 삼으시미 해롭지 않을까 하나이다.”

진후 청필에 불열 왈,

“현질이 날을 업신여겨 희롱으로 이름이냐? 취중주담(醉中酒談)이냐? 사원은 네 집 서랑이요, 혜질의 배위(配偶)라. 아녀로 질아의 적인을 삼으며 재실을 의논함은 천만 생각 밖이라.”

병부 연망(連忙)이 피석 배사 왈,

“소질이 만일 취하여신 즉, 감히 존전의 뵈지 못하오리니 어찌 주담(酒談)을 하오며, 또 어찌 감히 숙부를 능경(凌輕)하와 희언을 하리까? 다만 어린 뜻에 윤사원은 발호한 영걸이니, 일처로 늙을 자 아니요, 여러 처첩을 모아 실중을 메우고 몸이 한갓 금달(禁闥)[540]에 출입하여 경악에 근시(近侍)할 자 아니라, 치세경륜지재(治世經綸之才)와 안방정국(安邦定國)할 덕화(德化) 가작하니[541], 타일 출장입상(出將入相)하여 명수죽백(名垂竹帛)하고 화형린각(畵形麟閣)하여 천승(千乘)을 모림(冒臨)

539) 낭재(郞材) : 신랑감.

540) 금달(禁闥) : 궐내에서 임금이 평소에 거처하는 궁전의 앞문.

541) 가작하다 : 가지런하다. 나란하다. 여럿이 층이 나지 않고 고르다. 고루 갖추다.

할 듯하고, 소매와 표매 상모를 의논한 즉 초년재익(初年災厄)은 있으나, 마침내 후적(后籍)의 존귀함이 있을 듯하온지라. 소매 표매로 더불어 지극한 정이 동포자매(同胞姉妹) 같으니 어찌 구태여 원비와 재실을 의논하리까? 숙부 사원을 동상을 삼으실진대, 양매(兩妹) 다 윤가에 속현하여 군자의 내사(內事)를 임찰(臨察)하여, 황영(皇英)의 고사(古事)를 효칙하고, 쌍개 숙녀 형제의 정과 동렬(同列)의 의(義)를 겸하면, 풍류군자의 일생이 쾌활할지라. 사원과 양매 다 십삼이요, 비록 윤명천이 없으나 숙부 친옹(親翁)이 상당하고, 겸손(兼損)함이 없으니, 소질이 이 일을 생각한 지 오래오되, 숙부 재실을 혐의하시니 발구치 못하옵더니, 금일은 소매 이에 잇고 숙부 택서를 근심하시니, 심곡에 품은 바를 어찌 은닉하리까? 소질은 신랑을 보올 뿐이요, 그 밖에 소소 곡절은 의논치 아니 하옵나니, 숙부는 재삼 사량하소서."

진후는 묵연침사(默然沈思)하고, 태상과 각노 윤부 가정을 모르는 고로, 일시에 권유 왈,

"질아의 말이 가장 유리하오니, 형장은 재실을 혐의치 마시고 성친하심이 가할까 하나이다. 질아 혜질의 동렬이 됨이 해롭지 않고, 윤사원의 재실이 속자의 원비에서 쾌하리니, 일언에 쾌허하시어 가기를 이루소서."

진후 날호여 답왈,

"창백의 말이 대체(大體)를 숭상(崇尙)함이거니와, 원래 윤씨 가정이 하여오?"

남후 소이대왈,

"소질이 윤가의 동상(東床)이 된 지 사년이오나, 성정이 소활하여 자세히 알지 못하오되, 대개 윤추밀이 질자 사랑이 과중하고, 소질의 취모[542] 가장 어진 부인이라. 대단한 흠사 어찌 있으리까? 다만 윤추밀의

자당과 부인이 양선(良善)키에 벗어난가 싶더이다."

진후와 주부인이 더욱 서운하여 왈,

"태부인과 추밀부인이 불현(不賢) 즉, 더욱 큰 불행이라. 그런 집과 어찌 결혼하리오."

원래 진부인이 단중침정(端重沈靜)하여 윤부 가정의 망측함을 동기지간(同氣之間)에도 일절 발설치 아니하고, 정부 법령이 엄숙하여 부인의 당부한 바를 지레 발구(發口)한 즉 사죄로 아는 고로, 진부 격장(隔墻)이나 아득히 변괴를 모르는지라. 이때 부인이 아자의 말을 들을 뿐이오 혼인을 권치 않으며, 소저는 단좌묵연(端坐默然)이라. 진후와 주부인이 소저더러 문 왈,

"현질은 윤가 세밀지사라도 다 알지라. 내외 말고 이르라."

소저 구가가 예사로우면 구씨(舅氏)께 청하여 표제(表弟)[543]로 동렬을 삼아 주람(周南)의 성사(盛事)를 효칙할 바로되, 태부인과 유씨 모녀의 심술을 생각건대, 진씨 보전키 어려운지라. 나직이 대 왈,

"소질이 구가에 속현한 지 삼삭이니 세밀지사를 어찌 알리까? 다만 존고의 현심 숙덕이 세대의 희한하시고, 계구대인(季舅大人)[544]의 별륜자애(別倫慈愛) 친자에 감치 아니 하시어, 아직 불평한 사단을 지내지 않았으니, 타일은 예탁지 못할지라. 숙부 사량(思量)하여 결단하시고, 소질의 안면으로 강인(强引)할 바 아니니이다. 소질이 표제로 백년을 동거하오매, 어찌 적인(敵人)이라 일컬으며, 표제의 소질 앎이 동포(同胞)의 다르지 아니하오니, 형장이 이를 생각하여 권혼(勸婚) 함이로소이

542) 취모 : 처모(妻母).

543) 표제(表弟) : 외종제(外從弟). 외종사촌 아우를 이르는 말.

544) 계구대인(季舅大人) : 작은 시아버님.

다."

진태우 등 군종이 일시의 허혼하심을 주청하니, 진후 왈,

"혼인은 인륜대관(人倫大觀)이라, 다시 상냥하리라."

남후 소이(笑而) 고 왈,

"일은 신속함이 귀하고 사원의 재취 구할 이 많다 하오니, 숙부의 의향이 계실진대 저 집에 통혼하여 쉬이 성친하심이 옳으니이다."

정언간에 금후 사인을 데리고 이르러 한담할 새, 진공이 사인의 시귀를 보고자 하여 이의 시사를 창화하매, 양(兩) 공으로부터 모든 소년이 다 글을 지으매, 그 중에 병부와 윤사인의 재주 뛰어나니, 진공이 더욱 마음이 기울어, 소왈,

"윤보의 글은 사원에게 비교하매 봉황(鳳凰)이 오작(烏鵲)을 짝지으며, 금옥(金玉)이 사석(沙石)의 섞임 같거늘, 사원과 창화할 뜻을 두니 외람토다."

금후 대소왈,

"나의 서랑의 글이 태사천(太史遷)[545]을 압두하려니와 내 글인들 그대도록 용렬하리오."

진후 웃고 사인을 살피니, 흑관(黑冠)아래 두렷한 풍모는 추월(秋月)이 밝은 듯하며, 봉안에 영채 발월하고, 낯 위에 일만 화색은 춘양에 백화가 다투어 웃는 듯, 당당한 골격이 천승(千乘)을 기필(期必)할지라. 사랑스러운 정을 금치 못하여 사인의 손을 잡고, 금후를 대하여 왈,

"금일 병부 질아가 혼인을 권하니 윤보의 의견은 어떠하뇨?"

---

545) 태사천(太史遷) : 사마천(司馬遷). BC.145-86. 중국 전한(前漢)의 역사가. 태사(太史)는 태사령(太史令)을 지낸 그의 관직명. 자는 자장(子長). 기원전 104년에 공손경(公孫卿)과 함께 태초력(太初曆)을 제정하여 후세 역법의 기초를 세웠으며, 역사책 ≪사기≫를 완성하였다.

금후 진공의 딸 사랑이 병 됨을 아는지라. 자기는 형세 부득이 성혼하였으나 차혼(此婚)을 또 권하여 저의 애녀(愛女)를 또 마저 호혈(虎穴)에 넣게 하기는 참연한 일이라. 침사양구(沈思良久)에 왈,

"피차 겸손할 바 없어 비록 재실이나 어찌 마땅치 않으리오마는, 형의 택서함이 범연치 아니하매 능히 권치 못하나니, 스스로 생각하여 결하고, 구태여 천아의 말을 좇아 마음에 불합한 바를 강위(强爲)치 말라."

진후 소왈,

"윤보의 말이 질녀의 말 같아서 중매(中媒) 되었다가 혹자 원망 들을 일이 있을까 염려함이거니와, 막비천연(莫非天緣)[546]이라, 내 마음에 사원 같은 신랑재(新郎材) 없으니, 재취를 혐의치 아녀 성혼코자 하노라."

금후 소왈,

"나는 중매 되어 타일 원언을 들을까 염려함이 아니라, 나의 서랑을 형의 동상에 옮김을 아처하는[547] 바라."

진후 대소왈,

"윤보 이다지도 궁극한 염려로 차혼을 막음은 생각지 못한 바니, 다만 사원더러 물어, '어느 빙악에게 정이 더 할꼬?' 그 소견을 알리라."

금후 소왈,

"묻지 아녀도 사원이 날로써 범연한 빙악으로 알지 못하리니 위인으로 이른들 형과 같이 대접하랴?"

진후 크게 웃고 사인더러 문 왈,

"내 이제 뜻을 결하여 미약한 여아로써 질아와 한가지로 군의 건즐(巾

---

546) 막비천연(莫非天緣) : (모든 혼인이) 천연(天緣)이 아님이 없다.

547) 아처하다 : 싫어하다. 안타깝게 여기다. 꺼려하다. 아쉬워하다. 서운해 하다.

櫛)을 소임케 하리니, 군의 날 대접이 윤보와 어떨까 싶으뇨?"

사인이 기이사(起而謝) 왈,

"합하 소생의 용우함으로써 옥녀로 재실을 혐의치 않으시니, 불승감격(不勝感激)하와 고할 바를 알지 못하옵나니, 타일 앙성(仰誠)이 어찌 구태여 정대인과 다름이 있으리까마는, 정합하는 선인(先人)과 골육 같은 친우시니, 소생이 우러름을 숙당과 달리 알지 않는 바로소이다."

진후 소왈,

"군언이 옳거니와 다만 인물을 이를진대 뉘 나으뇨?"

사인이 함소(含笑) 무언(無言)이라.

진후 뜻을 결하여 윤추밀에게 청혼코자 하더니, 맞추어 윤공이 금후를 보려 운산에 이르니, 사인이 연망히 맞아 들어오매, 정·진 양 공이 크게 반겨 예필좌정하고, 추밀이 아자의 길기 임박함을 두굿기나, 석사를 척감(慽感)하여 추연 탄식하니, 사인이 비도(悲悼)함을 이기지 못하는지라. 금후 탄 왈,

"석사를 생각하매 놀라오나 이제 사원이 저 같고 영랑이 대현 기상이 가작하니, 명천 형이 사원 형제를 두매 사이불사(死而不死)[548]라. 후사(後嗣)가 빛나며 문호(門戶)의 창성함을 보지 않아 알지라. 소제 근일 사원을 데리고 있어 새로이 아름다움이 어찌 서랑이라 하여 사정에 가림이 되리오."

추밀이 답 왈,

"질애 비록 용우키를 면하나 행신 처사 정대숙연(正大肅然)키는 오히려 제 아우를 미치지 못하니, 이런 곳에 수일을 머물러도 무슨 남사(濫

548) 사이불사(死而不死) : (몸은 비록) 죽었으나 (뒤를 이을 자식이 있어) 죽지 않음과 같음.

事) 있는가. 방심치 못하노라.”

금후 소왈,

“영질이 비록 호방하나 날 같은 정인(正人)으로 오래 동거하면 행실이 더욱 숙연하리니, 형은 괴이한 염려를 말라.”

추밀이 잠소(潛笑) 왈,

“형언 같을진대 창백 형제는 일생 형의 앞에 있으니 하나도 호방한 자가 없으리로다.”

금후 소왈,

“자식이 다 아비 닮기 어렵고 안전에 있다고 하여 행신 처사를 다 배우는 것은 아니로되, 사원 같은 기특한 위인을 우리 같은 정인군자가 아시부터 데리고 있으면, 공맹 같은 성자가 될 것이로되, 형 같은 허랑지인(虛浪之人)이 자질 교훈을 그릇하여 사원이 아직 호방한 듯하나, 타일은 대군자 영준이 되어 만사 무흠하리니, 우용(愚庸)한 아자비 대현의 자질을 하자(瑕疵)치 말라. 소제의 아들이 사원 같으면 천만사를 물려(勿慮)하련마는 광망(狂妄)한 아해라, 나이 차가되 군자의 정도(正道) 멀었고, 삼아 세흥이 또 광망하니 실로 염려 비상하도다.”

윤·진 양 공이 소왈,

“창백의 기이(奇異)함과 세흥의 걸호(傑豪)함을 어찌 나무라 하리오.”

인하여 종용이 한담할 새, 진후 윤공더러 혼사를 간구하니, 추밀이 괴이히 여겨 침음양구(沈吟良久)에 왈,

“진형의 옥와(玉瓦)로써 광천의 재실을 구함도 불가하고, 질애(姪兒) 불과 십삼 소애라. 고인의 유취지년(有娶之年)이 멀었거늘, 만사 분에 넘어 청운(靑雲)[549]에 고등하고, 질부의 백행 사덕이 저의 바랄 바 아

549) 청운(靑雲) : ‘푸른 빛깔의 구름’이란 뜻으로, 높은 지위나 벼슬 따위를 추구하

니니, 다시 번사(繁事)를 구함이 불가한지라. 후의를 받들지 못하리로다.”

사인이 혼사 못될까 근심하나 듣자올 뿐이요, 감히 사색치 못하고, 진공이 소왈,

“소제 육자의 다만 일녀라. 택서하는 마음이 출류(出類)한 이를 구하더니, 천흥이 여차여차 이르니 그 말이 유리한지라. 질녀의 유한함이 아황(娥皇)[550]의 덕을 이을 바요, 아녀가 여영(女英)[551]의 정절함을 거의 따를 것이니, 저희 지친지정으로 다시 동렬지의(同列之義)를 맺아 사원의 내사를 빛냄이 천고미사(千古美事)라. 형은 고집치 말라.”

추밀이 또 사인의 위인이 일처로 늙지 않을 줄 알고 진공의 생출이 반드시 아름다울 줄 지기하여 날호여 미소왈,

“질애 가취지사(可取之事) 없거늘 진형의 구함은 괴이하고, 정형은 질부의 적인을 모으고자 하니 인정 밖이로되, 양형의 말이 이 같으니 소제 막지 못하나 내 집을 한치 말라.”

진후 소왈,

“영질의 풍채 문장을 흠모하여 서랑을 삼고자 함이니, 형은 영질을 계칙(戒飭)하고 가사를 온전히 하여 들어가는 여자를 편케 하라.”

추밀이 소왈,

“광천의 과격함이 군자지덕이 부족하나 그 밖은 대단한 어려움이 없

는 세속적 삶을 비유적으로 이르는 말. 여기서는 ‘과거(科擧)’시험을 뜻한다.

550) 아황(娥皇) : 요임금의 딸로 동생 여영(女英)과 함께 순임금에게 시집가 서로 투기하지 않고 화목하게 잘 살았으며, 순임금이 창오(蒼梧)에서 죽자 함께 소상강(瀟湘江)에 빠져 죽었다.

551) 여영(女英) : 요임금의 딸로 언니 황영(皇英)과 함께 순임금에게 시집가 서로 투기하지 않고 화목하게 잘 살았으며, 순임금이 창오(蒼梧)에서 죽자 함께 소상강(瀟湘江)에 빠져 죽었다.

을까 하노라."

진후 기뻐 혼인을 뇌정(牢定)하고 이윽히 말씀하다가 진후는 협문(夾門)으로 돌아가고, 남후 진부에서 돌아와 추밀께 배현하고 존후를 묻자오니, 추밀이 반겨 소왈,

"창백이 조회 후 옥누항을 지나되 과문불입(過門不入)하니, 결울(結鬱)함[552]을 이기지 못하여 이르렀도다."

남후 사례하고 차 공자의 길기 가까움을 일컬어 깃거하니, 추밀이 탄왈,

"선백(先伯)이 천대하(泉臺下)에 유명(幽明)[553]을 즈음쳐[554] 앎이 없으심을 감창하고, 둘째는 하퇴지의 부자 서촉의 수졸이 되어 원억을 신설할 조각이 없으니 참연함을 이기지 못하노라."

남후 위로 왈,

"석사는 슬퍼하시어 무익하고 하연숙 정충 대절은 일월이 부끄럽지 아니하오니 어찌 매양 곤궁하시리까? 수 삼년지내에 결단코 좋은 일이 있사오리이다."

정·윤 이공이 추연하고 천도 명찰하심을 바랄 따름이로되, 평남후는 김후의 손가락을 깊이 간수하여[555] 하공 신설할 때를 점복(占卜)하니, 오히려 수년이 지나야 신원이 명경(明鏡) 같을지라. 천수를 헤아리고 지레[556] 일을 내지 않으려 하더라.

추밀이 돌아가려 하니 사인이 모셔 가려 한데, 금후 청류(請留)하고

---

552) 결울(結鬱)하다 : 답답하다. 서운하다. 보고 싶다.
553) 유명(幽明) : 저승과 이승을 아울러 이르는 말.
554) 즈음치다 : 가로막히다. 격(隔)하다.
555) 간수하다 : 물건 따위를 잘 보호하거나 보관하다.
556) 지레 : 어떤 일이 일어나기 전 또는 어떤 기회나 때가 무르익기 전에 미리.

추밀이 더 있음을 이르니, 금후 남후더러 왈,

“네 구씨(舅氏)[557] 택서함이 남다르거늘 어찌 월로(月老)[558]를 자임하여 두 집의 중매 되었느뇨?”

남후 복수(伏首) 대 왈,

“소자 구태여 중매 되고자 함이 아니라 우연이 소견을 고하였삽더니, 숙부 향의하여 완정하온가 싶으오니, 또한 천연인가 하나이다.”

금후 미소왈,

“중매 하주(賀酒)를 받으면 좋되 불평함이 있은즉 무안하리니 어찌 부질없지 않으리오.”

남후 궤좌 무언이요, 사인이 들어와 언단을 잠간 들으매, 자기 집 변괴를 금후 이리 이름인 줄 알고, 말을 아니 하더라.

남후 부명을 인하여 선월정에 들어갈 새, 선화정을 지나더니 사인의 어성이 들리거늘 밖에서 소리하고 문을 여니, 소저 일어나 맞고, 사인이 소왈,

“형이 어디 갔다가 야심 후 들어오느뇨?”

남후 왈,

“대인이 취침하신 후 퇴하매, 밤들었거니와[559] 너의 소원대로 나의 표매로 정혼하니, 나의 덕인 줄 아나냐?”

사인이 소왈,

“형이 감언미어(甘言美語)로 차혼이 되도록 함을 어이 모르리오. 소제

557) 구씨(舅氏) : ‘외숙(外叔)’ ‘외삼촌(外三寸)’을 달리 이르는 말.

558) 월로(月老) : 월하노인(月下老人). 부부의 인연을 맺어 준다는 전설상의 늙은이. 중국 당나라의 위고(韋固)가 달밤에 어떤 노인을 만나 장래의 아내에 대한 예언을 들었다는 데서 유래한다.

559) 밤들다 : 밤이 깊어지다. 야심(夜深)하다.

감사하노라.”

남후 소왈,

“너의 호신이 미워 중매를 않으려 하였더니 너의 소청이 석목을 녹이는 고로, 부득이 월로(月老)를 자임하였거니와, 타일 일분이나 불평함이 있으면, 내 실로 위양(渭陽)[560]께 뵈올 낯이 없을로다.”

사인은 함소 무언이요, 소저는 말씀에 참예함이 없으니, 남후 소이문왈(笑而問曰),

“금일 숙부모 현매더러 물으시니, 현매 뿌리쳐[561] 대답하고 타일 불평지사 곧 있으면 어찌하려 하느뇨?”

소저 유유양구(儒儒良久)[562]의 대 왈,

“소매는 오직 ‘숙당의 임의로 하소서’ 하고 형장 같이 권한 바는 없으니, 원간 화복 길흉이 천수라. 매작(媒妁)의 탓이 아니건마는 혹자 불평한 일이 있으면 숙당(叔堂)이 거거를 미안이 아실 듯하고, 소매는 그릇 여기실 바 없을 듯하니이다.”

남후 대소 왈,

“현매의 말이 내 탓을 삼아 발을 빼려 하니, 나의 중매 가장 어린가[563] 하노라.”

하고, 이윽히 말씀할 새 사인을 당부 왈,

“가중이 다 날로 중매함을 우습게 여기고, 소매 또 간예치 말렸노라 하니, 사원은 진매를 취한 후, 일편(一片)도 괴로움이 없게 하라.”

---

560) 위양(渭陽) : 외삼촌을 달리 이르는 말. 『시경』〈진풍(秦風)〉 위양이장(渭陽二章)의, ‘외삼촌을 위양(渭陽)에 보낸다’는 구절에서 유래한 말.

561) 뿌리치다 : 권하거나 청하는 것을 거절하다.

562) 유유양구(儒儒良久) : 한참동안을 결정을[여기서는 ‘대답을’] 못하고 어물어물함.

563) 어리다 : 어리석다. 생각이 모자라거나 수준이 낮다.

사인이 소이대왈(笑而對曰),

“형이 이르지 않으시나 어찌 사람을 괴롭게 하리오. 화복이 유수(有數)하니 인력으로 못할까 하나이다.”

남후 소왈,

“사람의 상모(相貌)가 아매(我妹)와 표매(表妹) 같으면 수화(水火)에 들이쳐도 염려 없으니, 나도 다만 복덕이 완전한 상(相)[564]을 믿노라.”

사인이 진씨 취할 바를 행열하나, 소저는 위태부인과 유씨 모녀의 심술을 헤아려 근심이 깊더라.

남후 일어나 윤부인 침소로 가고, 사인은 본부에서는 부부의 정이 화락치 못하다가, 이에 머물매 금슬지락(琴瑟之樂)이 흡연하니, 금후 부부와 순태부인의 두굿김이 극하더라.

이러구러 하소저의 길기(吉期) 임하니, 사인이 하직하고 돌아가매 금후 훌연(欻然)[565]함을 이기지 못하더라. 윤공이 아자의 길일이 수일이 격한 후 모전(母前)에 고 왈,

“희애(兒)[566] 신장(身長) 거지(擧止) 제 형에게 못함이 없으되, 지금 혼인을 못함이 절박하와 금평후 양녀(養女)와 정혼하여 길신(吉辰)이 우명일(又明日)이로소이다.”

부인이 경왈,

“임의 정혼하였으면 어찌 이제야 이르며, 원간 뉘 집이뇨?”

대 왈,

“작일이야 비로소 완정하여 길기 촉박하니 물리고자 하온 즉, 금후 아

564) 상(相) : 관상에서, 얼굴이나 체격의 됨됨이.

565) 훌연(欻然) : 어떤 일이 생각할 겨를도 없이 급히 일어나는 모양. 또는 그러한 일로 인해, 무엇인가를 잃은 것 같은 서운한 마음이 일어남.

566) 애(兒) : ‘아이(兒)’의 준말.

자의 길복까지 운산에서 차려 보내마 하고, 정일(定日)로 지냄을 이르오니, 부득이 물리지 못하고 규수는 하씨라 하더이다."

태부인이 미급답(未及答)에, 유씨 가로되,

"희천의 전일 정혼하였던 하씨 실산하였다 하더니, 정부에서 찾음이 되니까?"

공이 모호히 답왈,

"촉지 하씨는 호환(虎患)을 만났으니 생환이 어렵거니와 금평후 양녀도 하씨라 하니, 원래 오아(吾兒)가 하씨에게 연분이 있던가 하나이다."

유씨 착급하여 심리의 분분(紛紛)하나, 수 일 격한 혼인을 능히 작희(作戱)할 도리 없어, 신묘랑이나 청하여 의논코자 보수암에 사람을 보내니 마침 나간 때라, 사사(事事)에 뜻 같지 않음을 한하여 의형이 환탈하며, 희천의 지성대효(至誠大孝)를 더욱 밉게 여기더라.

길신(吉辰)[567]이 임하매 대연을 배설하여 인리 친척을 모을 새, 비로소 하씨의 근본을 모친께 고 왈,

"소자 아까야 들으니 신부 촉지 하공의 여자라 하오니, 불승행열(不勝幸悅)하여이다."

부인은 구태여 말이 없으되, 유씨는 자기를 속여 사인과 추밀이 규규(糾糾)히[568] 정혼하여, 길일이 임한 후 소문을 내어 말함을 밝히 지기하고, 독한 분과 미운 마음이 칼 같으나, 사색을 화히 하여 흐르는 말씀으로 영접하니, 사광(師曠)의 총명 밖은 그 심사를 알 리 없을러라.

날이 반오(半午)에 사인이 공자를 데리고 들어와 길복을 입힐 새, 정부에서 윤부인이 일습 길복을 지어 보냈으니, 유씨 더욱 앙앙증통(怏怏

---

567) 길신(吉辰) : =길일(吉日). 혼인날.

568) 규규(糾糾)히 : 서로 뒤얽혀져, 서로 얽혀 한 덩어리가 되어.

憎痛)하고, 조부인과 구파, 유씨의 심폐를 알아 깊은 염려 무궁하고, 추밀은 부인의 지악(至惡)을 몰라, 한갓 선백(先伯)을 추모하고 척감함을 마지않더라.

공자 훤연한[569] 신장에 길복을 갖추고 전안지례(奠雁之禮)를 습례하니 선풍옥골이 표표히 진세의 물들지 않아, 춘원(春園)에 만화방창(萬花方暢)한 듯, 이두(二杜)[570]의 풍채를 묘시(藐視)[571]하고 진상국(晉相國)[572]의 관옥지모(冠玉之貌)[573]를 낮게 여기니, 공이 그 손을 잡고 척연히 낯빛을 고치며 조부인께 고 왈,

"금일 희아의 관복 가운데 청고한 신채 얼핏 형장과 방불한 곳이 만사오니 소제 감척함을 이기지 못 하리로소이다."

조부인이 쌍루(雙淚)를 드리워 오열할 따름이요, 구파의 두굿김과 슬퍼함이 추밀과 일양이니, 태부인이 중목(衆目)을 위하여 눈물을 흘리며, 입을 비죽여 석사를 느끼며 두굿김이 과하니, 조부인과 구파 그 내외 현격함을 탄하더라.

공자 존당 부모께 하직하고 이에 허다 위의를 거느려 운산으로 향하니, 정부에서 이날 설연하여 빈객을 대회(大會)하고 신부를 보낼 새, 하소저 양부모의 지극한 자애를 감은하고, 남후 등 제거거(諸哥哥)의 두터운 우애를 의지하여 삼년 이친지회(離親之懷)를 위로하여 안과(安過)하는 바더니, 성혼(成婚) 대례(大禮)를 당하매, 생부모 아득히 보지 못하

---

569) 훤연하다 : 훤칠하다. 길고 미끈하다.

570) 이두(二杜) : 중국 당나라 때 시인 두목지(杜牧). 미남자로, 두보(杜甫)와 함께 이두(二杜)로 일컬어진다.

571) 묘시(藐視) : 업신여기어 깔봄.

572) 진상국(晉相國) : 중국 서진(西晉)의 미남자 반악(潘岳). 자는 안인(安仁). 승상을 지냈고 미남자의 대명사로 쓰인다.

573) 관옥지모(冠玉之貌) : 관옥처럼 아름다운 모습. 관옥은 관(冠)을 꾸미는 옥.

심을 슬퍼하고, 양부모 슬하를 마저 떠남을 악연 비상하여, 식음을 물리치고 때때 홍루(紅淚) 유미(柳眉)를 적시니, 순태부인과 진부인이 어루만져 위로(慰勞) 무양(撫養)함이 강보유녀(襁褓幼女) 같고 정소저 식음을 자주 권하며 위로 왈,

"현매의 심회 어찌 이렇지 않으리오마는 비도(悲悼)함이 무익하고, 비록 구가에 가나 나로 더불어 안항(雁行)의 정을 이음이 본부나 다르지 않으리니, 심사를 널리 하여 질(疾)을 이루지 말라."

하소저 탄식 무언이러니, 길석(吉席)을 당하여 윤・양・이 등과 정소저 신부를 단장하여 습례하니 백미천향(百美天香)이 진선득중(眞善得中)[574]하여 인류(人類)에 빼어나니, 빈객이 칭찬 왈,

"남후 등 칠남매 개개히 출류(出類)함은 금후와 진부인 생출이매 출어범류(出於凡類)[575]함이거니와, 양녀(養女)까지도 이같이 비상하심은 존문의 복경(福慶)이라. 첩 등이 제 소저를 구경하매 유광(有光)함이 극하도소이다."

금후 부부 두긋김을 띠어 대 왈,

"소생이 조선의 묵우(黙祐)하심을 입사와 여러 자녀 무용(無用)키를 면하고, 식부 등은 각각 지아비의 외람한 아내들이라. 양녀(養女)에 이르러는 저의 정사가 호화치 못하니, 연애(憐愛)함이 친생에 위더니, 이제 성혼하매 저의 용모 위인이 구가(舅家) 나무라지 않을지니, 두긋겁고 행심함이 극하이다."

하더라. 이윽고 신랑이 이르러 전안(奠雁)하니 태부인과 진부인이 일시에 규시(窺視)하매, 영풍옥골이 수려 쇄락하여 사인과 한 판에 박은

574) 진선득중(眞善得中) : 참되고 착한 것이 지나치거나 모자람이 없이 알맞음.
575) 출어범류(出於凡類) : 보통사람들 보다 뛰어남.

듯, 단엄침중한 거동이 잠간 다르니, 용호 같은 위풍이 하일(夏日)의 두려움을 가져 호걸의 기상은 사인이 낫고, 성현군자지풍(聖賢君子之風)은 신랑이 나으나, 풍류(風流)[576]용화(容華)는 막상막하(莫上莫下)라.

태부인과 진부인이 영행함을 이기지 못하고, 제빈이 만구 하례하여, 하소저 일생이 쾌할 바를 일컫더라.

공자 전안지례를 파하매, 남후 등이 팔 밀어 좌에 드니 금후 흔연 집수 왈,

"우리 양가 정분으로 자녀를 바꾸어 후의를 맺으매, 인연이 기구하여 사빈이 또 내 집 문란(門欄)의 광채를 도우니 어찌 행열(幸悅)치 않으리오. 여아 생친(生親)을 누천 리에 이별하고, 외로운 몸이 사빈의 건기(巾器)를 소임 하니, 미세한 허물이 있으나 군은 인자관홍(仁慈寬弘)한 군자라. 여자 일신이 안한(安閑)케 함을 바라노라."

생이 흠신(欠身) 사사(謝辭)하고 날이 늦으니 신부 상교(上轎)를 재촉하여, 사인이 정소저의 먼저 돌아감을 바야니[577], 소저 위험한 구가의 나아갈 바를 생각하고, 옥장(玉腸)[578]이 놀랍되, 강인하여 존당 부모께 하직할 새, 금후 좌우의 친척이 성렬(盛列)하매 긴 설화를 펴지 않고, 오직 하아(兒)로 더불어 좋이 지냄을 당부할 따름이라. 태부인과 진부인이 누수를 금치 못하니, 소저 심사 불평하나 화성유어로 친전에 배사(拜謝)하고, 동기로 분수 하여 상교할 새, 윤부인이 난간에 나와 척연 수루 왈,

"연석에도 참예치 못하니 원컨대 현매는 하소저로 더불어 길이 무양

576) 풍류(風流) : ① 풍채. 멋스럽고 풍치가 있는 일. ② 멋스럽고 풍치 있게 노는 일. 화조풍월(花鳥風月)을 즐김. 여기서는 ①을 뜻함.

577) 바야다 : 재촉하다. 조르다.

578) 옥장(玉腸) : 옥처럼 굳은 마음.

하소서.”

정소저 탄 왈,

“저저는 심회를 편히 하시어 소매를 물념(勿念)하실지니 때를 타 귀녕하면 서로 반기리이다.”

언필에 상교하매 홍선 등이 사지의 나아감같이 슬퍼하더라.

신부 상교할 새, 성안에 주루(珠淚) 산산(潸潸)하여[579] 존당에 배사하니 금후 어루만져 왈,

“범사를 형제 상의하여 지내고 적은 이별을 슬퍼 말라.”

태부인과 진부인은 함루(含淚)하고 효봉구고와 승순군자를 경계하며, 신랑이 금쇄(金鎖)로 봉교(封轎)하여 돌아올 새, 명공거경과 공후재열(公侯宰列)이 요객(繞客)으로 장한 위의 일로(一路)에 휘영(輝映)[580]하고, 관광자 책책(嘖嘖) 칭선하여 천상랑(天上郞)이라 하더라.

부중(府中)의 다다라 양 신인이 청중(廳中)에서 독좌(獨坐)[581]할 새, 남풍여모(男風女貌) 일쌍호구(一雙好逑)라. 교배(交拜)[582]를 맞고 신부 단장을 고쳐 존당구고께 조율(棗栗)을 헌하고 팔배대례(八拜大禮)[583]를 행할 새, 홍일(紅日)이 오운(五雲)을 멍에 하여 부상(扶桑)[584]에 오르는 듯, 남전미옥(藍田美玉)[585]을 다듬어 기화(奇花)를 채색한 듯, 미우팔채

579) 산산(潸潸)하다 : (눈물이) 줄줄 흘러내리다. 빗줄기가 쏟아져 내리다.

580) 휘영(輝映) : 휘황(輝煌). 휘황찬란함.

581) 독좌(獨坐) : 독좌례(獨坐禮). 혼인례에서 대례(大禮)를 달리 이른 말. 즉 신랑과 신부가 대례를 행할 때 각각의 앞에 음식을 차려 놓은 독좌상(獨坐床)을 놓고 교배(交拜)・합근(合巹) 등의 의례를 행하는 것을 비유하여 쓴 말이다.

582) 교배(交拜) : 전통 혼인례에서, 신랑과 신부가 서로 맞절을 함.

583) 팔배대례(八拜大禮) : 혼례(婚禮)에서 신부가 신랑의 부모께 처음 뵙는 예(禮)인 현구고례(見舅姑禮)를 행할 때 여덟 번 큰절을 올렸다.

584) 부상(扶桑) : 해가 뜨는 동쪽 바다.

585) 남전미옥(藍田美玉) : 남전산에서 나는 아름다운 옥. *남전(藍田); 중국(中國)

(眉宇八彩)는 성자기맥(聖姿氣脈)이 온전하고, 사일안채(斜日眼彩)엔 현성(賢聖)한 덕기(德氣) 나타나, 기상이 임하사군자(林下士君子)의 풍을 겸하였으니, 어찌 한갓 규중여자리오.

추밀이 대희과망(大喜過望)하고 조부인이 이 같은 숙녀를 보매 흔행(欣幸)함을 이기지 못하나, 자녀 혼취에 다다라 심장이 더욱 최절(摧折)하니 누수를 능히 금치 못하고, 태부인과 유씨 모녀는 놀랍고 분함을 이기지 못하여 도리어 석사를 추감(追感)하는 듯이, 분한 눈물을 흘려 상서의 보지 못함을 슬퍼하니, 추밀이 모친과 수시를 관위하고 신부를 나오게 하여 무애 왈,

"현부는 돈아의 아시(兒時) 정맹(定盟)이라. 사고 괴이하여 실산지화를 보니, 뉘 도리어 정형과 부녀의 친(親)을 맺어 여러 춘추 지냄을 뜻하였으리요. 이제 오문(吾門)에 돌아와 슬하를 빛내니 희행(喜幸)함을 이기지 못하나, 하형이 경사를 한가지로 못 봄을 슬퍼하노라."

하고, 그 기질을 사랑하니 만좌 빈객이 만구칭하(萬口稱賀)한데 추밀이 좌수우응(左酬右應)하여 사양치 아니하더라.

섬서성(陜西省)에 있는 산 이름으로 옥의 명산지.

ꪶ

명주보월빙 권지십칠

어시의 윤추밀이 신부의 기질을 사랑하니, 만좌 빈객이 만구칭하(滿口稱賀)한데, 공이 좌수우응(左酬右應)하여 사양치 않고, 태부인과 유씨의 두굿기며 기쁜 말이 하수(河水)를 드리운 듯, 구파 지성으로 과망 대열하는 중, 위·유의 내외 현격함을 애달라 하더라.

공이 아자를 명하여 부부 쌍으로 사묘(祠廟)에 현성(見聖)[586]할 새, 조선 신위에 배알하고 대야(大爺)[587] 사묘(祠廟)에 다다라는 탄성 오읍하여 누수 첨의(沾衣)하니, 신부 본디 슬픔을 품은 바로 감척함이 더하더라. 사묘에 내려 다시 좌정하매 만목이 다 정·하 양소저 신상에 있어, 만심 갈채하여 왈,

"한 가지 혈육지신(血肉之身)이 어찌 저토록 기이한고?"

하더라. 추밀이 좌우로 고면(顧眄)하여 양부(兩婦)의 화옥 같은 면광(面光)을 두굿겨 만심 환열하니, 제빈이 치하 분분하여 종일 단란하다가 석양에 각산귀가(各散歸家)하고, 신부 숙소를 채련각에 정하여 보내매, 공자를 명하여 신방으로 가라 하니, 공자 배사하고 야야를 모셔 상요를 바로 한 후, 물러 신방에 이르니, 신부 일어나 맞이하매, 팔을 들어 좌를 청하고 눈을 들어 얼굴을 보니, 옥모염광(玉貌艶光)이 자약기려(自若

---

586) 현성(見聖) : 자손이 돌아가신 조상의 무덤이나 위패 앞에 나가 절하고 뵙는 일.
587) 대야(大爺) : =대인(大人). 문어체에서, '아버지'를 높여 이르는 말.

奇麗)하여 미우팔채(眉宇八彩)와 양안정기(兩眼精氣) 복덕이 어리었으니, 생이 그 현숙함을 더욱 깃거, 말씀을 펴 가로되,

"우리 양인이 강보(襁褓)[588]에 정약한 바로 불행하여 존부 참화를 만나 촉지에 유찬(流竄)하시니, 위하여 통원(痛寃)하던 바요, 그대 또 실산지화를 만나, 정형의 구한 바로 구약을 성전(成典)하니 행열(幸悅)한 중, 생의 슬픔이 이 때에 더하고 자(子)의 정사 비절하니, 석자(昔者) 정혼지시와 인사 변역(變易)함을 탄하나이다."

소저 관잠(冠簪)[589]을 수렴하여 공경 문파(聞罷)에 아황(蛾黃)[590]이 수색(愁色)하여 감척(感慽)하는 태도 더욱 기이하니, 생이 천고절염숙녀(千古絶艶淑女)를 대하여 은애(恩愛) 취동(醉動)함을 어찌 참으리요마는, 피차 연유(年幼)한 고로 오직 소저를 편히 쉬게 하고, 자기 또한 금리(衾裏)에 나아가 일침지하(一枕之下)에 쌍옥(雙玉)이 완전하니 백세기봉(百世奇逢)이오, 천생기연(天生奇緣)이라.

구파 규시(窺視)하고 돌아오는 길에 채봉각을 잠깐 보매, 사인이 취침하되 호호한 언담이 끊이지 않아 진씨 취할 바를 가장 즐기되, 소저 일언을 불응이라. 구파 해월루에 돌아와 공자의 온중함과 사인의 화려함을 일일이 전하니, 조부인이 아자의 숙성함을 두굿기고 백아(伯兒)의 호방함을 민망하여 왈,

"혬 없는 아해 가중 사세를 생각지 아니하고, 오직 숙녀미희를 수없이

---

588) 강보(襁褓) : 포대기. 어린아이의 작은 이불. 덮고 깔거나 어린아이를 업을 때 쓴다. 여기서는 포대기 속에 감싸여 있는 때. 곧 '갓난아기 때'를 말함.

589) 관잠(冠簪) : 부녀자들이 예복을 입을 때에 머리에 얹던 족두리 따위의 관(冠)과 쪽 찐 머리가 풀어지지 않도록 꽂는 비녀를 함께 이르는 말.

590) 아황(蛾黃) : 여자의 분바른 얼굴. 아황(蛾黃)은 예전에 여자들이 얼굴에 바르던 누런빛이 나는 분을 말함.

모으고자 마음뿐이니, 어찌 근심되지 않으리오.”

구파 소왈,

“사인은 가중사(家中事)를 살피지 않음이 자기에게 가장 유익하여 등과 후는 더욱 기운이 충천하니, 괴로운 근심을 않음이 가장 쾌활 터이다.”

부인이 탄 왈,

“이러므로 광아는 오히려 염려 적되 참연 자닝함이 희아와 정소부러니, 신부 또 들어오니 어이 견줄 곳이 있으리오. 하일하시(何日何時)에 가내 화평함을 보리오.”

구파 위로하고 부인을 주야 떠나지 아니하더라.

명신(明晨)에 하소저 존당구고께 신성(晨省)하니 조부인과 추밀의 사랑이 친녀에 감치 아니하되, 위·유 조손고식모녀(祖孫姑媳母女)는 조부인 삼모자를 미워함이 날로 더하니, 태부인이 조부인으로부터 정·하 양 소저를 조로고 보챔이 점점 극악하여, 차마 듣지 못할 말과 견디지 못할 거조가 시로 더하니, 조부인이 양부를 보전치 못할까 주야 방심치 못하는 중, 진부에서 택일을 보하여 길기 수순이 격하니, 조부인이 사인을 대하여 돌차(咄嗟)[591] 왈,

“가중 사세 여등의 일처도 보전키 어렵거늘 또 신취하여 무죄한 여자로 참화를 보게 하니, 호신(豪身)도 곡절이 있으니, 어찌 혬 없기 이다지도 하뇨?”

사인이 잠소 대 왈,

“자위(慈闈)는 물우(勿憂)하소서. 고진감래(苦盡甘來)라, 소자 등이 미양 이럴 바 아니요, 조모와 숙모가 필경은 감동하시어 가내 여화춘풍(如

---

591) 돌차(咄嗟) : ①혀를 차며 애석하게 여김. ②꾸짖음.

和春風)하오리니, 주야 근심하심이 무엇이 유익하시리까? 소자 호신으로 진씨를 자구(自求)함이 아니요, 저 집이 계부(季父)께 청하여 쾌허하시니, 소자 가중 형세 이렇다 하고 바로 일러 사양할까 싶으리이까?"

부인이 미소왈,

"말이 쾌하나 네 근심이 적지 않으리라."

사인이 함소 대 왈,

"금일 술이 있으매 취하고 명일 일이 있으매 당하라 하니, 해애 비록 용우(庸愚)하오나 팔척 장부로 일야(日夜) 우우척척(憂憂慽慽)함이 궁상만 채울 뿐이요, 유익치 않으니이다."

부인이 아자의 춘풍화기와 쾌한 말 곧 들으면 또한 잠소하여 심리에 두굿기더라[592].

유씨 모녀 의논이 밀밀하여, 구파를 두어서는 그 입을 막지 못하고 불미지설(不美之說)이 창루(唱漏)하며, 조씨 있으면 양아와 정·하를 없애기 어려우니, 구·조 양인을 먼저 없이 하고 차례로 도모하리라. 위씨 왈,

"현부의 말이 옳으나 조씨 총명여신(聰明如神)하고 견고출인(堅固出人)하니 죽일 길이 없고, 구파는 비록 천인이나 선군의 총희로 오애(吾兒) 섬김을 노모 버금으로 하니, 광천 등이 또한 지성(至誠)이라. 쉬이 해치 못할까 하노라."

유씨 왈,

"신묘랑을 청하여 상의하사이다."

유씨 세월로 묘랑을 청하니, 이윽고 이르렀거늘, 유씨 먼저 하씨 들어옴을 이르고, 이제 점점 성당(成黨)하여 해하기 어려움을 이르고 초조착

592) 두굿기다 : 자랑스러워하다. 대견해 하다. 흐뭇해하다. 기뻐하다.

급(焦燥着急)한대, 묘랑이 하씨 금사강에 빠진 줄 아는지라 가장 놀라 왈,

"하소저 촉도(蜀都) 익수지환(溺水之患)이 벌써 삼년이거늘 어찌 살았다 하시느뇨?"

유씨 왈,

"사부 믿지 아니 커든 이제 불러오리니, 보라."

묘랑 왈,

"불러 무엇하리까? 빈도가 가보리라."

하고 몸을 흔들어 비조(飛鳥) 되어 하소저 침소에 나아가 자세히 보니, 삼년 내에 방신이 더 자라 부인의 위의 엄연할지언정, 옥모화용이 정녕한 하씨라. 심리(心裏)에 경겁(驚怯)하여 왈,

"사람의 상모(相貌)가 길복이 완전한 후는 수화중(水火中)에 들이쳐도 보전하는 것이로다. 이제 위・유 등이 해하려 하는 사람들이 하나도 범인이 아니요, 대 귀인이라. 나의 도술이 발뵈기[593] 어려우리니 어찌 절민치 않으리오."

의사 이에 미처는, 유씨의 금을 과히 가짐을 후회하나, 욕심이 무량한 고로, 유씨를 절교할 뜻이 없어, 이에 돌아와 요두(搖頭) 왈,

"하씨 금사강 어복을 채운 줄 알았더니, 완연이 생존하였음을 경혹(驚惑)하나이다."

유씨 구파를 먼저 죽임을 청한대, 묘랑이 대 왈,

"불연(不然)하이다. 귀부 형세를 스치건대 노야께서 자질 사랑이 병되시고, 조부인을 태부인 버금으로 섬기시니, 행사한 후는 노야께서 발

593) 발뵈다 : '발보이다'의 준말. ①남에게 자랑하기 위하여 자기가 가진 재주를 일부러 드러내 보이다. ②무슨 일을 극히 적은 부분만 잠깐 드러내 보이다.

분하여 간정을 핵실하시면, 부인이 용납키 어려우리니, 빈도는 노야로 하여금 자질 사랑하는 마음을 끊게 하고, 조부인 섬기는 정성이 없게 한 후, 대계를 운동하여 도모하리니, 빈도가 부인을 사귄 지 삼년에 한 일도 성공치 못하니, 스스로 참괴하여, 노야의 변심(變心)하실 약을 얻어오고자 하나이다."

유씨 춘몽이 처음으로 깬 듯하여 대열 왈,

"가군이 만일 마음이 변할 약이 있으면 무슨 근심이 있으리오. 사부 어디 가 얻어오고자 하느뇨?"

묘랑 왈,

"시속(時俗)에 도봉잠[594]이란 약이 있어 인심을 바꾸나, 빈도의 약은 각별한 재류(材類)니, 명왈 익봉잠[595]이라. 도봉잠은 일년수(一年壽)를 감하는데 익봉잠은 삼년수를 감하여, 차사(此事)가 비록 절박하나, 부인이 사사원(私事願)을 이룬 후에 산천에 기도(祈禱)하여 노야(老爺)의 수를 못 이으리까?"

유씨 공의 감수(減壽)함도 놀라지 아니하고, '어서 익봉잠을 가져와 시험하라' 하니, 묘랑 왈,

"심산 도사의 범연히 파는 약류에 준재(準材)[596] 들지 않았으니, 빈되 사월(四月)을 그음하여 재류를 친히 간검(看檢)하여 지어오리니 부인은 그 사이 좋은 사식(奢食)으로 조부인 고식을 잘 대접하소서."

유씨 왈,

---

594) 도봉잠 : 한국 고소설에서 악류들이 특정인의 마음을 변심시켜 자신들의 뜻대로 조종하기 위해 흔히 쓰는 소설적 도구.

595) 익봉잠 : 이 작품에서 요도 신묘랑이 제조해서 악류들에게 유통시키고 있는 도봉잠류의 요약.

596) 준재(準材) : 어떤 것의 판단준거가 되는 중요한 재료.

"사부 약을 지어가지고 어느 때 오려 하느뇨?"

묘랑 왈,

"준재를 모아 익봉잠 뿐 아니라 부인의 쓰고자 하는 약류를 많이 모아 오리니, 석학사 재실 오씨는 명년쯤에 없이 하리이다."

경애 더욱 깃거 석생의 변심할 약을 얻어 오라 하니 묘랑이 소왈,

"익봉잠은 쓰면 곧 변심치 않는 이 없으니 소저는 물우(勿憂)하라."

유씨 모녀 백은(白銀) 일천 냥을 주어 약값을 하고 쉬이 오기를 당부하니, 묘랑이 언언 응낙하고 천금을 가져 암자로 돌아오니, 원래 묘랑에게 온갖 약이 가득하였으니 새로이 지을 바 아니로되, 거짓 약 짓는 체하여 천연세월하여, 두루 다니며 요악한 여자와 질투한 부인을 두루 사귀어 악사를 날로 행하되, 해인(害人)함이 조부인 모자(母子) 고식(姑媳) 같이 어렵지 않아, 범범한 자의 긴 명을 끊으며 짧은 명을 잇노라 하여 요술이 비상하니 허박(虛薄)한 유(類)는 신명(神明)같이 대접하더라.

유씨 약을 지으러 보내고, 스스로 마음을 위로하여 사인의 재취 길일이 다다르매, 묘랑을 믿어 조씨 모녀 자부를 함께 서릇으려[597] 함으로 저기 방심하더라. 경아는 사오 삭이 바삐 지나면 적인을 없이할까 흔흔열지(欣欣悅之)하니, 아지못게라! 차 양녀와 위흉의 소원을 일운가 하회를 석람(釋覽)하라.

재설. 문양공주 고루(高樓)에서 정병부의 입공 승전하여 돌아오는 위의를 구경하며 기이한 풍모 용화를 흠복하여, 음정(淫情)이 불 일 듯하여 능히 참지 못하니, 황후의 책교(責教)를 듣자오나 임의로 차마 돌이킬 길이 없는지라. 음식을 대하매 후설을 넘길 의사 없고 밤을 당하나 다만 촉영(燭影)을 느끼는 한이 한 점 졸음이 없어, 주주야야(晝晝夜夜)

---

597) 서릇다 : 거두어 치우다. 정리하다. 없애다. 죽이다.

에 정병부 사상하는 마음이 망부석(望夫石)[598]이 되고자 하니, 그 쇄락한 용화가 안저(眼底)에 삼삼한지라. 만사 부운 같아서 옥모 초췌하고 화용이 수척(瘦瘠)하여 촉뇌(髑腦)[599] 되어, 스스로 방신을 버려 숙식을 전폐하고 짧은 한숨과 긴 탄식이 스스로 강인치 못함이 되어, 만일 정병부와 동방쌍유(洞房雙遊)를 이루지 못하면, 훌훌히 세상을 버리기에 미칠지라. 천사만려(千思萬慮) 백출(百出)하니, 혜오대,

"내 성상의 골육으로 한낱 신하를 두려 뜻을 이루지 못하고 십삼 청춘에 인세를 하직하면, 명목(瞑目)[600]한 귀신이 되지 못하리니, 인병치사(因病致死)[601]하기에 미치거든, 성상의 뜻을 보리라."

하고, 인하여 넋을 버려 증세 시일로 층가(層加)하니, 김귀비 소생이 문양뿐이라. 귀비 여아를 어루만져 쌍루환난(雙淚汍亂)하여 왈,

"나의 골육이 너 하나 뿐이라. 무슨 괴이한 병이 졸연히 황양(黃壤)[602]길을 바야니, 만일 네 죽으면 내 따라 세상을 버리리라."

공주 모비의 슬퍼함을 본즉 진진이 느끼되, 모녀간이나 차마 외인을 상사(相思)함을 이르지 못하고 점점 위악(危惡)하니, 상이 경려하시어 일등 녀의로 간병하시니, 여의(女醫) 양미랑은 당금 무쌍한 의술이라, 맥후를 이윽히 보고 벌써 상사병(相思病)임을 알고 대경하여 감히 직고치 못하고, 천문에 주할 바를 몰라 황민(惶憫)할 차, 공주 보모 최상궁

---

598) 망부석(望夫石) : 정조를 굳게 지키던 아내가 멀리 떠난 남편을 기다리다 그대로 죽어 화석이 되었다는 전설적인 돌. 또는 아내가 그 위에 서서 남편을 기다렸다는 돌.

599) 촉뇌(髑腦) : ≒촉루(髑髏). 해골(骸骨). 살이 다 썩어 뼈만 남은 죽은 사람의 머리뼈.

600) 명목(瞑目) : 눈을 감음.

601) 인병치사(因病致死) : 병으로 인하여 죽기에 이르름.

602) 황양(黃壤) : 황천(黃泉). 저승.

은 간능다모(奸能多謀)한지라. 여의의 기색을 스치고 물어 왈,

“옥주 환후 회춘치 못하랴?”

미랑이 대 왈,

“옥주 소원을 이루시면, 즉차(卽差)하시려니와, 불연즉(不然則) 어려우니, 상궁이 묻자와 ‘무슨 생각이 계신고?’ 알아보소서.”

최씨 응낙하고 귀비께 고 왈,

“옥주 간간이 긴 한숨과 저른[603] 탄식이 소회 계신 듯하고, 때때 슬퍼하시니 비록 환후 계시나 무단이 그리하실 리 없으니, 녀의의 말이 여차여차하오니 낭랑이 간절히 물어보소서.”

귀비 최씨를 데리고 병소에 와 손을 잡고 함루(含淚) 문 왈,

“네 병이 날로 위중하니 살기를 바라지 못할지라. 여의 맥을 보고 심중에 생각는 것이 있어 병이 되었다 하니, 천하에 친하고 종요로움[604]이 모녀 밖에 없으니, 아무리 어려운 일이라도 되게 하리니, 성상 총우를 받잡고, 정궁 탄생 공주나 다르지 않게 자애(慈愛)하시니 오아(吾兒)는 소회를 실진무은(實陳無隱)하라.”

공주 낯이 붉어 소회 만단이라. 귀비 더욱 간절히 물으니 공주 날호여 길이 느껴 왈,

“비록 죽으나 소녀의 탓이라, 누구를 대하여 이 말을 하리까? 과연 모년모일에 평남대원수 정천흥의 반사(班師)하는 위의를 고루에서 보매, 문득 병세 살지 못하게 되니, 스스로 명박(命薄)하여 만승지녀(萬乘之女)[605]로 외조 신자를 사상(思想)하여 질(疾)을 이룸이 망측 한심하니,

---

603) 저르다 : ‘짧다’의 옛말.

604) 종요롭다 : 없어서는 안 될 정도로 매우 긴요하다. 틈, 거리, 간격 등이 없다. 격의(隔意)없다. 허물없다. 여기서는 ‘허물없다’는 의미.

605) 만승지녀(萬乘之女) : 천자의 딸. *만승(萬乘); 만대의 병거(兵車)라는 뜻으로,

스스로 참괴하여 마음을 널리고 천흥 잊기를 공부하나, 그 영풍(英風)이 안전에 박혀 혼백이 정가를 따로는 듯하니 어찌 능히 살리이까?"

귀비 청파에 대경하나 또한 깃거 왈,

"소회 이럴진대 벌써 이르지 아녔느뇨? 정자 소년이나 위에 좋은 처첩이 여럿일지라, 연이나 성상이 사정으로써 대의를 굽히지 않으실지니, 너의 안전(眼前)에 적인(敵人)이 있을까 두리노라."

공주 애고(哀告) 왈,

"정자의 여럿 째 부실이라도 저의 기물(器物) 되기를 바라, 적인의 다소를 생각지 않나이다."

정언간의 상이 친임하시니 귀비 좌를 떠나 눈물을 흘려 왈,

"문양의 일명은 폐하께 있삽나니, 저의 소원과 질양의 빌미 십분 불미(不美)하나, 천연(天緣)이 괴이하여 제 마음이나 임의치 못 하옵나니, 성상이 구(救)치 않으시면 신이 한가지로 죽어 보지 말고자 하나이다."

상이 가장 총애하시는 고로 문 왈,

"문양의 병을 인력으로 구할진대 짐이 부자천륜(父子天倫)으로 골육(骨肉)의 죽음을 안연하랴?"

귀비 부복 주 왈,

"문양이 모일에 정궁 낭랑을 모셔 평남원수의 환조(還朝)하는 위의를 구경하고 사상(思想) 침질(寢疾)하여 장야불매(長夜不寐)하니 죽음이 반듯할지라. 오직 그 목숨 구하심이 정자에게 하가(下嫁)하시는 성지(聖旨)를 나리오신 즉, 십삼 청춘에 참사(慘死)하는 일이 없고, 신이 또한 딸을 마치지 않으면 보전하오리니, 두 목숨이 사는 길이라. 한갓 자애로

천자 또는 천자의 자리를 이르는 말. 중국 주나라 때에 천자가 병거 일만 대를 직예(直隸) 지방에서 출동시켰던 데서 유래한다.

의논치 말고 호생지덕(好生之德)이 되리로소이다."

상이 문파에 옥색(玉色)이 불예(不豫)하시어 왈,

"짐이 벌써 문양도위(都尉)를 간선(揀選)코자 하되 정궁 제 공주를 하가한 후 조용히 간택코자 하더니, 어찌 이렇듯 불행할 줄 알리오. 여자 되어 만승지녀(萬乘之女)로 외조 신자를 사상함이 한심한지라. 정자 처첩이 여럿일지라, 국법에 유처지신(有妻之臣)을 부마 삼는 일이 없고, 천흥의 위인이 뇌락(磊落) 준열(峻烈)하여 군명이나 일이 정도 아닌 즉, 죽기로써 다투리니 난처하거니와, 문양의 죽음을 차마 보지 못할지라. 경은 위로하여 그 병이 하리게 하라."

귀비 배사 왈,

"문양의 일명을 구하시니 천은이 황감하도소이다."

상이 불열하시나 문양도위를 정병부로 정하려 하시니, 십전(十殿)[606] 재열명류(宰列名流)를 다 문화전(文華殿)[607]에 모이라 하시니, 정병부 작품(爵品)이 으뜸으로 제 학사를 거느려 응조(應朝)하매, 상이 친히 글제를 내시고 지으라 하시니 중인이 일시의 휘필할 새, 병부 형제와 윤사인은 일각에 지을 것이로되 남의 위됨을 괴로워 완완히 지어 바치니, 상이 이미 내시로 병부의 글을 알아보기 쉽게 가져오라 하여계신지라. 제인의 글을 어람(御覽)하시어 이중의 윤광천의 글과 정인흥의 글이 이두(李杜)를 압두할지라. 상이 용연(龍硯)과 봉필(鳳筆)을 상사(賞賜)하시고, 남후의 글을 최후에 보시매 윤광천의 글과 고하를 정치 못할지라. 상이 칭찬하시고 삼공(三公) 이하를 패명(牌命)하시어 정병부의 글을 보

---

606) 십전(十殿) : 궁중에 있는, 조정(朝廷) 각 부서의 관료들이 집무하던 전각(殿閣)
607) 문화전(文華殿) : 중국 명나라 때 황제들이 강관(講官)의 경사(經史) 강의를 듣던 궁전으로 옛 자금성 안에 있었다.

이고 왈,

"짐이 금추의 정궁 탄생한 공주를 하가할지라. 부마를 간선코자 하되 겨를치 못할 뿐 아니라, 후궁 김귀비 소생 문양공주는 기특함이 화옥(花玉) 같은지라. 범연한 유생을 간택함이 불가하여 금일에 십전(十殿) 명류(名流)를 모아 글을 지이니, 풍채 문장이 짐심에 합한 자 정천흥이라. 뜻을 결하여 정하나니 조정은 지실하고 흠천감(欽天監)[608]은 택일하라."

삼공이 주왈,

"정천흥을 부마를 삼고자 하시나, 이미 여러 처실을 두었사오니, 유처(有妻)한 신자를 부마 삼는 규구(規矩)는 업나이다."

상 왈,

"천흥이 위채 숭고하니 자연 처첩이 있으려니와 규구를 달리하여 이미 얻은 처첩은 허하여, 천흥의 부실(副室)로 두게 하리라."

병부 경해(傾駭)하여 부복 주 왈,

"성교를 듣자오매 황공 송률(悚慄)하와 주할 바를 알지 못하나이다. 신이 미취공물(未娶公物)이라도 용우함이 감히 금련(金蓮)[609]을 맞지 못하오려든 하물며 처실이 삼사 인이요, 자식이 둘이 있으니, 고어(古語)에 '조강지처(糟糠之妻)는 불하당(不下堂)'[610]이요, 유자불거(有子不去)[611]라, 인륜을 산란하여 공주를 그른 곳에 맡기고자 하시나니까? 신

608) 흠천감(欽天監) : 중국 명나라·청나라 때에, 천문·역수(曆數)·점후(占候) 따위를 맡아보던 관아.

609) 금련(金蓮) : 금으로 만든 연꽃이라는 뜻으로, 미인의 예쁜 걸음걸이를 비유적으로 이르는 말. 여기서는 아름다운 공주를 일컫은 말.

610) 조강지처(糟糠之妻) 불하당(不下堂) : 어려운 때 함께 고생을 하며 살아온 아내는 마루 아래로 내려가게 해서는 안 된다는 뜻으로, 이러한 아내를 항상 잘 위해주어야 한다는 말.

의 생살(生殺)은 성상께 있삽거니와 마음은 고치지 못하오리니, 신이 만사 외람하와 이칠(二七)의 용루(龍樓)의 어향을 쏘이옵고, 십칠이 넘지 못하와 출장입공(出將立功)하오매 성은을 황축(惶蹙)[612]하와 엷은 복이 손 할까 하옵더니, 이제 공주를 하가코자 하시니 큰 재앙이 일어나 급히 죽을소이다."

상이 어찌 법규의 불가함을 모르시리요마는, 이렇지 않은즉 문양을 구치 못 할지라, 옥색(玉色)이 참엄(斬嚴)하시어 왈,

"인신(人臣)이 군명(君命)은 사지(死地)라도 불감역명(不敢逆命)이라. 짐이 경을 사랑하여 군신(君臣)의 의(義)로써 다시 옹서(翁壻)의 친(親)을 맺아 휴척(休戚)[613]을 한가지로 하려 하거늘 이다지도 사양하여 조강불하당(糟糠不下堂)과 유자불거(有子不去)를 칭하여, 짐은 고사를 모르는가 하나, 경의 조강이 비록 중하나 이 불과 인신의 여자라, 어찌 귀천이 황녀와 같으리요마는, 원언(怨言)을 없애고자 처실(妻室)을 다 허하여, 공주와 동렬(同列)하고 화락함을 전과 달리 아니하려니와, 공주는 만승지녀(萬乘之女)라, 여염 여자와 내도하니, 경의 상원위(上元位)를 어찌 누리지 못하리오. 다시 사양한 즉 죄책이 경부(卿父)에게 및고 부마는 면치 못하리라."

병부 정색 주왈,

"성상이 위엄으로 신자를 구속(拘束)하시며, 예법에 불가한 일을 좋은 일 권하듯 하시니, 경황(驚惶)한 가운데 성상 실덕하심을 한심 경악 하옵나니, 천하에 미취서생(未娶書生)의 옥인현사(玉人賢士)가 하나 둘이

611) 유자불거(有子不去) : 혼인해서 자식을 둔 여자는 출거(黜去) 해서는 안 된다는 뜻.

612) 황축(惶蹙) : 지위나 위엄 따위에 눌리어 어찌할 바를 모르고 몸을 움츠림.

613) 휴척(休戚) : 편안함과 근심.

아니라, 고문 명가의 아름다운 부마를 택하여 공주의 일생을 쾌히 하심이 옳삽거늘, 부디 미신의 비루 용렬함을 가리시어, 금전(禁殿)[614] 애서(愛壻)를 이르지 말고, 한미한 집이라도 제사부빈(第四副嬪)을 구할 리 없을 것이요, 금병수막(錦屛繡幕)의 금지옥엽(金枝玉葉)을 짝하여 금련(金蓮)의 아름다운 손 되기는 천불가만부당(千不可萬不當))일 뿐 아니라, 성상이 비록 원위(元位)를 앗으시나 신의 머리를 베지 못하신 후는 신의 처첩 향한 마음을 베지 못하시리니, 어찌 공주의 존귀를 흠앙하여 유자한 조강의 중정을 끊어, 선(先)으로써 후(後)를 삼으리까? 비록 신의 부자를 죄주려 하시나, 성군은 이효(以孝)로 치천하(治天下) 하시니, 신의 불초(不肖)가 아비 죄 아니거늘, 공주 하가지사(下嫁之事)로 무죄한 아비를 벌하실진대 감히 성상 치정은 한(恨)치 못하오나, 공주로 더불어 유혐지간(有嫌之間)[615]이 되리로소이다."

주파(奏罷)에 기운이 충천하고 언사 격앙하여 일호 구겁함이 없으니, 상이 양노(佯怒)[616] 엄책 왈,

"짐이 비록 경을 사랑하나 군신지분(君臣之分)이 천지 같거늘, 방자무기(放恣無忌)함이 일호 신자지도(臣子之道) 없으니 어찌 한심치 않으리오. 문양을 염피(厭避)함은 정궁 탄생이 아님을 만멸(慢蔑)함이니, 가장 외람한지라. 짐의 딸이 어찌 염녀(閻女)[617]만 못하여 경의 제오부빈(第五副嬪)을 삼으리오. 망녕된 말을 죄삼지 않거니와, 이런 말을 다시 한즉 엄치하리니, 서어(齟齬)한 사양을 발치 말라."

하고, 흠천감에 길일을 속택(速擇)하고 문양궁을 급히 지으라 하시며,

---

614) 금전(禁殿) : 궁궐. 임금이 거처하는 집

615) 유혐지간(有嫌之間) : 서로 꺼리는 사이.

616) 양노(佯怒) : 거짓으로 노한 체함.

617) 염녀(閻女) : 여염(閭閻)의 여자. 일반 백성의 여자.

금평후를 명초하시고 병부를 물러가라 하시어, 다시 말을 못하게 하시니, 병부 분한이 충격하여 분기를 띠어 물러오매, 모든 명류 뒤를 좇아 물러나니, 병부 궐하에 막차(幕次)[618]를 치고 일봉 소(疏)를 올리고자 하니, 사인이 말려 왈,

"형이 식리장부(識理丈夫)로 어찌 생각지 못하시느뇨? 소제 천의를 스치오매 형장이 죽기로 다투어도 면치 못하시리니, 무익히 군신의 사체 손상할 따름이라. 부마를 간선치 않으시고 형장 뜻을 부디 앗고자 하심이, 필유묘맥(必有妙脈)[619]이라 헛된 소를 그치소서."

병부 분연 왈,

"내 근간 조보(朝報)에 문양이 사질(邪疾)을 얻어 가장 위중함을 들었더니, 상이 그 병을 염려치 않으시고 불의에 이 명이 계시니, 반드시 그 병이 아름답지 않은 연고라. 비록 군전에 득죄하나 어찌 소견을 다하지 않으리오."

하고 소봉을 올리려 하나, 상명이 소장을 받지 말라 하시니 병부 더욱 분울하더라. 금후 급히 입궐하다가 아자의 분분대로(忿憤大怒)하는 거동을 보고 괴이히 여겨 하리로 전어 왈,

"내 이제 입조한 즉 곡절(曲折)을 알려니와, 인신지도(人臣之道) 비록 뜻 같지 못한 바 있으나, 저렇듯 할 바 아니라. 괴이히 굴지 말라."

병부 더욱 착급하나 하릴없어 나오시기를 기다리더라.

천자, 금후를 인견하시어 수돈(繡墩)[620]을 밀어 자리를 주시고 옥음이 유열하시어, 흔연 왈,

---

618) 막차(幕次) : 일시 머물기 위해 임시로 장막을 쳐서 만든 간이 처소.

619) 필유묘맥(必有妙脈) : 반드시 묘한 까닭이 있음.

620) 수돈(繡墩) : 수를 놓은 앉을 자리.

"경으로 더불어 군신대의(君臣大義)와 인아(姻婭)의 후정(厚情)을 겸하게 되었으니 어찌 예사 신하와 같으리오. 이제 문양공주 자라매 위인이 범류(凡類) 아니라. 비록 법규가 아니나 짐이 여러 명류 재열 중 천흥으로 문양도위를 정하나니, 경은 짐의 뜻을 알고 사양치 말라. 천흥이 언사가 무엄(無嚴)하여 신자의 도리 없으니, 짐이 통해함을 이기지 못하되, 길례를 정하매 부마를 수죄치 못하여 십분 짐작(斟酌)[621]하나니 경은 천흥을 경계하고 공주를 맞아 대접함을 여염여자(閭閻女子)처럼 말라."

금후 부복 청교에 돈수재배 왈,

"신은 일개 포의지신(布衣之臣)이거늘 성은을 과히 입사와 작위 후백(侯伯)에 이르고, 천흥이 연소 부재로 외람히 출장입후(出將立侯)하여 성은이 인신에 과의(過矣)라. 숙야(夙夜) 우구(憂懼)하여 갚사올 바를 알지 못하고, 물(物)의 성쇠(盛衰)를 그윽이 염려하옵더니, 의외에 금달(禁闥) 옥주(玉主)를 천가(賤家)에 하가코자 하시니 신의 부자가 무슨 사람이라 부귀를 깃거 아니하오며, 옥주를 염피(厭避)하리까마는, 천흥이 성정이 무식소활하고 방일 허랑하여 금병수막(錦屛繡幕)의 아리따운 손이 못되오려든, 하물며 여러 처실과 자식을 두었사오니, 부마의 양처는 자고로 없는 바요, 문양옥주의 존귀함으로써 천흥 같은 필부를 배하시어, 여러 적인(敵人)을 두심이 어찌 가하리까? 신이 한갓 사양이 아니오라, 옥주의 종신대사를 그릇 정하심을 애달아 하옵나니, 이런 불사(不似)한 전교를 환수하심이 행심(幸心)이로소이다. 석(昔)에 한(漢) 광무(光武)[622] 공주의 결항(結項)함을 당하되 송홍(宋弘)[623]의 뜻을 앗지

---

621) 짐작(斟酌) : 사정이나 형편 따위를 어림잡아 헤아림.

622) 광무제(光武帝) : B.C.6-A.D.57. 중국 후한(後漢)의 제1대 황제. 본명은 유수

못하시니, 복원 폐하는 천흥의 불인(不仁)을 생각하시고 옥주의 일생을 무광(無光)케 마소서."

상이 금후의 뜻이 병부와 같음을 보시고 옥색이 불예(不豫)하시어 왈,

"천흥의 거조 불경무식하매 경을 불러 아들을 가르치고자 함이거늘, 짐의 결단한 혼례를 또 어찌 사양하여 천흥의 방자함을 돕느뇨? 비록 만성이 말라 하여도 짐심이 요개(搖改)할 뜻이 없으니, 부질없는 말을 말고, 천흥의 처첩이 열이라도 짐의 여아 으뜸이니, 공주 하가 후 존경함을 범연히 못하리라."

인하여 그 말을 기다리지 않으시고, '천흥을 경계하라' 하시고 내전으로 들으시니, 금후 사양함을 얻지 못하여 하릴없이 퇴하여 궐문을 나니, 병부 오히려 소장(疏狀)을 올리려 서둘거늘, 금후 천의를 돌이키지 못할 줄 이르고, 소장을 아사 소매에 넣고 날이 어둠으로 급급히 돌아오니, 밤이 깊었으되 태부인이 취침치 못하고 촉을 밝혀 기다리니, 윤・양・이 삼부인이 존고를 모셔 취침하심을 청하더니, 금후 이자로 더불어 들어와 자전에 반일 존후를 묻자온데, 부인이 야심 후 돌아옴을 물으니, 금후 미우(眉宇)를 찡기고 대 왈,

"금일 괴이한 우환(憂患)을 당하오니 불행함을 이기지 못하오나, 천의 굳으시니 사양하여 믿지 못하고, 한갓 불행하도소이다."

부인이 놀라 그 연고를 물은데, 공이 일일이 고하고,

(劉秀). 왕망의 군대를 무찔러 한나라를 다시 일으키고 낙양에 도읍하였다. 재위 기간은 25~57년이다

623) 송홍(宋弘) : 중국 후한(後漢) 광무제(光武帝) 때 사람. 『후한서(後漢書)』 〈송홍전〉에 그가 광무제에게 한 말 곧, "가난할 때 친하였던 친구는 잊어서는 안 되고(貧賤之交不可忘), 지게미와 쌀겨를 먹으며 고생한 아내는 집에서 내보내서는 안 된다(糟糠之妻不下堂)"는 말이 널리 전해지고 있다.

"이 다 삼부(三婦)의 액회 비경함이라. 해애 천흥의 처궁이 하등이 아님을 깃거하옵더니, 마얼(魔孼)이 일어나니 장래를 헤아리매, 심기 불평하여이다."

태부인과 진부인이 대경하여 면색이 찬 재 같으니, 미처 말을 못하여서 병부 분연 왈,

"성상이 위엄으로 신자의 뜻을 앗으시고 불법을 권하시니, 소자의 가도 산란(散亂)함은 여사(餘事)요, 실덕을 한심하고, 문양이 근간 질양이 중타 하더니 상이 그 병은 염려치 않으시고, 소자로 부마를 바삐 정하심이 그 가운데 곡절이 있음이라, 천의 비록 엄하시나 신자의 부부간을 어찌 앗으리오. 저 문양이 하가한 후 심궁의 들이쳐 단장박명(斷腸薄命)이 곡진(曲盡)케 하려 하나이다."

공이 심리 불안한 중 아자(兒子)의 말을 듣고 타일 근심을 측량치 못하여, 진목(瞋目) 즐왈,

"상이 날을 죽이시고 너를 부마를 삼으셔도 인신의 도리 감히 원망치 못하려든, 너의 아내를 다 허하여 공주와 동렬(同列)케 하시고 동락함을 전과 같이 하라 하시니, 황공 감은함이 골수에 사무치거늘, 공주를 취(娶)토 않아서 그 무슨 말이뇨? 네 거동이 결단코 욕급문호(辱及門戶)하고 화급선조(禍及先祖)하여 어버이에게 불효함이 극할지라. 당금하여는 너의 조달(早達)이 불행이니, 공주를 취하여 가내를 산란코자 하거든 차라리 무거처(無去處)하여 망망이 도주하면, 국가에서 너를 찾아 들이라 하여 내게 죄 미치나, 조선의 욕은 끼치지 아니리니, 내 눈에 뵈지 말라."

병부 분두의 무심코 발언하여 엄책을 듣자오니, 황연(惶然) 경동(警動)하여 면관 청죄하니, 태부인이 탄 왈,

"어찌 뜻밖에 일이 이같이 괴이할 줄 알리오? 천애 분울한 중 말을 삼

가지 못하나, 그 무슨 대죄라고 요란이 책즐(責叱)하느뇨? 부자 화평하여 괴이한 말을 말라."

하고 병부의 평신을 명하나 부명이 없는 고로 감히 낯을 들지 못하니, 금후 정색 왈,

"존명이 계시거늘 고집하여 짐짓 역정함이 옳으냐?"

병부 황공하여 즉시 의관을 수렴하고 승당 시좌하나, 머리를 들어 말씀에 참예치 못하니, 태부인이 윤·양·이 삼인을 나오게 하여 옥수를 잡고 운환을 어루만져 탄 왈,

"너희 삼인이 이름이 적인(敵人)이나 실은 동기(同氣)나 같은지라. 황영(皇英)의 고사를 흡연이 따르매, 노모가 기쁨을 이기지 못하더니, 꿈에도 생각지 않은 공주가 하가케 되니, 현부 등의 전정을 보지 않아 알지라. 경참(驚慘)함을 어찌 이기리오."

금후 이어 가로되,

"공주 어진 즉 현부 등의 평생이 안한하고, 불연 즉 화란이 적지 않으리니 이런 불행이 어디 있으리오. 연이나 현부 등의 현심숙덕으로 복록이 구전(俱全)할지라. 일이 되어 감을 보고 미리 과려(過慮)치 말라."

삼인이 일시에 일어나 재배하니 화열한 사색이 춘일이 다사한[624] 듯, 무사무려하여 일분 불평함이 없으니, 태부인이 큰 우환이 되어 과려하매, 금후 도리어 위로하여 취침하심을 청하니, 부인이 취침하나 불행함을 이기지 못하여 잠이 없고, 진부인은 말을 않으나 근심이 가득하더라.

흠천관이 길일을 보하니, 문양의 뜻을 맞혀 겨우 월여(月餘)를 격한지라. 정부 곁에 문양궁을 크게 지을 새 금후 불평하여 궐하에 청대하니 상이 인견하시니 금후 주 왈,

---

624) 다사하다 : 조금 따뜻하다.

"천흥이 부마를 사양하옴은 외람 과분하여 손복할까 두려워함이오며, 옥주의 종신대사를 그른 곳에 정하심을 차석(嗟惜)함이오되, 성심이 돌이키지 않으시니 신의 부자가 경황 전율하와 감히 다시 사양치 못하옵나니, 복망 성상은 길례(吉禮)에 검박함을 위주하시고 범물을 제왕 공주에서 반감하시며, 문양궁을 사치케 마심을 바라나이다. 천흥이 예사 부마와 달라 외조(外朝)로 입신(立身) 사년이라. 구태여 도위 작직을 주지 마시어 외조와 같이 처신케 하시면, 광망한 인물이 견디려니와, 초방가서(椒房[625]佳壻)[626]로 처신하라 하시면, 결단코 실성도주(失性逃走)하오리니이다."

상이 흔연 왈,

"경언이 개개이 금옥(金玉)[627]이니 불응하리오. 천흥의 위인이 외조(外朝)로 처신코자 함을 아나니, 구태여 초방가서로 하리오. 천흥을 위로하여 불평케 말라."

금후 돈수 사은하고 미처 대(對)치 못하여서, 정병부 궐문 밖에서 표를 올려 표기장군 천하병마절제사 금인(金印)[628]과 병부상서 인수(印綬)[629]며 평남후 관면(冠冕)[630]을 아울러 전폐(殿陛)의 올리니, 용안이 크게 불예(不豫)하시어 내시로 병부를 부르시니, 들어오지 않고 회주

625) 초방(椒房) : 산초나무 열매의 가루를 바른 방이라는 뜻으로, 왕비가 거처하는 방이나 궁전 따위를 이르는 말. 후추나무는 온기가 있고 열매가 많은 식물로서, 자손이 많이 퍼지라는 뜻에서 왕비의 방 벽에 발랐다.

626) 초방가서(椒房佳壻) : 왕가의 아름다운 사위.

627) 금옥(金玉) : 금과옥조(金科玉條). 금이나 옥처럼 귀중히 여겨 꼭 지켜야 할 법칙이나 규정.

628) 금인(金印) : 황금으로 만든 직인(職印).

629) 인수(印綬) : 인끈. 병권(兵權)을 가진 무관이 발병부(發兵符) 주머니를 매어 차던, 길고 넓적한 녹비 끈.

630) 관면(冠冕) : 갓과 면류관이라는 뜻으로, 벼슬아치를 비유적으로 이르는 말.

왈,

“신이 이미 초방승택(初枋承擇)을 참여케 되었으니, 감히 문무 중임을 겸하여 부귀를 무한이 도적치 못하올지라. 외람이 성주 후은을 입사와 작임이 융중하오니, 스스로 재앙이 있을 줄 알았삽더니, 점점 손복할 징조가 가득하와 금달 옥주 신의 여러 처첩 중 하가케 되오니, 황황송구하와 정히 향할 바를 알지 못하나이다.”

상이 병부의 조알(朝謁)치 않음과 공주를 취하나 조금도 공경치 않을 뜻을 두어, 여러 처실이 있음을 순순(順順)이 일컬어 공주로 화락치 못할 듯싶은지라. 불행함을 이기지 못하시나 위력으로 책하지 못하시고, 금후더러 이르시길,

“천흥이 제 뜻을 세우지 못함으로 짐을 원망하고, 인수를 다 끌러 드리니 신자지되(臣子之道) 아니라. 경은 환시(宦侍)와 한가지로 가, 인수(印綬)와 관면(冠冕)을 도로 주나니, 천흥의 고격(固激)함을 개유하고 전과 같이 행공케 하라.”

금후 응조하여 내시와 한가지로 나와 상교를 이르고 찰임(察任)행공(行公)하라 하니, 병부 만일 부친께 죄가 연루치 않을진대 품은 바를 진달하여 죽기로 공주를 취치 말고자 하나, 야야를 하옥하시는 거조 있을까 두려, 작임을 사양치 못하고, 조회에 참예함을 전과 같이 하더니, 상이 일일은 머물러 종용이 말씀하실 새, 흔연 문 왈,

“경이 언언이 여러 처첩 둠을 자랑하니 몇 사람이며 뉘 집 여자뇨?”

상서 부복 주왈,

“신이 어찌 감히 처첩을 자랑하리까마는 진정을 고하와 공주 하가하심이 불가함을 주함이로소이다. 신의 조강은 전임 이부상서 안국공 윤현의 여식으로 현이 생시에 그 딸과 맹약이 깊삽더니, 현이 죽사오대 신부 구약을 지켜 윤씨녀를 취하오니, 다른 처첩과 십분 다르옵고, 재실은

동평장사 양필광의 여요, 삼취는 태학사 이준의 여니 양필광·이준이 다 신부(臣父)의 동기 같은 친우로 그 딸을 가하옵고, 참지정사 경필의 녀를 사취(四娶)하였사오나, 금번 평남하고 돌아오는 길해 절강 소흥부를 들러 우연이 경침의 부자를 찾아본 것이 일이 고이하와, 경침이 신의 박덕부재를 허물치 않고 동상을 삼으니, 아비더러 미처 이르지 못하고 경가 녀를 취하여, 아비는 지금 모르오니 신이 불고이취(不告而娶)한 죄 근심이 크옵더니, 천만 생각 밖에 공주 하가하실 줄 알았으리까?"

상이 청필에 공주의 일생을 우려하시되, 그 풍채 기상을 새로이 사랑하시어 웃음을 띠사 왈,

"경이 경씨녀를 불고이취하고 경부(卿父)더러 무엇이라 하랴 하더뇨?"

병부 함소 주 왈,

"신이 미세한 사정(私情)을 아룀이 황공하오나, 폐하 하문하시니 의사를 다 고하리이다. 경씨녀를 불고이취하고 돌아와 신이 사혼 은지를 얻어 경녀를 의법히 사취(四娶)하여 아비께 죄를 면코자 하옵더니, 뜻밖에 공주 하가지사(下嫁之事) 있으니 경녀를 도모하여 취코자 하던 뜻이 그릇되었나이다."

상이 소왈,

"경이 공주를 취하여 존경하고 처첩을 편히 거느려 규내의 애증(愛憎)이 없을진대 짐이 당당이 경녀를 제오부빈으로 사혼하여 경부 모르게 하리라."

병부 배사 왈,

"성은이 감축하오나 신이 이제는 경녀 취함을 종용이 아비더러 이르려 하오니, 어찌 다시 신취하는 거조를 하리까? 다만 성의를 알지 못하옵는 바, 사처와 여러 희첩을 두옵고 남녀 자식을 두어 가증(可憎)한 신

으로써 부마를 삼으시어, 금달공주를 적인(敵人) 총중(叢中)에 하가하시고, 인심이 자연 유자식한 곳에 은정이 더하며, 천위 비록 엄하시나 부부간 사사 은정을 어찌 다 아른 체하시리까? 이러므로 공주의 왕희의 존과 천승의 부귀가 신에게 다다라는 여염 여자와 같지 못하니, 공주 일신이 무광함을 애달아하는 바로소이다."

상이 병부의 혈심으로 부마되기를 피하되, 실로 공주를 살리는 약이 정가에 하가할 뿐이요, 다른 방략이 없을지라. 부득이 부마를 정하나, 천흥의 말을 들으실 적마다 공주의 장래를 우려하시더라. 병부 자가로써 부마 삼음이 불가한 줄 여러 번 고하되, 차마 공주 사상함을 바로 이르지 못하시고, 매양 그 위인을 사랑하여 부마를 삼노라 하시니, 조야가 그 사상지질(思想之疾)[631]인 줄 알지 못하여도 병부는 짐작하더라.

상이 금후의 주사(奏辭)를 좇아 문양궁 사치를 금하시어, 제왕 공주궁에서 반감하라 하시고, 혼구(婚具)를 절검하라 하시니, 각사(各司)가 가장 깃거하고 민력(民力)의 허비가 대단치 아니하더라.

차시 낙양후 진공이 여아의 길일이 임하니 두굿김을 이기지 못하여, 대연을 진설(陳設)하고 빈객을 모으니, 인리 친척이 다투어 참여하매 광실이 터질 듯하더라. 소저의 단장을 재촉하여 대례를 습의(習儀)[632]하니, 제객이 다 구경할 새, 옥설향부(玉雪香膚)와 백련용안(白蓮容顔)이 일월 광휘를 앗아, 체지(體肢) 유법(有法) 단일(端壹)함이 나타나니 천고절염(千古絶艶)이라. 제객이 책책(嘖嘖) 칭선하고 진후와 주부인의 두굿김은 이르지도 말고, 태상(太常)[633] 부부와 각로(閣老)[634] 부부 친녀

631) 사상지질(思想之疾) : 상사병(相思病).

632) 습의(習儀) : 의식(儀式)을 미리 배워 익힘.

633) 태상(太常) : 태상시(太常寺)의 으뜸벼슬. *태상시(太常寺); 고려 시대에, 제사를 주관하고 왕의 묘호와 시호를 제정하는 일을 맡아보던 관아. 문종 때에, 관

같이 귀중하여 웃는 입을 줄이지 못하고, 제군종(諸群從)이 기특함을 이기지 못하니 실중(室中)에 화기 혜풍(蕙風)을 이끄는지라.

금후 부인 진씨 윤・양・이 삼부를 거느려 와, 질아의 아름다움을 두굿기나, 윤부 가정을 아는 고로 타일을 염려하고, 공주 하가지사(下嫁之事) 큰 우환이 되어, 미우를 펼 적이 없는지라. 진후 부인이 소왈,

"윤・양・이 삼인은 적국지간(敵國之間)[635]이나 황영(皇英)의 의(義)를 효칙하여 정이 동기 같은지라. 천흥의 처궁이 유복함이 남다르니, 문양 공주 금지옥엽으로 '태사(太姒)의 풍화'[636]를 이룰진대 가내 화(和)할지라. 당하지 않은 일을 미리 염려치 마소서."

부인이 대 왈,

"소매 미리 근심함을 괴이히 여기시나 천흥이 연소 부재로 만사 외람하거늘, 공주를 또 취(娶)케 되니 부마에게 여러 처실 있음은 만고에 듣지 못한 바니 어찌 방심하리오."

좌객이 소왈,

"금후 부인이 영광으로써 우환을 삼으시니 도리어 다사한 연고라. 근심이 너무 없기로 이러하시니이다."

진부인이 탄식 무언이라.

차일 윤부에서 인리 친척을 모아 중당에 잔치를 열 새, 제객이 사인의 재취 너무 급함을 일러, 정부인 같은 성녀 절염을 두고 번화를 구함이

제의 축소 개편으로 격하되어 '태상부'로 고쳤다.

634) 각로(閣老) : 중국에서 '재상(宰相)'을 달리 이르던 말.

635) 적국지간(敵國之間) : 한 남편과 혼인관계를 맺고 있는 처처(妻妻) 또는 처첩(妻妾) 사이를 이르는 말.

636) 태사(太姒)의 풍화(風化) : 중국 주(周)나라의 현모양처(賢母良妻)인 문왕의 비(妃) 태사(太姒)의 교화를 말함.

탐색(貪色)하는 연고라 하니, 추밀이 소왈,

“질아의 재취는 구태여 자구(自求)함이 아니라, 저 진개 간구(懇求)하니, 이는 정질부와 신부(新婦) 표종간(表從間)이라. 피차 허물이 없는 고로, 낙양후 질아를 사랑하여 동상을 삼으려 하니, 금후 역시 권하였으니, 정・진 양부 상론(相論)함이요, 우리 집 탓이 아니라.”

한데, 제객이 금후의 서랑을 타처에 재취케 함을 가장 웃더니, 날이 반오에 사인이 길복을 입을 새, 추밀이 숙렬을 명하여 길복을 섬기라 하니, 소저 서연(徐然)이 재배 응명하고 길의(吉衣)를 들고 일어서니, 사인이 옷을 입을 새 남풍녀채(男風女彩) 가까이 대하매 일월이 상대함 같으니, 만목이 어린 듯이 관경하고 추밀이 두굿김을 측량치 못하나, 석사를 추감하여 새로운 비회를 이기지 못하는지라. 위・유는 증한(憎恨)함을 서리 담아 겉으로 작위하더라.

숙렬이 길복 섬기기를 마치고 좌의 드니 사기(辭氣) 여화춘풍(如和春風)이요, 거지(擧止) 안상(安詳)하여 미우팔광(眉宇八光)[637]이 요요(嫋嫋)하여[638] 경운(慶雲)이 화풍(和風)을 겸하고, 안모에 오색이 영영(熒熒)하여 삼춘양기(三春陽氣)를 머물러 일동일정이 천연히 성자기맥(聖姿奇脈)을 타나, 예의 숙숙(肅肅)하고 덕도 빈빈(彬彬)하니, 이른 바 치마 맨 사군자(士君子)요, 비녀 꽂은 명현(名賢)이라. 하소저 또한 단장을 잠간 이뤄 정씨로 연익(連翼)하여 병좌(竝坐)하니, 추월(秋月) 같은 광채와 백련(白蓮) 같은 기부(肌膚)가 명주(明紬)를 채색(彩色)하며 향년(香蓮)이 조로(朝露)를 떨쳤는 듯, 백태아질(百態雅質)이 찬연기려(燦然

---

637) 미우팔광(眉宇八光) : 눈빛. 눈의 정채(精彩). *미우(眉宇); 이마의 눈섭 근처. *팔광; 팔(八)자 모양의 눈섭 광채를 뜻하는 말로, 여기서는 눈빛을 대신 나타낸 것이다.

638) 요요(嫋嫋)하다 : 부드럽고 아름답다.

奇麗)하여 선원(仙苑)의 꽃같은 품격이라. 중객이 흠선 칭복하여 갈채함을 마지아니하더라.

사인이 존당 자위와 숙당에 배사하고 위의를 휘동하여 운산으로 나아가 진부에 다다르니, 진태우 등 군종 형제 함소 왈,

"신랑이 실로 발이 생소하고 면목이 서어(齟齬)하니, 제빈의 좌중에 실례할까 염려하나니 모름지기 조심하라."

사인이 미소하고 옥상에 홍안을 전하고 천지께 예를 필하매, 진생 등이 팔 밀어 좌에 드니 금후 만면 소안으로 사인의 손을 잡고 낙양후를 향하여 왈,

"나의 서랑이 금일 이곳에 홍안을 전함을 보니, 풍채 용화는 새로이 빛나되 일단 얄미운 의사 없지 않으니, 형이 나의 애서를 앗아가는 것이 가장 분하도다."

낙양후 대소 왈,

"천연이 중하거니와 원간 천흥이 역권하여 성혼하니, 윤보는 날을 한치 말라."

금후 크게 웃고 사인 사랑이 새롭거늘 낙양후 또 사인의 손을 잡고 두 빙악의 귀중함이 친자에 감치 아니하더라. 사인의 풍류 신광이 이날 더욱 기이하여 완연히 천승을 기필할지라. 제객이 하례하여 쾌서 얻음을 일컬으니, 낙양후 일호 사양치 아니하고 제객이 배작을 날려 취안이 몽롱하되, 오직 병부 형제 부전(父前)에 염슬위좌(斂膝危坐)하여 일배(一杯)를 접구(接口)치 않으니, 진후 웃고 친히 잔을 들어 권하여 왈,

"신랑의 기특함을 보매 매작(媒妁)의 공이 큰지라. 새로이 아름다움을 이기지 못하나니, 우숙이 하주(賀酒) 삼배(三盃)를 폐하랴?"

병부 웃음을 띠어 쌍수로 받아 마시고 배사 왈,

"소질이 구태여 월노(月老)를 자임함이 없삽더니 숙부 중매라 칭하시

고 하주를 주시니 황공하여이다."

제 명류 소왈,

"죽청형이 진합하께는 하주를 받자오나, 영존대인은 중매한 줄 가장 미안이 여기시니, 면전의 벌주 십배를 사양치 말라."

병부 미소 무언이요, 진공 삼곤계 즐기는 빛이 무르녹았는지라. 날이 늦으매 신부 상교를 재촉하니, 낙양후 삼곤계 자질을 거느려 들어와 소저를 보낼 새, 소저 이친지회(離親之懷)를 참지 못하여 미우에 척연한 빛을 감추지 못하니, 낙양후 어루만져 경계 왈,

"여자 되어 어느 사람이 이 이별이 없으리오. 오아(吾兒)는 모름지기 구가에 가 효봉구고(孝奉舅姑) 승순군자(承順君子)하여 어진 이름이 있을진대 부모에게 효도라."

주부인이 또한 경계하고 덩에 들매, 봉교(封轎)하고 상마하여 돌아올 새, 위의 일로에 휘황하고 사인의 풍광은 태양이 빛을 앗아 용린(龍鱗)의 체격이 만고에 독보하니, 관광자(觀光者) 책책 칭찬하더라.

부중에 이르러 양 신인의 합근(合巹) 교배(交拜)를 파하고, 금주선(錦珠扇)을 반개하니, 신부의 옥안화태(玉顔花態) 실중에 눈이 부시니, 사인이 그림 가운데 미인도 황홀하였거늘, 하물며 화도(畵圖) 임자를 만나니 그 중정(重情)을 묻지 않아 알지라. 남채녀모(男彩女貌) 수출기이(秀出奇異)함이 황금백벽(黃金白璧) 같아서, 예필에 사인은 밖으로 나가고, 신부 조율을 받들어 존당 구고께 헌(獻)하고 팔배 대례를 행할 새, 좌우 일시에 관광하매 기질이 연약하여 난초(蘭草) 옥계(玉溪)에 쓸릴 듯하나, 단엄한 위의 멀리 성비(聖妃)의 풍채를 겸하여, 칠보(七寶)[639] 그림

639) 칠보(七寶) : 일곱 가지 주요 보배. 대체로 금·은·유리·파리·마노·거거·산호를 말한다.

자에 옥으로 깎은 이마는 반월(半月)이 비꼈으며, 아황쌍미(蛾黃雙眉)[640]는 원산(遠山)이 희미하고 추파(秋波) 양안(兩眼)은 효성(曉星)이 밝았으며, 봉익(鳳翼)에 긴단장을 부치고 일척 나요(一尺羅腰)에 수라상(繡羅裳)을 끌어 진퇴(進退) 예배(禮拜)에 주선(周旋)이 영오(穎悟)하고 법도가 정숙하여 천태만광(千態萬光)이 기려승절(奇麗勝絶)하니, 조부인의 영행함과 추밀의 기쁨이 측량치 못하여, 모친과 수수(嫂嫂)께 하례하고 정씨를 나오게 하여 무애 왈,

"신부는 진형의 만금 농주(弄珠)라. 인연이 기특하여 질아의 배우(配偶) 되니, 용화 기질이 망외(望外)라. 어찌 행렬(幸悅)치 않으리오. 신부 정현부로 더불어 표종형제라, 평일 동기같이 친절하려니와 금일 서로 보는 예를 폐치 말고, 피차 화우함은 당부치 않나니, 숙렬의 특이함과 신부의 출인함이 갈담풍화(葛覃風化)[641]를 다시 보리니 오문의 대경이라."

신부 재배 사은하고 몸을 돌이켜 정소저를 향하여 재배하니, 숙렬이 반가운 정과 기쁜 뜻이 가득하되 투기 없음을 자랑치 않으려, 천연 정좌러니 그 절하기를 당하여는 자연히 춘풍이 온자(溫慈)하여 팔자아황(八字蛾黃)[642]에 어리니, 규구(規矩)를 버리고 답배하니, 추밀이 명하여 정・진・하 삼인을 차례로 앉히고 좌중(座中)에 자랑 왈,

"문호 흥망이 총부(冢婦)에게 달렸거늘, 질애 정・진 같은 명완숙녀(明婉淑女)를 취하고, 희천이 하씨 같은 절염숙녀(絶艷淑女)로 배우(配偶) 되니 가도의 화함을 보지 않아 알지라. 선인(先人)과 선백(先伯)의

---

640) 아황쌍미(蛾黃雙眉) : 화장한 얼굴과 두 눈썹.

641) 갈담풍화(葛覃風化) : 갈담의 교화. 갈담은 『시경』 〈주남(周南)〉 갈담장(葛覃章)에 나오는 말로,주나라 문왕비인 태사(太姒)의 덕을 길이는 말.

642) 팔자아황(八字蛾黃) : 화장한 두 눈썹과 얼굴.

적덕여음(積德餘蔭)과 존수(尊嫂)의 성심숙덕(聖心淑德)이 널리 흘러 이 같은 자부를 얻으시니, 소생이 당차지시(當此之時)하여는 아들을 낳지 않은 것이 다행하여, 희천으로써 계후(繼後)하매 타인의 십자를 부러워 않나이다."

제친(諸親)이 정・하 양인의 출인함을 새로이 칭찬하고, 신부의 특이함을 일컬어 만구하례(滿口賀禮) 하니, 태부인은 포장화심(包藏禍心)하고 좋은 사색으로 기쁨을 이르고, 조부인은 석사를 생각하여 척연(慽然) 수루(垂淚)하더라.

신부를 사묘(祠廟)의 배현하고 종일 진환하여 주객이 쾌함을 이기지 못하니, 태부인과 유씨 모녀는 칼을 겨눠[643] 이를 가는 마음이 시시로 층가하니, 추밀의 총명이 홀로 악심을 알지 못함이 일공(一空)이 막힌 연고라. 날이 저물매 제객이 흩어지고 신부 숙소를 채영각에 정하여 보내고, 촉을 이어 담화하다가 사인을 신방으로 보내니, 사인이 발이 절로 신속하여 신방에 이르니, 차시 정소저 신방에 이르러 신부의 긴단장을 벗기고 손을 이어 반기는 정을 이기지 못하되, 사인이 들어온 줄 알고 숙렬이 촉을 잡히고 침소로 돌아가고자 하더니, 사인이 문을 열고 들어와 정씨의 돌아가려 함을 보고, 미미히 웃어 왈,

"영표제(令表弟) 처음으로 이르러 사좌(四座)의 친한 이 없어 오직 부인과 하수(嫂)니 어찌 이렇듯 쉬이 돌아가려 하시느뇨?"

정소저 잠간 웃고 가로되,

"첩이 사정으로 이에 와 반김이 있으나, 어느 사람이 구가에 처음 이르러 친한 이 있으리까?"

언필에 돌아가니 사인이 웃음을 띠어 숙렬을 보내고 신부를 상대하

---

643) 겨누다 : 목표물을 향해 방향과 거리를 잡다.

매. 선연한 염광이 황홀하여 부용 같은 용안과 신류(新柳) 같은 허리 연연작뇨(娟娟婥嫋)하여 현란한 자태 암실에 조요하니, 이에 말을 펴 가로되,

"생은 한낱 용우지인이거늘 악장의 사랑하시는 은덕으로 봉비(葑菲)[644]의 노름을 얻으니 이는 천연이거니와, 생의 부재 박덕이 숙녀의 평생을 욕되게 할까 두렵나이다."

소저 수용 정금(整襟)하여 묵연 불응하니 부끄러워하는 거동과 아리따운 태도 석목을 농준(濃蠢)하는지라. 사인이 일침의 나아가니 옥인의 설부빙골(雪膚氷骨)이 이향(異香)이 만실하여 보배로운 기질과 아름다움이 숙렬과 한 사람이라. 사인이 은애 황홀하여 산비해박(山卑海薄)하니 이 진실로 천정기연(天定奇緣)이요, 백년가우(百年佳偶)라. 사인이 호신 발월함이 정·진 같은 숙녀 명염을 취하여 금슬 은정이 이렇듯 환흡하나, 오히려 성색(聲色) 연희(姸姬)를 무한히 모으고자 하니, 가중 형세를 모름이 아니로되, 평생 호기를 장축(藏縮)하지 못함이라.

진소저 구가에 머물러 존당 고모(姑母)[645]와 숙당을 효봉하고 군자를 승순하여 백행(百行) 사덕(四德)[646]이 숙연하니, 하물며 숙렬로 더불어 지성애대(至誠愛待)하여 화우지정(和友之情)이 골육자매(骨肉姊妹) 같고, 한가지로 사인의 내사를 임찰하여 규문이 징수(澄水) 같고 화(和)함이 양춘 같으니, 태부인이 밉고 분함을 이기지 못하여, 겨우 추밀의 의

---

644) 봉비(葑菲) : 무와 순무를 함께 이르는 말로 둘 다 채소인 무의 일종인데, 『시경』〈패풍(邶風)〉 곡풍장(谷風章)에는 이것으로 부부의 변치 않는 사랑을 다짐하고 있다.

645) 고모(姑母) : ①시어머니. ②아버지의 누이. 여기서는 '시어머니'를 말함.

646) 사덕(四德) : 여자로서 갖추어야 할 네 가지 덕. 마음씨[婦德], 말씨[婦言], 맵시[婦容], 솜씨[婦功]를 이른다.

심을 없애고자 고래 성[647]을 참고 이리[648] 분을 견뎌, 유씨 모녀로 더불어 주야 모계(謀計)하는 바, 묘랑이 변심하는 약을 얻어와 추밀을 먹여 뜻을 변하고, 조부인 모자 고식이며 구파를 아울러 죽여 흔적을 없애고자 하는지라. 공이 나간 때는 이를 갈아 조부인부터 삼소저를 경각에 죽일 듯이 미워하니, 숙렬은 오히려 참고 견디기를 잘하나 진・하 양인을 대하여 괴로운 사정을 베풀지 아니하니, 진・하 양 소저 구가에 있은 지 달이 넘지 못하여 불평한 사단이 많으니, 경황함을 이기지 못할 뿐 아니라, 진씨는 더욱 부귀(富貴) 교애(嬌愛)[649] 중 생장하여 세상 괴로움을 알지 못하고, 사람의 불호한 사색을 보지 못하였다가 존당의 흉포한 거동을 보면, 일신이 한축(寒縮)하여 일야(日夜) 마음을 놓지 못하니, 조부인이 기색을 스치고 자닝함을 이기지 못하여, 삼부 사랑이 한결같이 친녀 같고 조석 식사가 능히 보전치 못할 형세임을 참연하여, 구파와 상의하고 삼부의 보전할 도리를 궁극히 생각하여, 진찬화미를 그윽이 준비하고 때를 타 삼부를 불러 조용히 먹이니, 삼 소저 존고의 이같이 근로하심을 가장 절민하여 그 혜택을 감축하며, 또한 앙성(仰誠)이 친생 자모에 감치 아니하더라.

차시 정부에서 양 소저를 속현(續絃)하고 그 가정을 우려하여 양녀의 평생을 염려하매, 일시를 방하치 못하거늘, 공주 혼사가 큰 근심이 되어 삼부 위한 시름이 심두(心頭)에 얽혔는지라. 이미 문양궁을 필역하고 길일이 수삼일이 격하니 병부 통완함이 비길 데 없으되, 엄훈을 두리고[650] 가내 화평할 도리를 생각하여 사색(辭色)이 자약(自若)하고 우분

---

647) 성 : 노엽거나 언짢게 여겨 일어나는 불쾌한 감정.
648) 이리 : 이리. 늑대.
649) 교애(嬌愛) : 사랑. 귀여움.
650) 두리다 : '두려워하다'의 옛말.

하는 거동이 없더니, 문득 조명(朝命)이 있어 이르시되,

"짐이 여자의 함원(含怨)을 두리는 고로 천흥의 여러 처실을 이이(離異)치 못하나, 공주 어린 나이에 여러 적인을 보면 심사 편치 못할 것이니, 천흥의 처자 등을 각각 본가의 돌려보내라."

하여 계시니, 금후 대경하여 즉시 천정의 조현하고 주 왈,

"천흥의 여러 아내를 각각 제 집으로 보내라 하시나, 저의 도리도 안연이 옥주의 안전에 용납하기 어렵고, 신이 비록 경색(梗塞)하오나, 성교(聖教)의 유자불거(有子不去)라 하였사오니, 의(義)에 보내든 못하올지라, 신의 소견은 자부를 별당에 옮겨 두고, 옥주 하가하신 지 오래 후 현알케 하고, 신이 일택(一宅)에 데리고 있고자 하나이다."

상이 윤허하시니, 금후 사은하고 돌아와 삼부를 불러 안심하라 하고, 모전(母前)의 상교를 고하여 삼부를 별원(別園)으로 옮김을 고하니, 태부인이 참연 왈,

"삼 손부를 안전 기화로 알아 일시 떠남을 삼추(三秋)같이 여기더니, 이제 별원에 보내고 이정(離情)을 어찌 참으리오."

금후 민망하여 위로 왈,

"상명은 삼부를 본부로 보내라 하시는 것을, 소자 윤씨를 위하여 별원으로 옮기니, 비록 조석성정(朝夕省定)을 폐하오나 각각 불러 보서도 무방하고, 어미를 보내나 양 손아를 두어 소일하실지니, 어찌 결연(缺然)[651] 하시리까?"

부인이 추연 왈,

"이는 공주의 빌미인가 지기(知機)하였거니와, 정리(情理) 베는 듯하

---

651) 결연(缺然) : 무엇인가 모자라거나 빠진 것이 있는 것 같아 서운하거나 불만족스러움.

니, 성상이 비록 공주를 사랑하시나 천아의 부부 은정은 다 막지 못하시리니, 삼부를 한 집에 용납지 않으심은 무슨 뜻인고?”

금후 위로 왈,

“황상이 공주 어린 나이에 여러 적인을 보고 불평할까 염려하시어, 아직 친부(親府)의 보내어 타일 데려오고자 하심이니, 성의(聖意) 괴이치 않으시고, 윤현부의 정사가 남과 다르므로 부득이 삼부를 다 별원에 두기를 결단하였사오니, 이 또 한 집이요, 긴 이별이 아니라 쉬이 모들 것이니, 비척(悲慽)치 마소서.”

태부인이 삼부를 불러 탄식하고 운환을 어루만져 슬퍼함을 마지아니하고, 진부인은 묵연하나 심신을 정치 못하여 미우를 펴지 못하니, 화기 많이 소삭(消索)하는지라. 금후 심사 불호하여 탄 왈,

“인신지도에 안연이 현부를 데리고 있지 못하여 별원으로 보내나니, 비록 사이 가깝지 않으나 장원(牆垣)을 연하여 한 집이라. 밝은 인홍 세홍으로 지키게 하였으니, 현부 등이 서로 의지하여 아직 머물라.”

윤부인이 배사 왈,

“소첩이 불능누질(不能陋質)로 존문에 의탁하와 존당 구고의 산은해덕(山恩海德)이 일신에 젖어 숙야(夙夜)에 어린 정성이 일시 이측을 절박히 여기옵더니, 이제 옥주 하가하시니 산계비질(山鷄卑質)이 봉황(鳳凰)과 동렬(同列)치 못하오리니, 어찌 금지옥엽을 갈오리[652]까? 정히 황황송구하와 진퇴를 정치 못하옵더니, 별원에 머물라 하시니 비록 신혼성정(晨昏省定)을 폐하오나, 이 또한 존택이라. 명대로 물러가 양・이 등으로 더불어 상의하와 무사히 머무르리니, 어찌 구태여 무익히 신세를 슬퍼하리까? 복원 존당 구고는 불초를 과렴치 마시고 성체 안강하소

652) 갈오다 : (어깨를) 나란히 하다.

서."

양·이 등이 이어 하직을 고하니, 유법한 말씀과 화열한 사색이 일호(一毫) 우수척척(憂愁慽慽)함이 없으니, 태부인과 구고 더욱 애중하여 좋이 있음을 재삼 당부하고, 윤씨 아자와 양씨 여아를 다 유모를 맡겨 부인 침전에 머무르고, 삼인이 일시에 일어나 배사할 새, 태부인과 진부인이 체루(涕淚)를 금치 못하고 금후 역시 불열함을 띠어 울울함을 이기지 못하니, 삼인이 철옥심장(鐵玉心腸)이나 처연하고, 해자(孩子)와 유녀(幼女)를 떠나는 심사 더욱 참연하되, 윤씨는 심사를 널리하고 존전에 경근지례(敬謹之禮)를 잡아 비색을 나타내지 아니하고, 이씨 또한 사기 화열하나, 양씨 이 가운데 심장이 연약한 고로 성안에 주루(珠淚) 어리니, 태부인과 진부인이 차마 떠나지 못하고, 금후의 필녀 아주 사세라, 항상 윤씨를 따름이 자못 병이 되었더니, 이날 별원으로 가는 줄 알아 한가지로 가려 하니, 부모 삼부를 맡겨 보내어 고적한 심사를 위로하라 하고, 분수할 새 결연함을 이기지 못하는지라. 금후 시랑과 삼 공자를 일수(日數)를 헤아려 차례로 돌려가며 별원에 가 밤을 지내게 하더라.

삼인이 하직하고 소이시(小李氏)로 손을 나눠 각각 침당(寢堂)의 자장즙물(資裝什物)을 별원으로 옮기고, 아주를 데리고 후원 협로(狹路)로 좇아 별원에 이르니, 비록 정부와 한 집이나, 문이 다르고 취운산을 등져 동산(東山)[653] 장원(莊園)이 앞을 향하여 그윽하고 유벽하여 외인이 왕래치 않으며, 원각(園閣)[654]이 있음을 외인이 모르는지라. 각중(閣中)을 제시녀 쇄소하고 시랑이 삼수(三嫂)의 거처를 정하여 여러 시비로 삼부인을 모시라 하고, 외당에 나와 당사를 쇄소하더라.

---

653) 동산(東山) : 큰 집의 정원에 만들어 놓은 작은 산이나 숲.

654) 원각(園閣) : 장원(莊園)과 전각(殿閣).

삼부인이 각각 침당을 정하여 들고, 심사를 안정(安靜)하여, 조급하고 상심함이 없으나, 이씨 잉태한 지 삼삭이라. 식음을 거스르고 질양(疾恙)이 떠나지 않으니, 윤·양 이 부인이 지극히 구호하고 시랑 형제 의약을 다스려 편토록 구호하더라.

병부 나갔다가 돌아와 외당에 이르니, 오공자 필흥이 즘기[655]를 들어 서동을 주다가 실수하여 병부에게 끼치니, 병부 망령됨을 꾸짖고, 옷을 갈고 존당의 들어가려 하여 선월정에 이르니, 문을 잠그고 시녀 유랑배도 없는지라. 의혹하여 선매정 선자정을 둘러보니 한결같이 문을 잠그고 비자 등도 없으니, 도로 외당에 나와 시랑의 옷을 입고 태원전에 들어가니, 존당 부모, 삼부의 별원으로 감을 이르고, 왕모와 모친은 눈물을 금치 못하니, 병부 심리에 잃은 것이 있는 듯하더라.

---

655) 즘기 : 요강. 방에 두고 오줌을 누는 그릇. 놋쇠나 양은, 사기 따위로 작은 단지처럼 만든다.

ꟈ

명주보월빙 권지십팔

어시에 병부 잃은 것이 있는 듯하나, 흔연히 사색치 아니하고 위로 왈,

"저 삼인이 비록 별원에 가나 또 한 집이라. 결연하실진대 자로 불러 보시리니 어찌 비척하시리까? 하물며 공주 하가 후 삼사 삭 안에 모이리니 이다지도 훌연(欻然)[656]하여 하시리까?"

태부인이 탄 왈,

"공주 어질면 혹자 한 데 모이려니와 불연 즉, 각각 살수록 좋을까 하노라."

병부 소이대왈(笑而對曰),

"공주 어질지 못할진대 윤・양 등을 더욱 바삐 모으고자 하리니, 별원 이측(離側)이 머지 않으리이다."

태부인이 탄식 무언이러라.

길일이 임하매, 금후 모친을 모셔 문양궁에 나아가 내외 빈객을 청하고 공주를 맞을 새, 제객이 부마의 처궁이 유복하여 삼부인을 두고 다시 금전여서(禁殿女壻)[657] 됨을 칭찬하여 정문 복경을 치하하나, 태부인과

---

656) 훌연(欻然) : ①갑작스러움. ②갑작스럽게 떠나거나 어떤 일이 일어나, 다하지 못한 일로, 마음속에 어딘지 섭섭하거나 허전한 구석이 있음.

657) 금전여서(禁殿女壻) : 금전(禁殿)은 대궐을 뜻하는 말로 왕가의 사위, 곧 부마

진부인이 심심불낙(深深不樂)하여 좌우로 살피고 삼부 없음을 척연하더니, 윤부로 좇아 정·진·하 삼소저 이르러 존당 부모께 배현하고 연석의 참예하니, 숙렬과 하씨의 화월 같은 풍용이 광실에 바애[658]여, 소(小)이씨와 진씨로 더불어 염광(艷光)이 서로 찬란하니, 만좌 홍상분대(紅裳粉黛)[659] 정·진·이·하 사인에 섞이매, 네 낱 명주 사석(沙石)에 섞여 보광을 토하는 듯, 만좌 중빈이 홀홀히 넋을 잃어, 바라보는 눈이 부시고 칭찬하는 침이 마르니, 태부인과 진부인이 여아 등의 아름다움을 보고 삼부를 더욱 잊지 못하여 하더라.

외헌에 만조공경(滿朝公卿) 황친열후(皇親列侯)가 일제히 모였는지라. 날이 늦도록 병부 제빈으로 담화할 새 양평장이 재좌(在坐)러니, 언언이 악장이라 하여 대접이 전일과 같으니, 양공이 집수 탄 왈,

"내 일찍 영존을 지기로 허함을 입고 도위를 사랑하여 택서를 외람이 한 고로, 여아의 전정(前程)이 볼 것이 없으니 사정이 어찌 참연치 않으리오."

병부 대 왈,

"악장이 비록 영녀를 위하여 전정을 염려하시나, 성상이 소서(小壻)의 여러 처실을 허하시어 공주와 동렬케 하시니, 영녀 본디 적인이 없는 사람이 아니라, 공주 위 높을지언정 새로이 위태로울 것이 아니요, 부부 사정은 천위라도 베지 못하시리니, 무익한 염려를 마소서."

양공이 미급답(未及答)에 금후 왈,

"돈아(豚兒)가 공주를 먼저 취하고 법을 넘겨 여러 처실을 모았으면

를 일컫는 말.

658) 바애다 : 빛나다. (눈이) 부시다.

659) 홍상분대(紅裳粉黛) : 얼굴에 분을 바르고 먹으로 눈썹을 그려 화장을 하고 화려한 옷으로 치장한 여인을 이르는 말.

자부 등의 전정을 염려함이 괴이치 아니하거니와, 삼부 성례 후 공주 하가하시니, 비록 인신지례(人臣之禮) 공주와 동렬이 외람하나, 성은이 호탕하시어 이이(離異)하는 일이 없고, 식부 등이 다 각각 골육을 끼쳤으니, 돈애 무식함이 가제(家齊)를 편히 할 줄 몰라 염려하나, 그 밖은 아직 당치 않은 근심이라, 미리 염려함이 불가할까 하노라."

만좌(滿座) 마땅함을 일컫고, 모다 부마의 처궁이 유복하여 금전여서(禁殿女壻) 됨을 칭찬하되, 금후 부자 일호 깃거함이 없고, 날이 늦으매 금후 명하여 부마의 관복(官服)을 입으라 하니, 병부 마지못하여 관복을 입을 새, 좌우를 돌아보아 왈,

"천고(千古)에 부마되는 자 삼처양자(三妻兩子) 둔 이를 듣지 못하였거늘, 소생의 당한 바는 고금에 희한하니, 복이 손할까 하나이다."

인하여 내당의 들어가 존당과 모친께 하직하고 다시 외헌의 나와 부전에 모시니, 모다 천의를 그윽이 탄하여, 저같이 싫어하는 바로써 여러 처실 가운데 공주 하가하심을 괴이히 여기더라.

이에 금궐로 향할 새 만조거경이 다 요객(繞客)이 되어 위의 대로에 덮였으니, 궐정에 다다라 취별전 너른 전에 천지께 예배를 마치매, 공주 상연후(上輦後) 봉쇄(封鎖)하기를 파하고 호송하여 궁에 돌아와 교배할 새, 금년(金蓮) 채석(彩席)엔 기린촉(麒麟燭)이 휘황한데, 부마의 영풍준골이 천일에 의의(猗猗)하여 태산의 암암한 위풍이 정히 풍운을 제기하는 용이며, 우마 중 기린 같으니, 좌우 흠탄하고 공주의 선연(鮮姸) 염태(艶態)와 복색(服色)이 황홀함을 겸하여 더욱 찬란하니, 중객이 경복하여 부마의 처궁이 유복함을 일컫더라.

예파에 도위 나가고 공주 폐백을 받들어 구고께 배헌(拜獻)하니, 이 문득 경성경국지색(傾城傾國之色)이요, 만고 절염이라. 작약요라(婥約姚娜)하고 자태 홀란(惚爛)하여 홍매 납설(臘雪)[660]을 무릅쓴 듯, 일쌍아

미(一雙蛾眉)는 초월(初月)이 운중(雲中)에 엿보는 듯, 염광이 기묘하여 남전미옥(藍田美玉)을 공교히 새겨 채색을 메웠으며, 월액화시(月額花顋)와 단사앵순(丹砂櫻脣)이 찬란 미려하니, 그 심정을 모르는 자는 기이함을 겨를치 못할 바라. 만좌 제빈이 일시에 칭하하여 금지옥엽이 상례(常例) 여름[661]이 아니라 하고, 존당 구고 흔연한 사색을 작위(作爲)하여 중빈의 치하를 수응(酬應)하며, 금후 공주를 향하여 왈,

"성은여천(聖恩如天)하시어 옥주로써 천가(賤家)에 하가하여 여러 처실 둔 바 천흥으로써 부마를 삼으시니, 영광 부귀는 과의(過矣)로되, 귀주의 평생이 욕됨을 차석하나니, 하물며 색광 기질이 용풍옥골(龍風玉骨)을 품수하시어 여염(閭閻) 여자와 내도하시니, 흠복(欽服)함을 이기지 못하나이다."

공주 재배 사사하여 온순한 안색과 나직한 거동이 극히 아름다우나, 금후의 명감으로 공주의 고운 얼굴이 공교한 것을 가졌고, 맑은 안채(眼彩) 사특(邪慝)함을 겸하였음을 어찌 모르리오. 불행함을 이기지 못하고 태부인 진부인이 안여고산(眼如高山)하여 범연한 색과 등한한 기질을 우습게 여기는지라. 공주 비록 만승지녀(萬乘之女)나 윤・양 등의 기이함을 따를 길 없으니, 그윽이 차석하여 병부의 가사 흐트러지고 윤・양 등이 중궤(中饋)를 임치 못할 줄을 한하고, 애달음을 이기지 못하나 사색(辭色)지 않고, 궁인을 대하여 공주의 아름다움을 일컬어 상급을 후히 하니, 궁인 등이 자득함을 마지아니하고, 정숙렬의 선풍은 전자의 구경한 바거니와, 정・진・하 삼인의 백태 만광이 공주보다 위임을 불쾌하여, 공주의 절염 미모가 정・진・하 등에 비기매 명월과 반디[662] 같으

660) 납설(臘雪) : 납일(臘日)에 내리는 눈. 납일은 동지 뒤 셋째 미일(未日).
661) 여름 : 여름. 여기서는 자녀.

니, 정부에는 절색이 다 모임을 괴이히 여기고, 공주 비록 눈을 내리떴으나 사좌(四座)를 살펴, 소고(小姑) 등과 금장(襟丈)[663] 이씨의 아름다움을 가장 불열하고, 부인이 연기 사순이로되 삼오(三五) 홍옥(紅玉)을 압두하는 용화(容華)가 추택(秋澤)의 부용(芙蓉)이라. 심리의 헤오대,

"진부인으로부터 금장(襟丈) 소고(小姑)가 이같이 기특하니, 병부의 처실이 또 어떠한 여자며, 색용은 범연한가? 만일 정・하 등과 같을진대, 무산(巫山)[664]과 월궁(月宮)[665]을 먼저 보아 날로써 불관이 여기면 어찌 분치 않으리오. 원간 무슨 연고로 좌중의 없는고? 가장 괴이토다."

의사 이에 미처는 분분함을 마지않아 사색을 감추지 못하니, 원래 상이 문양의 상사지질(相思之疾) 후로는 종용이 자애함을 뵈지 않으시고, 병부의 처첩 수도 이르지 않으시어, 다만 길례(吉禮)를 이뤄 정가에 보내실 뿐이요, 공주 여러 적인(敵人)을 보고 불안할까 하시어 아직 별처(別處)에 치우라 하시니, 공주는 삼부인 없는 곡절을 모르더라.

종일 진환하고 제객이 각산하매, 공주를 붙들어 침전에 들이고, 금후부부 여부(女婦)를 거느려 태부인을 모셔 본부에 돌아오니, 병부와 시랑

---

662) 반디 : 반딧불이. 반딧불잇과의 딱정벌레. 몸의 길이는 1.2~1.8cm이며, 검은 색이고 배의 뒤쪽 제2~제3 마디는 연한 황색으로 발광기가 있다. 성충은 여름철 물가의 풀밭에서 사는데 밤에 반짝이며 날아다니고 수초에 알을 낳으며 애벌레는 맑은 물에서 산다. 한국, 일본 등지에 분포한다. ≒개똥벌레

663) 금장(襟丈) : 여성이 남편 형제의 아내를 지칭하여 이르는 말. '동서[(同壻)'와 같은 말이나 호칭어로 쓰이지 않는 점과 남성이 처형이나 처제의 남편을 이르는 말로는 쓰이지 않는 점에서 다르다.

664) 무산(巫山) : 중국 중경시(重慶市) 동쪽에 있는 현. 무산십이봉(巫山十二峯)이 솟아 있는데 기암과 절벽으로 이루어진 경치가 아름답기로 유명하다. 소설 등에서 신선이나 선녀가 사는 선계(仙界)로 설정되는 경우가 많다. 여기서는 '무산선녀'를 뜻한다.

665) 월궁(月宮) : 전설에서, 달 속에 있다는 궁전. 여기서는 월궁에 살고 있다는 선녀인 상아(嫦娥)를 뜻한다.

등이 혼정지례(昏定之禮)를 이루는지라. 금후 병부를 나오게 하여 경계 왈,

"금일 공주를 보니 외모 기질은 희한한지라. 내재(內才) 외모(外貌)와 같을진대 정문의 큰 복이니, 너는 모름지기 신방을 비우지 말고 공경 중대하여 군상의 은덕을 갚으며, 제가(齊家)를 정히 함이 옳으니, 하물며 남아의 수신제가(修身齊家)[666]는 치국평천하지본(治國平天下之本)[667]이라. 네 팔 척 장부로 처실을 잘 거느리지 못하고 무슨 낯으로 사군보국(事君報國)[668]하리오."

병부 부복 청교(聽教)에 일어나 재배 사왈,

"엄교 지극하시니 아해 삼가 폐부의 새기려니와, 명도 괴이하여 공주를 만나오니, 이른바 여우의 얼굴이요, 내심(內心)이 이검(利劍)이라, 불행함을 이기지 못하오되, 만사 천야(天也)라, 인력으로 미칠 바 아니오니 복원 대인은 물우(勿憂)하소서."

금후 아자의 밝히 앎을 보고 공주를 어질다고 이르지 못하여 다만 이르대,

"사람의 현우를 어찌 미리 예탁하리오. 너무 아는 체 말라."

도위 부교를 받자와 순순 수명하매 유열한 낯빛과 화려한 성음이 평일로 다름이 없으니, 부공이 그 너른 양을 두굿기고 모비(母妃) 탄 왈,

"남아는 일마다 호화롭고 간 데마다 즐겁거늘, 삼부의 괴롭고 처창한 신세 가련하되 아자는 염(厭)할 것이 업도다."

정숙녈이 소왈,

---

666) 수신제가(修身齊家) : 몸과 마음을 닦아 수양하고 집안을 다스림.
667) 치국평천하지본(治國平天下之本) : 나라를 잘 다스리고 온 세상을 평안하게 하는 일의 근본.
668) 사군보국(事君報國) : 임금을 섬겨 나라에 보답함.

"거거(哥哥)의 호화 부귀 공주를 취하매 일층이 더하는지라, 인인이 부영처귀(夫榮妻貴)[669]라 하나 거거의 호풍과 삼저저(三姐姐)의 고초가 천지 현격하니 어찌 애달지 않으리오."

도위 미소왈,

"자위 말씀이 이 같으시고 현매 또 나의 호화를 웃거니와, 우형의 마음에는 안한한 삼부인을 부러워하노라."

하소저 낭소(朗笑) 왈,

"거거로써 별궁 심처의 고초를 겪으라 할진대, 삼형을 본받지 못하시리이다."

도위 잠소 무언이러니, 금위 날호여 외헌으로 나아가니, 제제를 거느려 모셔 나와 취침하심을 본 후, 도위 게을리 신을 끌어 협문으로 문양궁에 이르니, 공주 야심하되 도위 불내(不來)함을 착급하여 기다림이 극하여 하더니, 도위 시아로 촉을 잡히고 들어와 좌할 새, 공주 일어나 맞음을 보고 팔 밀어 좌함을 청하고, 봉안을 흘려 좌우를 살피매 조심경(照心鏡) 안광(眼光)이 사람의 선악을 깨닫는 고로, 저 미목(眉目)에 독사(毒邪)한 기운과 아리따운 형상이 요악(妖惡)을 머금어 심정이 불인함을 어이 모르리오. 교기(驕氣) 가득하여 자중한 거동이 은은하니, 도위 일실지내(一室之內)에 대하여 더욱 증분이 불 일듯 하나, 부명을 역지 못하여 늠연 위좌하여 양구 묵연 이러니, 공주 병부를 사상한 중정으로 길례를 정한 후, 스스로 쾌활하여 부부 침석에 상대하기를 굴지계일(屈指計日)하다가, 금야에 일방(一房)에 상대하니, 부마의 태산제월지풍(泰山霽月之風)[670]이 동탕(動蕩) 기이(奇異)하여 수려한 용화는 남산백벽

669) 부영처귀(夫榮妻貴) : 남편이 영화로운 자리에 오르면 아내 또한 귀하게 됨.
670) 태산제월지풍(泰山霽月之風) : 비가 갠 날 태산 위에 떠 있는 밝은 달과 같은

(藍山白璧)[671]이 티끌을 씻으며, 늠름 쇄락한 풍채는 일만 버들이 춘풍을 띠었으며, 일월천정(日月天庭)[672]에 와잠봉미(臥蠶鳳眉)[673]요, 단봉양안(丹鳳兩眼)[674]에 광채 징징발월(澄澄發越)한데, 홍협주순(紅頰朱脣)[675]에 고은 빛이 무르녹으니, 장부의 풍신이요, 미인의 안색이라. 백련빈상(白蓮鬢上)에 재상의 관자(貫子)가 두렷하고, 묵묵(默默)함으로 좇아 기상이 추천 같으니, 공주 월광(月光)에 보아도 사상지질(思想之疾)을 이룬 바거늘, 일방에 대하니 황홀한 은정이 형상치 못하여, 양안을 내리뜬 가운데나, 바라는 넋이 능히 참기 어려울 듯하니, 도위 차경을 보고 더욱 통해(痛駭) 비루(鄙陋)히 여기나, 마지못하여 색을 화히 하고 말을 펴, 왈,

"생은 포의지가(胞衣之家)의 미천한 몸이라. 외람히 성주의 특은을 입사와 이칠(二七)에 청운에 오르매, 경악(經幄)에 출입하여 남적을 정벌하고, 작상(爵賞)이 과분하여 위차(位次)가 공후에 이르니, 일야(日夜) 공공췌췌(恐恐悴悴)[676]하니 성은을 갚사올 길이 없더니, 만만 기약 밖에 귀주를 하가하시니, 초방승택(椒房承擇)[677]은 구하여 어찌 못할 영

풍채(風彩).

671) 남산백옥(藍山白璧) : 남전산(藍田山)에서 난 백옥(白玉)이란 뜻으로 명문가에서 난 뛰어난 인물을 이르는 말. 남전산은 중국(中國) 섬서성(陝西省)에 있는 산 이름으로 옥의 명산지.

672) 일월천정(日月天庭) : 해와 달처럼 둥근 이마. *천정(天庭) : 관상에서, 두 눈썹의 사이 또는 이마의 복판을 이르는 말.

673) 와잠봉미(臥蠶鳳眉) : 누운 누에처럼 도톰하여 윤곽이 분명하고 봉황의 눈썹처럼 영웅의 기상을 간직한 눈썹. 일반적으로 백미(白眉)는 출중함을, 봉미(鳳眉)는 영웅의 기상을, 아미(蛾眉)는 아름다움을 간직한 눈썹으로 표현된다.

674) 단봉양안(丹鳳兩眼) : 단봉(丹鳳)처럼 붉은 빛이 도는 두 눈.

675) 홍협주순(紅頰朱脣) : 붉은 뺨과 붉은 입술.

676) 공공췌췌(恐恐悴悴) : 몹시 두려워하며 근심하는 모양.

677) 초방승택(椒房承擇) : 왕실의 임금・왕자・왕녀의 배우자로 간택을 받는 일.

광이나, 생은 여느 부마와 같지 않아 여러 처실과 자녀를 두어 조강중의(糟糠重義)와 자식 둔 후정(厚情)을 천위(天威)라도 베지 못할 바요, 또한 공주를 맞음이 분에 과하여 손복(損福)할 징조라. 심로황축(心勞惶蹙)[678]하여 혈심 진정으로 고사(固辭)하오되, 성의(聖意) 종불윤(終不允)하시고, 신자의 사정을 살피사 취한 바 처실을 공주로 동렬(同列)케 하시니, 은택이 융융하시나, 공주 생 같은 박행필부(薄行匹夫)를 만나 적인(敵人) 총중(叢中)에 나중 들어온 서어(齟齬)함이 있으리니, 천승부귀의 왕희의 존중함으로써 많이 손상하고, 자고(自古)로 처첩과 자녀를 둔 공후 조신이 부마된 재 없거늘, 공주께 다다라는 성상이 별례(別禮)를 쓰시어 공주의 신세 그릇됨을 생각지 못하심이니, 귀주의 일생이 무광(無光)함을 위하여 차석(嗟惜)하나이다."

공주 본디 영오 총명하니 도위의 말이 먼저 취한 이를 중대하고 자기를 불관이 아는 줄 어찌 모르리오마는, 그 은총을 영구(佘求)[679]하여, 범사를 뜻을 맞추고 명예를 모아 구고의 자애와 부마의 중대를 독당(獨當)코자 하여, 색을 온화히 하고 소리를 부드러이 하여 정금(整襟) 대왈,

"첩이 심궁에 생장하여 제후와 모비의 자애를 받잡고, 지분(脂粉)[680]의 홍백(紅白)을 분변할 뿐이라. 외조지사(外朝之事)와 도위 간선을 어찌 알리오? 명도 괴이하여 여느 공주와 같지 못하고 명공의 여러 째 부실이 되어 존문에 하가하니, 이는 천수라. 혹 생각건대 문왕(文王)은 태사(太姒) 같은 숙녀를 두시고 삼천궁녀(三千宮女)를 유정(有情)하시니,

---

678) 심로황축(心勞惶蹙) : 마음이 매우 근심스럽고 두려워 기운을 펴지 못함.
679) 영구(佘求) : 남의 비위를 맞추거나 아첨하여 어떤 것을 구함.
680) 지분(脂粉) : 연지(臙脂)와 백분(白粉)을 아울러 이르는 말.

장부의 호신이 쾌사요, 숙녀지덕(淑女之德)은 적인을 둘수록 빛나니, 첩이 임사지덕(姙似之德)[681]이 없으나, 여자의 투기는 칠거지악(七去之惡)[682]임을 더럽게 여기나니, 비록 천승 부귀 있으나 구가에 자랑할 바 아니요, 왕희(王姬)[683]의 존(尊)함이 있으나, 동렬에 자세(藉勢)[684]할 바 아니라. 오직 군자의 관인대체(寬仁大體)와 원비의 숙덕혜화(淑德惠化)를 바라, 첩은 하풍시(下風視)[685]를 감심하리로소이다."

도위 미소 왈,

"귀주 시속 질투를 버려 숙녀 명풍을 흠모하시니 생의 행이요, 공주 신상에 유익함이라. 생의 취한 바 세 부인은 명문거족의 요조숙녀(窈窕淑女)라, 귀주는 금지옥엽의 제왕가 예법을 이으시고, 생의 조강 등과 행사를 같이 하시면 가내 여화춘풍(如和春風)하리이다."

공주 저의 말이 다 부인네 아름다움을 일컬어, 자기로써 행사(行事)를 같이하라 함을 분노하여 시심(猜心)이 만복(萬福)하나, 도위 거동이 하일지위(夏日之威)와 충천지기(衝天之氣)로 중산(重山)의 무거움을 겸하여, 경이(輕易)히 심천(深淺)을 엿보기 어렵고 행여 말을 삼가지 못하여 저의 뜻을 잃을까, 온순히 대 왈,

"첩은 궁금(宮禁)에서 아는 바 부귀요 예의를 배우지 못하였으니, 군

---

681) 임사지덕(姙似之德) : 중국 주(周)나라 현모양처(賢母良妻)인 문왕의 어머니 태임(太姙)과 그의 비(妃) 태사(太姒)의 덕을 함께 일컫는 말.

682) 칠거지악(七去之惡) : 예전에, 아내를 내쫓을 수 있는 이유가 되었던 일곱 가지 허물. 시부모에게 불손함(不順舅姑), 자식이 없음(無子), 행실이 음탕함(淫行), 투기함(嫉妬), 몹쓸 병을 지님(惡疾), 말이 지나치게 많음(多言), 도둑질을 함(竊盜) 따위이다.

683) 왕희(王姬) : 왕녀(王女).

684) 자세(藉勢) : 어떤 권력이나 세력 또는 특수한 조건을 믿고 세도를 부림.

685) 하풍시(下風視) : 사람이나 사물의 수준 또는 질을 일정 수준보다 낮게 여김.

자의 여러 부인네 화목함을 일러 빛난 행사로 가르치면, 첩이 우미(愚迷)하나 뒤를 좇아 큰 허물을 면할까 바라나이다. 다만 첩이 매희(妺喜)[686] 아니거늘, 여러 부인네 연석에 서로 보는 예를 폐하니, 아지못게이다![687] 무슨 연고이니까?"

도위 그 당돌하고 말 많음을 미워 소매를 떨쳐 나가고자 하나, 천만 강인하여 서어(齟齬)히 웃어 왈,

"삼부인이 연석을 불참함을 몰라 하시니 순설(脣舌)이 싫으나 마지못하여 베풀리이다. 차인 등이 공주께 뵈는 예를 폐코자 함이 아니라, 성교 계시어 공주 여러 적인을 보면 심기 불안할까 하시어, 차인 등을 친가로 보내었다가 길례 후 모이게 하라 하시나, 가엄이 삼인을 다 멀리 보냄을 결연하시어 별원에 아직 두었으니, 이는 위로 성의(聖意)를 받들고 아래로 생의 가법이 착란(錯亂)치 아니케 함인즉, 귀주 비록 만승 공주의 존함이 있으나, 법례(法例)에 또한 '조강지처(糟糠之妻) 불하당(不下堂)'과 유자식불거(有子息不去)를 이름이 있음이라. 생의 조강은 치발(齒髮)이 채 자라지 않아서 양가 부모 면약 정혼하시어, 자란 후 성례하니, 범연한 처실과 다르고, 양・이는 부형 친우의 딸로 생의 가중에 모였으니, 부부 사정은 빈천(貧賤)으로 가지 않아, 상교 비록 상원위(上元位)를 귀주께 전하라 하시나, 유자식한 조강을 어찌 하위에 굴하게 하리오. 삼인이 비록 공주 위에 거하지 못하나 또한 조강으로써 재실(再

686) 매희(妺喜) : 중국 하(夏)나라 마지막 황제 걸(桀)의 비(妃). 절세미녀로 걸을 농락하여 주지육림(酒池肉林)을 만들어 쾌락에 빠지게 하고 이를 간하는 현신(賢臣)을 참형에 처하게 하는 등 난행(亂行)을 일삼아 하나라를 멸망에 이르게 했다.

687) 아지못게이다! : '모르겠소이다!', '모를 일이로소이다!', '알지 못하겠소이다!' 등의 감탄의 뜻을 갖는 독립어로 작품 속에서 관용적으로 쓰이고 있어, 이를 본래말 '아지못게이다'에 감탄부호 '!'를 붙여 독립어로 옮겼다.

室)이라 못하리니, 금일 공주를 만좌 중 서로 봄이 예모에 구애함이 만하, 삼인을 먼저 치운 바라. 공주께 부빈(副嬪) 예로 함도 저에게 불안하고, 공주로써 부실(副室) 예로 함도 불가하여, 별원에 있음이거니와, 타일은 공주 보기 괴로우나 매양 각각 있을 바 아니니, 얼마 하여 모이리까?"

공주 그 말마다 분하고 시애(猜礙)하나 조금도 사색치 않고 낭연 소왈,

"연이나 삼부인이 깊이 들어있음이 심히 불안한지라, 모름지기 쉬이 모이게 하소서."

부마 미소 답 왈,

"옥주는 저를 보지 않아 계시나 모이기를 구하시니, 하물며 유자식한 부부중정이리까? 비록 평생을 별원에 두라 하여도 생이 참지 못하여 데려올 바요, 또한 부모 쉬이 모이게 하시리니, 공주의 원(願)이 맞으리이다."

공주 듣는 말마다 분완하나, 현명을 취코자 간악지심(奸惡之心)을 발뵈지 아니나, 도위의 사광지총(師曠之聰)으로 어이 모르리오. 불행하나 색을 화(和)히 하여 왈,

"일기 엄한한데 종일 귀체 삐처[688] 계시니 상에 편히 쉬시고, 생으로 주군례(主君禮)가 허소(虛疎)[689]함을 허물치 마소서."

언파에 촉을 물리고 의대를 끌러 자기 자리에 나아가 취침하니, 공주 부마로 더불어 비취지락(翡翠之樂)[690]을 착급히 바라다가, 크게 실망하

688) 삐치다 : 일에 시달리어서 몸이나 마음이 몹시 느른하고 기운이 없어지다.
689) 허소(虛疎) : 얼마쯤 비어서 허술하거나 허전함.
690) 비취지락(翡翠之樂) : 암수 물총새가 서로 화락함. 비(翡)는 수컷, 취(翠)는 암컷. 부부가 서로 화락하는 것을 비유적으로 표현한 말.

여 장야(長夜)를 앉아 새우나, 부마가 다시 아른 체함이 없으니, 음욕을 이기지 못하여 눈물을 뿌려 슬퍼하는 거동이 망측하니, 도위 그 기색을 가만히 살피고 더욱 분해하니, 또한 잠을 들지 않았더니, 옥첨(屋簷)의 금계(金鷄)[691] 새배를 보하니, 도위 관소(盥梳)하고 나아가니, 공주 문득 악연(愕然)하여 진진이 느끼기를 면치 못하는지라. 최상궁이 장외에서 종야토록 규시하여 부마의 매몰함을 한하더니, 공주의 흐느낌을 보고 손을 저어 말려 왈,

"한번 허물을 뵌 즉 씻을 날이 없으니, 옥주 이 엇진 거죄(擧措)니까? 모름지기 바삐 단장을 이뤄 신성(晨省)하소서."

공주 눈물이 연락하여 왈,

"내 구차히 저의 여러 째 부실을 감심함이 실로 그 풍채를 흠모하여 상사함이러니, 이제 문득 날 앎을 행로(行路)같이 하고, 먼저 취한 바 삼인을 언언이 칭찬하여 귀중하니, 장차 이 분한함을 어이 참으리오."

최씨 탄 왈,

"옥주 만승지녀로 정부 여럿째 부인이 되시니 명도 기구하심이거늘, 또한 경중(敬重)함도 얻지 못하시니 원통함을 어찌 견디리까마는, 옥주는 아직 언행을 삼가시고, 대계를 도모하시어 삼부인을 해함이 상책이니이다."

공주 그 말을 옳이 여겨 겨우 누수를 제어하고 소세(梳洗)를 파한 후, 웅장성식(雄粧盛飾)으로 상부에 문안하니, 존당 구고 흔연이 경애(敬愛)하고 합문이 추존하나, 일가 상하가 안고태악(眼高泰岳)[692]하여 공주의 교용묘질(嬌容妙質)을 칭찬하는 이 없고, 도위 자녀 태부인 슬하에 있어

691) 금계(金鷄) : '닭'의 미칭(美稱).
692) 안고태악(眼高泰岳) : 눈이 높기가 태산과 같음.

넘노니, 남자는 교야(郊野) 기린(騏驎)과 단혈(丹穴)[693] 난봉(鸞鳳)이요, 여아는 옥수경지(玉樹瓊枝)[694] 같으니, 공주 이를 보매 더욱 간담이 뛰놀아 강인 화색 하여 양정(佯情)[695]으로 인자한 거동을 지으니, 그 내외 다름을 범연히 보는 자는 모를 이 많더라.

정씨 혜주와 하씨 영주를 일순을 머물게 하고, 윤사인 형제를 청하여 봉황의 쌍유함을 보고자 하나, 사인 등이 자주 오지 않으니 금후 친히 윤부에 가 추밀을 보고 양서(兩壻) 보냄을 간청하니, 추밀이 허락하고 사인 형제를 명하여 칠팔일 정부에 가 머물라 한데, 사인은 수명하나 공자는 궤고(跪告)하여 왈,

"형이 운산의 가 여러 날 머물매 야야를 모실 이 소자뿐이라, 어찌 둘 다 가리이까?"

추밀 왈,

"네 말이 도리의 옳거니와 정형의 후의를 어찌 받들지 않으리오."

생이 대 왈,

"정합하의 후의는 감격하오나 형이 다녀온 후 소자 가리이다."

추밀이 그리 하라 하고 금후 재삼 당부하여 사인이 다녀온 후 부디 오라 하고, 사인을 데리고 오더니 길에서 낙양후를 만나 정공이 소왈,

"소제는 서랑을 청하여 오거니와 형은 어디 갔더뇨?"

진공이 답왈,

"마침 볼일이 있어 성내의 갔다가 명강을 보고 서랑을 데려오려 하더니, 형이 먼저 데려갔다 하고 날더러 데려다가 사오일 묵히라 하더라."

---

693) 단혈(丹穴) : 예전에, 중국에서 남쪽의 태양 바로 밑이라고 여기던 곳.

694) 옥수경지(玉樹瓊枝) : 옥처럼 아름다운 나뭇가지라는 뜻으로, 번성하는 집안의 귀한 자손들을 이르는 말.

695) 양정(佯情) : 거짓으로 정 있는 체함.

금후 소왈,

"임의 내 먼저 데려왔으니 내 집에 묵은 후 형이 데려가라."

하며 이리 이르며 행하여 정부에 미치니, 진공도 또한 한가지로 왔는지라. 이의 서헌의 좌하고 사인을 집수 왈,

"현서의 뜻에는 어느 곳의 먼저 머물고자 하느뇨?"

사인이 공경 대 왈,

"소생은 다만 사숙(舍叔) 명대로 하올지라. 무슨 타의(他意) 있으리까?"

병부 빛난 미우에 춘풍이 화란(和瀾)하여 왈,

"사원이 이곳의 이미 먼저 왔으니 금야는 예서 자고 명일야(明日夜)는 숙부 데려다가 재우소서."

진공이 연소 왈,

"우숙이 발이 빠르지 못하여 사원을 빼앗기니 이제는 네 말을 좇을 밖에 할 일 없도다."

언파에 좌우 다 웃더라. 이윽히 말씀하다가 진공이 돌아가매, 진태우 등이 사인의 왔음을 듣고 정부에 모여 야화함을 청하였거늘, 이때 병부 공주 취한 후 수삼 일에 심사 요요울울(擾擾鬱鬱)하나 부공을 두려 사색치 못하더니, 진생 등의 청함을 좇아 즉시 대월루에 제창을 모호라 하고, 주찬을 정숙렬에게 청하여 존당 부모 취침하신 후 대월루의 나아갈새, 병부 곤계 등이 풍류를 즐기는 이도 있고 배척하는 이도 있으나, 그중 첫째로 좋아하는 이는 병부라. 이에 제제(諸弟)를 거느리고 제진과 윤사인으로 더불어 대월루에 취회(聚會)하여, 좌우로 명촉을 휘황히 밝히고, 용문석(龍紋席)[696]과 채화석(彩畵席)[697]을 널리 베풀어 제창의

---

696) 용문석(龍紋席) : 용의 무늬를 놓아 짠 돗자리.

청가묘무(淸歌妙舞)를 들을 새, 병부의 유정한 창기 수를 보고 번화함을 웃으니, 병부 호흥이 방양(放揚)하여 왈, 형아 등 오창은 취처 전 유정하고 옥앵 등 사창은 절강서 데려옴을 일러, 십분 총애하니, 진태우 소왈,

"창백의 구창을 숙부 알지 못하시나 타일 아시는 날은 너의 풍류 변하여 큰 우환이 되리라."

병부 소왈,

"고인이 운(云)하되, '오늘 술이 있으매 취하고 내일 일이 있으매 당하라' 하였나니, 부형이 모르시는 바 절민(切憫)커니와, 장부 미색을 지내보며 술동이를 사양하리오."

제진이 대소하고 윤사인이 창기 중 비홍이 완전하여 사람을 지내지 아닌 명기 십 인을 뽑아 올려, 좌우로 앉히고 집수연슬(執手連膝)하여 호기 발양함이 병부에 내리지 않으니, 진생 등이 그 방일 호탕함을 꾸짖으며 희롱하여 서로 즐겨 진취하니, 의관이 해태하고 취안(醉眼)이 몽롱하여 저마다 옥모 영풍이 일세 영웅 군자라. 이 중에 정병부와 윤사인의 천고독등(千古獨等)한 풍모와 호기, 제창의 넋을 잃게 하는지라. 새로이 우러러 일생을 모시고자 할 새, 병부의 유정한 구창은 병부 유정하여 자로 찾음이 여러 해 되니 평생을 모실 정이요, 윤사인이 뽑은 제녀 십인은 또한 명위창기(名爲娼妓)나 본(本)이 사족지녀(士族之女)라. 재용이 절세하고 심지 양선하며 또한 절개가 고인을 따르는 고로, 사인의 친근함을 좇아 일생을 바라는지라. 사인이 가장 후애(厚愛)하여 호걸의 풍정이 구비하니, 진한림 영경이 소왈,

"남후 형이 부질없이 대월루에 와 야화하는 연고로 사원이 십창을 유

---

697) 채화석(彩畵席) : 여러 가지 색깔로 꽃무늬를 놓아서 짠 돗자리.

정하니, 숙부 아시면 형에게 죄 미칠 것이요, 원래 병부형의 호주 탐색이 우리 형제 군종이 기주탐색(嗜酒貪色)을 따라 배우니, 만일 한번 들쳐난 즉 형이 일가에 용납지 못할지라.”

병부 박장대소 왈,

“원내 술도 모르고 계집도 모르는 것을 내 먹여 뵈고 가르쳐, 음주호색을 비로소 너희 알았구나. 그런들 내 덕이 아닌가? 장부 입어세하여 충효로 위본하고, 미녀 성색을 당마다 메우며, 요조숙녀를 많이 취하여 옥동 화녀를 쌍쌍이 두며, 호주 성찬을 앞마다 버릴 바라. 사원이 십 창을 유정하나 또한 내 간섭한 바 없거니와, 설사 대인이 아신들 조금이나 그르게 아시리오. 너희 같은 졸사는 우리 같은 호걸 군자의 광풍제월(光風霽月) 같은 행사를 감히 말 못하리라.”

진태우 선자로 병부의 어깨를 쳐 웃어 왈,

“네 호기로이 말하거니와, 내 마땅히 숙부께 고하여 네 멍석말이[698] 한 우환을 당하여 저 장기(壯氣)도 달아나고 머리 긁적거려 애쓰는 양을 보고 말리라.”

병부 박장대소왈,

“형이 고치 못하면 큰 벌을 당하리라.”

하여 서로 희학(戲謔)이 낭자(狼藉)한 가운데 배반(杯盤)이 낭자(狼藉)러니, 계성이 악악하고 새배 북이 자로 울매, 이에 관소하고 각각 부중으로 돌아갈 새, 윤사인이 십창을 집수연연(執手戀戀)하여 아직 형아 등과 있으라 하고, 병부로 더불어 청죽헌에 들어가니, 금평후 비록 총명하나 병부의 능려한 행사를 다 못 아는 고로, 구창과 경씨를 불고이취(不

698) 멍석말이 : 예전에, 권세 있는 집안에서 사사로이 사람을 멍석에 말아 놓고 뭇매를 가하던 일. 또는 그런 형벌.

告而娶)함을 망연 부지하더라.

사인이 정부에 사오일 머물고 진부에 수일을 머물러 그 각각 악부모의 간절한 정을 받고, 정·진 양공과 부인네 이 사위 사랑은 아들보다 위라, 일생이라도 데리고 있고자 하나, 사인의 성정이 걸호 씩씩하여 처가의 종요로운 서랑이 아니라, 다시 와 머묾을 일컫고, 정·진 이소저는 쉬이 나아오라 하고 본부로 돌아가니, 정·진 이부에서 중보(重寶)를 잃은 듯, 훌연함을 이기지 못하고, 정·진 양 소저 사인의 재촉함을 지완(遲緩)치 못하여 윤부로 돌아갈 새, 하씨는 아직 두어 과세(過歲)케 하고, 태부인과 금후 부부 손을 잡고 척연하여 당부 왈,

"사사(事事)를 상량(商量)하여 다만 무양(無恙)하라."

소제 심회 요요번난(擾擾煩亂)하나 화기를 잃지 않고 이에 별원으로 가 삼형으로 이별할 새, 윤씨 본부 형세를 생각고 옥루 이음차 탄식 왈,

"소저 지혜 가즉하시니 첩의 지난 바 변고는 당치 않으시려니와, 모름지기 위태한 기미 있거든 옥부 방신을 피하소서."

숙렬이 역탄 왈,

"백사가 다 인력으로 미칠 바 아니니 너무 심사를 상해오지 마소서."

윤씨 척연 답 왈,

"이제는 소저네 본부 난안한 형세를 앎이 날도곤 더 밝으리니 장차 모비의 난처하신 심사와 소저네 얼올(臲卼)[699]한 터를 어느 때에 잊으리오."

숙렬이 척연 위로하고 날이 늦으매 돌아갈 새, 윤씨 소고의 가석(可惜)한 바를 생각고 다만 두 소저의 손을 잡고 보중함을 당부하더라. 두

---

699) 얼올(臲卼) : 일 따위가 어그러져 위태한 처지에 놓임. 일 따위가 어그러져서 마음이 불안함.

소저 윤부로 돌아간 후 정공 부부의 경경(耿耿)한 심사 측량없으나 진공 부부는 여아를 보내매 훌연할 뿐이오. 못 잊는 뜻이 없으니 이는 그 집 흉악한 형세를 아득히 모름이러라.

이러구러 세환(歲換)하여 신정(新正)을 당하니, 순태부인과 금후 부부 윤・양・이 삼부가 면전에 없으므로 더욱 울울불락하되, 공주 신혼성정을 때에 맞추고 온화한 색과 겸공한 행사로 은악양선(隱惡佯善)하나, 금후 공주의 위인이 종시 천연한 숙녀 아님을 지기하고, 매양 부마를 경계하여 후대하라 하니, 병부 수명하여 문양궁 왕래 빈빈하여 공주로 문답사어(問答私語) 가장 은근 경중한 듯하나, 밤을 당하여는 침석 사이 약수(弱水)[700] 가로막히니, 공주 흉음한 사정을 참기 어려우나, 차마 이성의 친을 자청(自請)튼 못하고, 그 선풍옥면(仙風玉面)에 희미한 웃음을 띠여 흔연히 말할 때는 공주의 상사원정(相思願情)이 속절없이 애 끊어지니, 다만 그 얼굴을 우러르고 백만 교태하여 은정을 요구하는 거동이 차마 군자의 정시(正視)할 바 아니라. 볼 적마다 증한(憎恨)하나 아직 가내의 변고를 막으려, 부명을 좇아 왕래 여일하더니, 일야는 술을 진취(盡醉)하고 공주와 좌를 가까이 하고 서어(齟齬)한 웃음을 띠어 집수 왈,

"생이 혈기 미정한 때로부터 여색을 탐하여 신상의 괴로운 질을 이루니, 당차지시(當此之時)하여는 후회 극하여 십분 조심하는 바, 병이 나은 후 여관(女款)[701]을 상근(相近)하려 하거니와, 벌써 깊이 상하여 쉬이 낫지 못할지라. 마음에 그윽이 한함이 공주로 더불어 지금 이성(二

700) 약수(弱水) : 신선이 살았다는 중국 서쪽의 전설 속의 강. 길이가 3,000리나 되며 부력이 매우 약하여 기러기의 털도 가라앉는다고 하여, 속인(俗人)은 건너지 못한다고 한다.

701) 여관(女款) : 여성과의 육체적 관계를 맺는 행위. 또는 그 대상이 되는 여성.

姓)의 친(親)을 맺지 못하니, 정이 있으나 펴지 못함을 애달아하고, 십 세를 넘지 못하여 미녀 성색(聲色)을 지나쳐보지 못한 탓이니, 존당 부모는 나의 병을 모르시는 바요, 남정하고 돌아온 후로 증세 더하여, 달포 이별하였던 처첩으로도 구정(舊情)을 잇지 못하였고, 의술이 고명한 의자를 보고 병근을 이르니, 의자 왈, '일찍 여관에 상한 해요, 또한 단명할 증조를 지었으니 조심치 아닌 즉 살기 어렵다.' 하매, 내 또한 놀람이 없지 아닌지라, 각별 조심코자 하되 마음을 잡지 못하여 공주를 대하면, 더욱 황홀한 정을 참기 어려우니 일장 대사로소이다."

언파의 위곡은근(委曲慇懃)하여 산해중정(山害重情)이 있는 듯하니, 공주의 옅은 심정이 저의 능휼한 의사를 어찌 깨달으리오. 성혼 일삭에 부부지락을 이루지 못하고, 상사하는 간장이 거의 녹을 듯할 즈음의 이 말을 들으니, 놀랍고 망단(望斷)[702]하여 낯빛을 고쳐 왈,

"군후의 신색이 여화(如花)하고 혈기 방강함이 남과 다르시거늘, 신상의 괴이한 병이 계심은 천만 염외(念外)라. 이 말씀을 들으니 극히 놀라온지라, 어찌 의약으로써 급히 고치지 않으시니까?"

병부 짐짓 탄 왈,

"연골(軟骨)의 상한 병이라 무슨 약이 있으리오. 스스로 조심하여 여색을 존절(撙節)함이 약이건마는 마음이 굳지 못하니, 오래 참지 못할까 하나이다."

공주 망연코 애달음을 이기지 못하여 왈,

"첩이 그 병근을 들으니 심담이 떨어지는지라. 천금을 흩어 군자의 질환이 쉬이 가복하여 완인이 되시게 하리이다."

702) 망단(望斷) : ①어떤 바라던 일이 실패함. ②이러지도 저러지도 못하여 처지가 딱함.

병부 그 말을 들으니 더럽고 기괴하여 잠소왈,

"천금으로 의약을 다스려 나을 병이면 나의 집이 공후지가(公侯之家)라. 생의 작위 또한 열후에 있으니 만재(萬財)를 현마 드리지 못하리오마는, 세간의 범범한 의자는 내 병을 알지도 못하고, 가장 고명한 의자는 약석(藥石)[703]이 부질없다 하여, 다만 여색만 멀리하라 하여 불연즉, 이십을 넘지 못하리라 하니 절민함을 이기지 못하나, 병을 임의치 못하고 마음을 정하여 여관을 멀리하연 지 겨우 수삭이니, 근간은 몸져 눕지는 않는지라. 전일 여색을 폐치 않아서는 일삭에 한날도 눕고 싶지 않은 때 없더이다."

하여, 공주의 마음을 눅이고, 공주의 무릎을 베고 손을 놓지 않아 정의 간절한 듯하니, 공주는 그 뜻을 모르고 자기를 귀중하민가 하여, 아협(雅頰)이 자로 동하고 앵순이 반개하여 자태를 지으며, 은총을 영구(令求)하니 요음첨사(妖淫諂邪)함이 부마의 결증(潔症)으로 오래 누어 볼 바 아니나, 위인이 본디 하해지량(河海之量)이라. 천지의 너름을 가져 소견을 밖에 나타내는 성품이 아닌 고로, 일양 흔연하여 중인소시(衆人所視)에라도 기색이 춘풍 같으니, 부모 처음은 아자(兒子)의 고집 결증을 염려하여 공주를 박대할까 하더니, 문양궁 왕래 빈빈하고 대접이 화평하여 부부지락이 흡연한 듯하니, 부모 그윽이 다행히 여기더라.

하소저 금후의 지극한 사랑으로 정부에 아직 머무는 고로, 윤생을 청하여 동방(洞房)을 배설하고, 금후 부부 사랑함이 사인에게 지지 않고, 더욱 윤생의 위인을 제인이 개용치경(改容致敬)하고 희해(戲諧)를 간대로[704] 못하여, 대하매 장자(長者)를 대함 같으니 이는 그 위인이 예도

703) 약석(藥石) : 약과 침이라는 뜻으로, 여러 가지 약을 통틀어 이르는 말. 또는 그것으로 치료하는 일.

와 일동일정이 단아 침묵하여 열렬한 기상을 기탄(忌憚)하여 공경함이니, 금후 매양 칭찬, 왈,

"세원인망(世遠人亡)[705]하여 대현군자를 보지 못할러니, 사빈의 도덕 대현을 보매 탁세(濁世)의 한낱 성자(聖者)라. 사원의 출인 비상함으로도 오히려 사빈을 밎지 못할 곳이 많으니, 명천 형이 조세(早世)하나 사원 같은 영준호걸과 사빈 같은 성현의 아들을 두었으니, 후사(厚賜)의 빛남과 문호의 창대함을 보지 않아 알지니, 이는 명천 형의 정충대절과 청행 성덕에서 비롯함이라."

하고 도위를 경계 왈,

"너는 나이 사빈의 위나 범사에 사빈을 미치지 못하리니, 장기(壯氣)를 돌이켜 사빈의 정대 온중함을 따라 배우라."

하니 순태부인이 웃어 왈,

"나의 천흥이 윤생에게 지지 않으리니 너는 무익히 경계하는 체 말라."

금후 배왈(拜曰),

"위인이 사빈만 못함이 아니나 도덕언행은 앙망불급(仰望不及)이니이다."

하더라.

윤생이 수일을 묵어 금후 부부와 제생을 하직하고 돌아가니, 이때 윤부에서 하소저 오기를 재촉하니, 소저 구가에 나아가매, 난안한 신세를 느끼나 사색치 않고 양부모(養父母)와 존당을 하직하고 옥누항으로 돌아가니, 태부인이 두 손녀를 위한 염려 일시도 방하치 못하더라.

---

704) 간대로 : 마음대로, 쉽사리, 함부로.

705) 세원인망(世遠人亡) : 세대는 옛 시대와 멀어지고 성인은 죽고 다시 나오지 않음.

차년 춘에 천자가 성묘(聖廟)에 배알하시고, 현량방정과(賢良方正科)를 열어 인재를 뽑으시니, 윤추밀이 아자를 응과케 하니, 생이 실로 과욕(科慾)[706]이 사연하되 친의를 역지 못하여 장옥에 나아가니, 천생 아재(雅才)와 십년공부로 어찌 범연하리오. 복록은 천일을 응하고 재주는 의마(倚馬)[707]에 빛나니, 삼장 시권에 풍운이 빛을 변하고 귀신을 울릴 재주 있으니, 필법이 신능하여 견자 찬양 탄복하더라.

방을 떼어 장원을 호명하매, 항주인 윤희천의 나이 십사요, 부는 광록태우 추밀사 '수'라 부르는 소리 세 번 나매, 일위 소년이 만 인 총중을 헤치고 옥계에 다다르니, 위로 천자와 버거 시위 제신이 일시에 거안시지(擧眼視之)하니, 장원의 기상이 천지 정화와 일월 명광이 태양에 쐬어, 숙숙(肅肅)한 성행이 출어안채(出於眼彩)하고, 흉중에 공맹(孔孟)의 도덕을 품었으니, 안방정국(安邦定國)할 경륜대재(經綸大才)라. 겸하여 언건(偃蹇)한 신장이 양비과슬(兩臂過膝)하니 상이 견파에 크게 기특히 여기시어 불승흠애(不勝欽愛)하여 전전에 장원을 올리시고 계화(桂花)와 청삼(靑衫) 옥대(玉帶)를 주시고, 칭찬하시어 왈,

"산고옥출(山高玉出)이요 해심출주(海深出珠)라. 윤현의 기이한 풍용과 출류(出類)한 성행 충절로 향수치 못하고, 만리타국에 가 충의로 몸을 마치니, 천의(天意) 그 정충을 감동하시어 기린(騏驎)을 내어 문호를 창대하고, 국가 동냥을 삼아 짐의 보필이 되니, 그 아비를 생각하매 추연함을 이기지 못하리로다."

---

706) 과욕(科慾) : 과거시험을 보고 싶은 생각.

707) 의마(倚馬) : 말에 잠깐 기댄 사이라는 뜻으로 의마지재(倚馬之才)에서 온 말이다. 의마지재란, '글을 빨리 잘 짓는 재주'를 이르는 말인데, 말에 잠깐 기대어 있는 동안에 만언(萬言)의 글을 지었다는 중국 진(晉)나라 원호(袁虎)의 고사에서 유래하였다

하시고, 인하여 추밀을 정전에 부르시어 왈,

"경형(卿兄)이 조사(早死)하나 차(此) 양자를 두매 사이불사(死而不死)요, 경이 무자(無子)하나 희천을 계후하니 용상한 십자를 부러워 않을지라. 한갓 경의 집을 흥기할 뿐 아니라, 국가의 고굉(股肱)이니 짐의 만행이로다."

추밀이 연망이 고두 사은하나 망형을 추모하여 처연 감오하니, 장원이 부안을 모르는 종천극통(終天極痛)이 금일 용방에 고등하나 즐거움을 알지 못하여, 봉안(鳳眼)에 징파(澄波) 자로 동함을 금치 못하나, 지척 천안(咫尺天顔)에 비회를 발치 못할 고로, 관심(關心) 행례할 새, 팔배(八拜) 산호(山呼)[708]에 만세를 부르니, 상이 애경하시어 이에 금문직사(金文直士)를 시키시니, 장원이 연소둔재로 작직(爵職)이 과분함을 고사 하온대, 상이 불윤하시어 삼일유가(三日遊街) 후 찰임(察任)케 하시니, 부득이 사은할 새, 차차 방하(榜下)를 계화 청삼을 주시고 각각 삼배 어주(御酒)를 상사하시니, 이미 날이 저물었는지라. 장원이 방하를 거느려 퇴할 새 만조(滿朝)가 일시에 뒤를 좇아 궐문을 나니, 장원이 금안백마(金鞍白馬)[709]에 계지청삼(桂枝青衫)으로 청동 쌍개를 앞세워 본부로 돌아올 새, 창부 아역은 위의를 돕고 어원 풍류는 도로에 요량(嘹喨)하니, 도로 관광자가 책책 찬양하여 혀가 닳을 듯하더라.

이미 부중(府中)에 이르러는 만조가 이르러 경하하니, 추밀이 좌수우응(左酬右應)하여 사양치 아니하더라. 제객이 날이 저묾을 인하여 다 돌아간 후, 추밀이 장원을 앞세워 내당에 들어와 존당과 양자위(兩慈闈)께

---

708) 산호(山呼) : ≒산호만세(山呼萬歲). 나라의 중요 의식에서 신하들이 임금의 만수무강을 축원하여 두 손을 치켜들고 만세를 부르던 일. 중국 한나라 무제가 숭산(嵩山)에서 제사 지낼 때 신민(臣民)들이 만세를 삼창한 데서 유래한다.

709) 금안백마(金鞍白馬) : 화려하게 꾸민 안장을 단 흰 말.

재배 궤고(跪告)하여 반일 사이 존후를 묻자올 새, 두상(頭上) 계화(桂花)는 배례로 좇아 부인네 무릎에 다 있고, 청삼옥대(青衫玉帶)는 봉익(鳳翼) 유요(柳腰)[710]에 더욱 빛나거늘, 삼배 어주(御酒)에 양협이 도화 같으니, 남중일색(男中一色)이오 일세군자(一世君子)라. 그 기특하고 아름다움이 석목(石木)이라도 감동할 것이로되, 위・유의 흉포지심(凶暴之心)은 이럴수록 밉고 분하여 전후 소원을 다 맞히지 못하고, 형제 해를 연하여 용방(龍榜)에 비등(飛騰)하니 청년아망(青年雅望)이 조야에 들레는지라. 주야 죽이려 하던 바가 허사가 됨을 애달프고 분하여 하나, 묘랑이 약 짓기를 청하여 수삭을 오지 않는지라. 급히 간모를 의논할 것이 없으니 심장이 초갈하고, 시원히 칼을 들어 저 삼모자를 경각에 죽이고 싶으나, 추밀이 재좌 하였으니 감히 불호한 사색도 못하고, 흉한 눈을 뒤룩이고 붉은 안정에 흉한 눈물이 주줄 방방하니, 이 등신 같은 추밀은 모친이 석사(昔事)를 상회(傷懷)함인가 하여 위로하니, 유씨 독안에 모진 눈물이 또한 이음차니 추밀 왈,

"자위 과상하시고 수수 감회하시니 그대 위로함이 가하거늘, 어찌 이렇듯 슬퍼하여 모친 심회를 돕삽느뇨?"

유씨 요악히 함루 대 왈,

"선숙숙(先叔叔)을 생각하니 인심에 비회를 참지 못함이로소이다."

하여, 분한 눈물이 마르지 않고, 위태부인은 장원의 일신을 잡고 양안을 뒤룩이며 날뛰는 형상이 가장 무섭고 송구하니, 이때 조부인은 석사를 추회하여 심장이 녹는 듯하거늘, 위・유의 심정을 거울 비추 듯하매 그 흉의 악심을 짐작하여, 양 자 부부의 곡경 액화가 어느 지경에 미칠 줄 알지 못하니, 도리어 석사는 잊히고 경사도 기쁘지 않아, 만첩 시름

---

710) 유요(柳腰) : 버들가지처럼 가느다란 허리.

이 유미(柳眉)에 맺혔더라.

장원이 사묘에 배알할 새, 선부공(先父公) 사탑(祠榻)[711]에 미처는 실성오읍하여 종천지통(終天之痛)이 능히 견디기 어려우니, 오래도록 일어나지 못하여 유체 통읍이 견자로 막불시비(莫不嘶悲)[712]러라. 추밀이 자닝 애련하여, 이에 위로하며 거느려 사묘에 내려 외당으로 나오니, 미처 아니 왔던 왕공 후백이 일제히 이르러 신래(新來) 부르는 소리 진동하고, 온 가지로 유희하나 장원이 본디 기상이 온중 단묵한 가운데, 금일을 당하여 석사를 추모하여 지통이 새롭고, 시금(時今) 가사에 비회억만 이라. 흥황(興況)이 돈무(頓無)[713]하니 더욱 무슨 절도(絶倒)함을 행하리오. 다만 장자를 공경하여 유의하는 바를 약간 행하여 그 무류(無聊)함이 없게 할 따름이라.

제객 중 대사마 용두각태학사 장협은 위인이 개세군자(蓋世君子)요, 추밀로 더불어 동년지기(同年知己)로 금란지교(金蘭之交)와 '진번(陳蕃)의 하탑(下榻)'[714]을 웃는지라. 장원의 추천 같은 기상을 흠애 경복하여 즉시 청상(廳上)에 올려 그 손을 잡고 추밀을 향하여 왈,

"소제 외람이 형의 지기로 허함을 입어 관포(管鮑)[715]의 정이 두터운지라. 소제 한 일이 있으니 형이 행여 찰납(察納)하랴? 영랑의 도덕 현행을 보니 소제 자녀 선소(鮮小)함은 형이 아는 바거니와, 이제 일녀 있

---

711) 사탑(祠榻) : 죽은 사람의 신주를 모셔놓은 자리.

712) 막불시비(莫不嘶悲) : 울며 슬퍼하지 않는 이가 없다.

713) 돈무(頓無) : 전혀 없음.

714) 진번하탑(陳蕃下榻) : 어진 사람을 특별히 예우하는 것을 일컫는 말. 중국 후한 때 남창태수 진번이 그 고을의 서치(徐穉)라는 현사가 오면 특별히 걸상을 내려, 앉게 하고 그가 가면 즉시 거두어 걸어 두었다는 고사에서 유래한 말.

715) 관포(管鮑) : 중국 춘추시대 사람인 관중(管仲)과 포숙(鮑叔)을 함께 이르는 말. 우정이 아주 돈독한 친구사이였다.

어 비녀 꽂기에 가까웠으니, 청컨대 영랑으로 호연을 맺고자 하나니 형의하여(兄意何如)오?".

추밀이 침음양구에 왈,

"돈아의 재품이 행여 용우키를 면하나, 성정이 고요 단정하여 규내(閨內) 번화를 취코자 않을 뿐 아니라, 취처 사오 삭이요, 연유미질(年幼微質)로 등과도 불승외람 하거늘 재취하는 넘남이 있으며, 또한 영녀를, 소제 아시에 수차(數次) 보니 비상한 위인으로써, 돈아의 재실을 당하리오. 불감외람(不堪猥濫)[716]하니 소제 허치 못하리로다."

장공이 잠소 왈,

"낸들 일녀로써 남의 재실을 주고자 하리요마는, 영랑의 위인으로 추이(推移)컨대, 범범 속자의 원비도곤[717] 나으니, 형이 외람타 함이 핑계가언(假言)이라. 연유(年幼)함으로 또한 허치 않으나, 영질 사원은 연기(年紀) 영윤으로 동년이거늘 거년에 재취하니, 영랑이 어찌 홀로 연유하다 하느뇨? 형이 소제의 지극히 바라는 뜻을 물리치고자 하니, 실로 평일 믿던 바에 많이 다르도다."

추밀이 본디 장공을 기대(企待)하는 고로 이같이 간청함을 물리치지 못하고, 또한 규수의 현미함을 아는 고로 흔연 소왈,

"소제는 실로써 불감하여 허혼치 못함이러니, 형언이 여차하고 돈아의 우졸(愚拙)함을 혐의치 않아 부디 사위 삼고자 하니, 어찌 허치 않으리오. 종용이 의논하여 육례(六禮)를 구행하리라."

장공이 대희 과망하여 만만 칭사하고 장원의 손을 잡고 쾌서(快壻)라 하여, 제객으로 주배를 날려 이미 황혼이 되매, 제객이 각각 돌아가니,

---

716) 불감외람(不堪猥濫) : 외람함을 이기지 못함.
717) 도곤 : 비교조사 '-보다'의 옛말.

추밀이 자질을 거느려 촉을 이어 내당에 들어와, 모전에 장가 혼사를 고하니, 위태 듣는 말마다 불열 통해하나, 하씨 적인을 보면 혹 산란(散亂)함이 있을까 하여 구태여 막던 않더라.

장원이 삼일유가를 마치고 항주 선산에 소분코자 할 새, 추밀이 쉬이 돌아옴을 이르니, 직사 수명 배사하고 발행하니라.

시시에 유씨 희천의 등과(登科) 이후로 심사 더욱 분분초조(紛紛焦燥)하여 숙식(宿食)을 자로 폐하니, 의용이 수척하고 심술을 역시 참노라니 세상 흥미 사연(捨然)하며, 경애 성혼 칠재(七載)나 가부의 박대 갈수록 심하여 점점 행로(行路)[718]같고, 구가 왕래 드물어 구고 부르는 때만 나아가고, 석학사 오씨로 금슬이 진중하여 유자생녀하여 부귀 무흠함을 보면, 차라리 아니 봄만 같지 못하여 악심이 불 일 듯하여, 심장이 녹는 듯할 뿐이오. 석생의 위인이 걸출하여 성상이 총우하시고 만조가 추앙하며, 벼슬이 높아 호부상서에 이르러 위권 중망이 일세를 들레되, 경아는 문 바라는 이부(嫠婦)[719]로 호화를 참예치 못하니, 석추밀 부부 매양 아자의 박행을 책하고 윤씨를 자닝하여 하나, 석생은 오직 처실로 아는 바 오씨라. 부모 할일 없어 오직 윤씨를 불쌍히 여겨 상서의 녹봉을 반씩 난화 보내어, 그 의식을 보태게 하나 경애 주주야야에 단장박명(斷腸薄命)을 슬퍼하여 홍루 유미(柳眉)를 잠그니, 악악한 분한이 오씨를 죽이고 그 자녀를 썰고자 하나 뜻 같지 못하고, 투현질능(妬賢嫉能)하는 품되 갈수록 괴이하여 사인 형제를 원수같이 없애고자 하나, 한 일도 원(願)과 같지 못한지라.

---

718) 행로(行路) : 행로지인(行路之人). 오다가다 길에서 만난 사람이라는 뜻으로, 아무 상관이 없는 사람을 이르는 말.

719) 이부(嫠婦) : 과부(寡婦).

유씨 여아로 더불어 골똘 분완하여 묘랑의 약 얻어 옴을 갈망하더니, 이월 초순에 묘랑이 오니 유씨 모녀 황홀이 반겨 왈,

"천의(天意) 나의 소원을 이루지 못하게 하여, 희천이 마저 의의(猗猗)히 장원랑이 되니, 절절이 통해한지라, 사부(師父)를 바람이 대한(大旱)에 운예(雲霓)같이 하나니 금년이나 뜻을 이루랴?"

묘랑이 조부인 모자를 경이히 죽이지 못할 줄 알되, 위로 왈,

"지성(至誠)이면 감천(感天)이라. 부인이 불도에 정성을 드려 계시니, 어찌 필경 기쁜 일이 없으리까?"

인하여 품 사이로 좇아 약봉을 내니, 요약이 무수하여, 변심하는 익봉잠과, 변용하는 개용단과, 즉사하는 촉명단(促命丹)과, 오래 신음하여 장부 스러지고 육맥이 끊겨져 수월 후에 죽는 절명단(絶命丹)과, 말 못하는 암약(瘖藥)과, 인사 흐리는 현혼단(眩昏丹)과, 그 밖 요약이 불가승수(不可勝數)라. 유씨 대열 문 왈,

"이것을 뉘게 먼저 시험하리오?"

묘랑 왈,

"익봉잠은 노야께 시험하여 변심하심을 보고, 현혼단은 구파를 먹여 인사를 흐리게 하고, 조부인 모자 고식을 다 없이 하소서."

유씨 깃거 석반 찬선(饌膳)에 익봉잠을 섞어 추밀이 진식(盡食)게 하며, 저희 모녀 귀중 탐혹함을 바야고, 현혼단은 구파의 음식에 넣어 각각 상을 드리니, 차일 추밀이 모친을 모셔 석반을 진식하고, 구파는 하석에서 식상을 받으나, 추밀의 소활한 성정과 구파의 잔호의[720] 없는

---

720) 잔호의 : 자질구레한 의심. *호의(狐疑); 여우가 의심이 많다는 뜻으로, 매사에 지나치게 의심함을 이르는 말. *잔-: '가늘고 작은' 또는 '자질구레한'의 뜻을 더하는 접두사

바로, 금일 식반에 요약을 섞음을 어찌 뜻하였으리오.

쾌히 진식하였더니, 추밀과 구파 오륙일을 중통(重痛)하여 사지일신(四肢一身)을 아니 앓는 데 없으니, 사인이 주야 불탈의대(不脫衣帶)하고 계부 환후를 구완하나, 유씨 죽음(粥飮)에 익봉잠을 화하여 연속하여 쓰며, 구파의 먹는 바에 현혼단을 내리[721] 쓰니 독약이 처음 먹어서는 오장이 칼로 긁는 듯이 아프나, 여러 순(順)[722] 먹기를 항상 한 후는, 비록 수를 감하고 성정을 바꿀지언정, 약이 복중을 사귀어 고통하기를 그치나, 추밀이 안광에 총기 감하고 거지(擧止) 허박(虛薄) 괴이(怪異)하여, 홀연 유씨를 탐혹과애(耽惑過愛)하고 경아를 자별(自別)이 사랑하며, 유씨 후대함이 침닉(沈溺)하기에 이르러, 모전에 조석 문안 밖은 자취 외헌에 임치 않아, 해춘루에 머무르니, 붕배로 상종함을 그치는지라.

유씨 평생 원을 이루니 기쁨은 불가형언이요, 구파는 약한 간위(肝胃)에 요약을 먹으매, 대통하고 일어난 후, 한낱 어림장이 되어 행동거지 사람의 모양이 없어, 때 없는 웃음이 그칠 적 없고, 식반을 때에 먹지 않으나 허핍함을 모르고, 비록 많이 먹으나 포복함을 모르며, 만신이 자로 부어 일월이 가고 오는 줄 깨닫지 못하여, 누우면 잠이요, 앉으면 웃음이라. 전일 조부인 모자 고식을 지성 보호하던 바 아조 행로(行路) 보듯, 무사무려(無思無慮)하여 백사(百事)가 다 괴괴(怪怪)하기에 미치니, 위・유의 기쁨이 이때를 타 조부인 모자 고식을 바삐 죽여 없애려 하니, 슬프다! 뉘 있어 조부인 등을 구하리오.

추밀이 점점 그릇되어 유씨는 숙녀절부로 알고, 경애 아니면 자식이 없는 줄로 헤아려, 그 말이 한번 난 즉 아니 미침이 없고, 행사를 갖추

721) 내리 : 잇따라. 계속하여

722) 순(順) : 차례. 번(番).

아름다이 여겨, 평일 사인 등 귀중함이 자기 몸 위로 알던 바로써, 전연이 천히 여김이 돈견(豚犬) 같고, 곡절 없이 미움이 일어나, 보면 비록 질책치 않으나, 유씨 거짓 사인 등을 유념(留念)하는 체하면 가장 부질없이 여겨, 부인이 가내 여러 사람을 거느려 자연 심력을 허비하는 바를 그윽이 염려하여, 언언이 수고로움을 이르고 정·진·하 삼 소저 유무를 알지 못하는 듯, 앞에 보이면 무심히 볼 따름이요, 물러간 즉 잊음이 되고, 장원이 항주로 갈 제는 크게 훌연(欻然)[723]이 여기더니, 수순 사이 생각이 몽매에도 없는지라. 일일은 사인이 해춘각에 나아가 꿇어 고왈,

"근간 계부대인 신관[724]이 환탈하시어 병색이 현저하시니 유자(猶子) 황민(惶憫)하옴이 깁사온지라. 병후(病候)를 보옵고 의약을 착실히 하고자 하나이다."

추밀이 들으나 어린 듯하여 다만 손을 주어 맥을 보라 하고 말이 없으니, 사인이 옥면 성안에 유열한 안색으로 나아가 맥을 보고 그 병근이 깊으시믈 염려하여, 약석(藥石)으로 치료코자 하니, 추밀이 자기 마음이나 측량치 못하여, 사인을 양구숙시 후 생각하되,

"내 전일은 자질 사랑함을 일시를 못 보아도 여삼추(如三秋)하여 차마 떠나지 못하더니, 근간은 질아의 유무(有無) 불관(不關)하고, 희아는 더욱 생각도 아니 나니, 이 엇진 일인고? 저의 마음도 날 같을진대, 나의 병을 이렇듯이 근심하여 지극히 염려하니 진정이 아니면 이럴 리 없을 바로되, 흘연 내 마음이 다르도다."

---

723) 훌연(欻然) : ①갑작스러움. ②갑작스럽게 떠나거나 어떤 일이 일어나, 다하지 못한 일로, 마음속에 어딘지 섭섭하거나 허전한 구석이 있음.

724) 신관 : 얼굴의 높임말.

하여, 의사 이에 미처는, 문득 사인을 집수(執手) 연애(憐愛)하는 정을 요동(搖動)하니, 유씨 이 거동을 보고 분분이 미움이 일어나고 통한하나, 양소(佯笑) 왈,

"상공이 본디 강맹치 못하신 근력에 춘일(春日)이 부조(不調)하여 사람을 가쁘게 하는지라. 저적에 사오일 중통하신 후 신색이 여상치 못하시나, 대단한 질환이 아니라. 어찌 의약하도록 하리오. 음식 조보를 각별이 할까 하노라."

사인이 잠간 미우를 찡겨 왈,

"하교 마땅하시나 맥후를 보오니 근위(筋痿)[725]경치 않으시니, 의약을 극진히 하여 나으시게 함이 가하나이다."

차시 추밀은 사람이 못 되었는지라. 처음은 사인의 말을 옳이 여기다가 요처(妖妻)의 말을 듣고 그렇다고 여기더라.

---

725) 근위(筋痿) : 간의 열로 쓸개즙 분비가 지나쳐서 입 안이 쓰고 근육이 당기며, 경련이 일고 음경(陰莖)이 이완되는 증상.

명주보월빙 권지십구

차설 윤추밀이 처음은 사인의 말을 듣고 옳이 여기다가 요처(妖妻)의 말을 듣고 그렇다고 여겨 왈,

"내 원래 약 먹기를 잘 못하여 비위 거스르니 대단치 않은 병에 약 먹어 무엇하리오. 너는 부질없는 염려 말라."

사인이 계부의 말씀마다 이러하심을 한심 우황(憂惶)하여 다시 말 아니하고 날호여 물러오더니, 난간 밑에서 구파 허허 웃으며 앵무를 희롱하나, 정혼이 빠져 거동이 괴이하니, 사인이 구파를 친히 붙들어 모부인 침소의 돌아와 가로되,

"소손이 연일 계부의 환후를 구호하다가 십여 일 입번하여 집에 돌아오지 못하였더니, 작일이야 겨우 와 조모를 뵈오니 신색이 괴이하고 거지 전자와 다르시니, 심사 어떠하시며 사식지념(事食之念)[726]이 계시니까?"

구파 양안을 멀겋게 뜬 채 답지 못하고, 두루 살피며 실없는 웃음뿐이라. 조부인이 탄 왈,

"서모 이렇듯 되심은 천만 염외(念外)라. 저적 숙숙과 같이 앓고 난 후 실혼(失魂) 상성(喪性)하시니, 네 모름지기 의치를 착실히 하여 여상

726) 사식지념(事食之念) : 음식을 먹고 싶은 마음.

(如常)케 하라."

사인이 탄식 차악하여, 진맥한 즉 벌써 병이 깊어 장부 대허(大虛)하고 상시(常時) 성정을 잃어 발광(發狂)이 머지않을지라. 계부와 구씨의 병이 불의에 이 같음을 그윽이 염려컨대, 요약에 상함 곳 아니면 이럴 리 없을지라. 가중사(家中事) 점점 망측하여 이 같음을 경해하여, 광미(廣眉)를 찡그리고 말이 없더니 구파 돌아가니, 조부인 왈,

"숙숙(叔叔)의 행사 괴이하심과 서모의 실혼이 필유묘맥(必有妙脈)이라. 이는 장차 우리 대액(大厄)이니 범사를 상심(詳審)하여 화(禍)의 빠지지 말라."

사인이 추연 대 왈,

"만사(萬事) 천야(天也)니 인력으로 면할 바 아니오나, 계부 환후 경치 않으시고 구조모의 병이 괴이하오니, 소자 낙담(落膽) 초황(焦惶)하여 어찌할 길이 없나이다."

부인이 길이 탄하여 모자의 근심이 중첩하더니, 사오일 후 장원이 돌아와 존당 부모께 뵈옵고 그 사이 존후를 묻자오니, 추밀이 전일 같으면 그 반가워함이 어떠하리오마는, 이 때는 익봉잠 효험이 유씨의 원을 맞혀, 사인 형제를 무단이 날로 증분(憎憤)하여 자애 일호도 없는지라. 장원의 기운을 묻는 말을 들으나 무사무려하여 보는지 마는지 하니, 장원이 그윽이 의아하여 자기 작죄함이 있어 부공이 미안하시는가 하여 그윽이 축척 송연하니, 사인이 계부의 환후 경치 않음을 전하여 가장 근심한데, 장원이 놀라 급히 부안을 우러러 살피니 면모에 병색이 많을 뿐 아니라, 안정(眼精)에 명광이 없고 허열(虛熱)[727]이 어른거려 양안이 혼혼하며 온전치 못한 거동이라.

727) 허열(虛熱) : 몸이 허약하여 나는 열.

장원이 조심경(照心鏡) 안광(眼光)으로 깊이 상(傷)하였음을 지기하매, 가중사가 일삭지내(一朔之內)에 대변하여 야야의 환후 이러하심을 한심하여 낙심공구(落心恐懼)하나, 사색치 않고 모셔 앉았더니, 해지매 추밀이 해춘루로 가고 외헌에 나오는 일이 없는지라. 혼정을 파하고 형제 백화헌에 나와 야야 환후 증세를 일일이 물으니, 사인이 탄 왈,

"일망(一望) 전, 계부와 구조모 사오일을 일시에 중통(重痛)한 사연을 전하고, 조모는 실혼하여 헛웃음이 무상함과 계부는 외헌을 폐하시어 내아(內衙)를 떠나지 못하시니, 우형의 뜻에는 결단코 변심하는 요약(妖藥)을 진(進)하신가 하나니, 이런 불행이 어디 있으리오."

장원이 청파에 놀라고 슬퍼 야야(爺爺) 요약을 삼켜 단수(短壽)하실 징조라. 그윽이 심담이 떨어질 뿐 아니라, 양모의 허물을 언두(言頭)에 올리지 않으려 하매, 답언이 없는지라. 관을 숙이고 청루(淸淚) 줄줄이 흘러내리니, 사인이 위로하여 야심하므로 취침할 새, 부공의 병근과 가내의 변괴 층출함을 상상추회(想像追懷)하니, 종야 접목지 못하고, 흐르는 안수(眼水)는 침석에 괴이니, 장부의 신세 괴롭고 효자의 회포 슬프기 가히 측량치 못할지라. 사인이 연침(連枕) 접면(接面)하고. 탄 왈,

"인생이 백년이 아니거늘 이다지도 초사(焦思)하여 어찌 견디리오. 만사가 하늘의 뜻이니, 일이 되어 감을 보고 과도히 슬퍼 말라."

장원이 탄식 왈,

"소제의 몸은 염려할 바 아니오나, 야야의 환후와 신관이 환탈하심을 보오니, 실로 절박 초조하여 잠이 안 오나이다."

이에 서로 위로하여 밤을 지내고 존당 부모께 신성할 새, 추밀이 이날은 더 불평하여 모친께 문안도 폐하고 지게를 굳게 닫아, 자질이 창외에 왔음을 알되, '들어오라' 하지도 않고, 만사 여몽(如夢)하여 완연이 연무 중에 잠긴 듯하니, 양인이 계명(鷄鳴)에 창외에 서서 날이 늦기에

이르니, 유씨 괴로이 여겨 나와 가로되,

"상공이 여러 사람이 분요함을 싫어하시니 여등(汝等)이 수고로이 섰지 말고 물러가라."

장원은 몸을 굽혀 들을 따름이나 사인이 낯빛을 정히 하여 왈,

"계부 분요함을 괴로이 여기실진대 조용한 외당을 가려 조호(調護)[728]케 하심이 마땅하오니, 유자(猶子)가 이제 들어가 내당 분요한 곳을 떠나게 하리이다."

유씨 더욱 미워하여 왈,

"근간은 침소가 가장 고요하여 시녀배도 뭇는 일이 없고, 상공이 대허(大虛)하여 밤이라도 죽음을 자로 나오시니, 외당이 사이 멀고 서동 등이 직숙(直宿)하나, 죽음을 나의 친집함과 같지 못할까 하노라."

사인이 미우를 찡겨 숙모의 만악(萬惡)이 구비함을 근심하더니, 문득 조명이 계사 사인을 우부도어사의 옮기고, 장원은 소분하고 돌아옴을 아시고 행공함을 재촉하시니, 유씨 대계를 도모하여 조부인 모자 고식을 없애려 하는 고로, 장원이 입번을 자주 하고 집에 듦이 적기를 죄이는지라. 추밀을 달래어 찰직(察職)케 하라 하니, 공이 사사언청(事事言聽)[729]하는 고로 비로소 문을 열고, 자질을 불러 경계 왈,

"광천은 벼슬이 간관에 오르고, 희아는 행공함을 재촉하신다 하니, 모름지기 집을 유련(留連)치 말고 진충갈력하여 군상을 돕삽고, 삼가 조심하여 선백(先伯)의 적심충의(赤心忠義)를 떨어버리지 말라."

양인이 일시에 배사수명(拜謝受命)하나 근심이 중하고, 사인이 계부의 뜻을 보려, 궤고(跪告) 왈,

---

728) 조호(調號) : 환자를 잘 보양하여 병의 회복을 빠르게 함.

729) 사사언청(事事言聽) : 일마다 말하는 대로 잘 들어줌.

"계부 환후로 고통하시는 바는 아니로되 신관이 날로 환탈하시니, 비록 약석(藥石)[730]을 괴로이 여기시나, 의치를 않아서는 증세를 밝히 알 길이 없사오니, 내루에 의자(醫者)를 모아 논증(論症)[731]하옴이 불가하오니, 외헌으로 옮으심이 어떠하리까?"

공이 유씨를 떠남이 일시도 어려워, 양구 묵연하다가, 왈,

"내 병이 구태여 의자로 논증하여 입에 거스르는 약을 괴로이 먹을 것이 아니라, 다만 자로 허갈(虛喝)하기 심하니, 아직 내루에서 음식 조보(調保)를 각별이 하여 몸이 여상(如常)한 후에 외당을 찾으리라."

사인이 크게 한심하여 재간(再諫)하되, 들을 리 없을 줄을 지기하고 능히 말을 못하고, 각각 직사에 나아갈 뿐이라.

우부도어사는 간관으로, 풍교를 밝히며 남녀의 충렬 효의를 뽑고, 성상을 보과습유(補過拾遺)[732]하는 직이라. 윤어사 면절정쟁(面折廷爭)[733]이 유연열일(柔軟烈日)[734]하여 한갓 보과습유의 명신일 뿐 아니라, 이윤(伊尹)[735] 여상(呂尙)[736]의 충과 함께 제갈(諸葛)[737]의 신무

730) 약석(藥石) : 약과 침이라는 뜻으로, 여러 가지 약을 통틀어 이르는 말. 또는 그것으로 치료하는 일.

731) 논증(論症) : 병의 증세를 의논함.

732) 보과습유(補過拾遺) : 임금의 잘못을 바로잡아 고치게 함.

733) 면절정쟁(面折廷爭) : 임금의 면전에서 허물을 기탄없이 직간하고 쟁론함.

734) 유연열일(柔軟烈日) : 부드럽기도 하도 격렬(激烈)하기도 함.

735) 이윤(伊尹) : 중국 은나라의 전설상의 인물. 이름난 재상으로 탕왕을 도와 하나라의 걸왕을 멸망시키고 선정을 베풀었다.

736) 여상(呂尙) : 중국 주나라 무왕(武王) 때의 정치가 태공망(太公望)의 다른 이름. 여(呂)는 그에게 봉해진 영지(領地)이며, 상(尙)은 그의 이름이다. 강태공(姜太公). 여망(呂望) 등의 다른 이름으로도 불린다.

737) 제갈(諸葛) : 제갈량(諸葛亮). 181-234. 중국 삼국시대 촉한(蜀漢)의 정치가. 자 공명(孔明). 시호 충무(忠武). 뛰어난 군사 전략가로, 유비를 도와 오(吳)나라와 연합하여 조조(曹操)의 위(魏)나라 를 대파하고 파촉(巴蜀)을 얻어 촉한

(神武)를 겸하여, 거관직사(居官職事)와 사군예모(事君禮貌) 범류와 내도하고, 장원은 행공찰직(行公察職)함이 비록 연소하고 낮은 벼슬이나, 완연이 주공(周公)[738]의 토포악발(吐哺握發)[739]하시던 덕화를 가져, 관인(寬仁) 정도(正道)로 군상을 돕사오며, 앉아서 치정을 의논하여 살벌(殺伐)을 멀리하며, 요사(妖邪)를 물리치고, 일동일정이 예 아님이 없어, 공안(孔顔)[740]의 도덕 성행을 가졌으니, 상총이 융성하시어 만조가 추앙하며, 청현아망(淸賢雅望)이 사서(士庶)[741]를 들레나, 추밀은 능히 그 아름다움을 두굿길 줄도 모르고, 주야 유씨를 대하여 요약을 장복(長服)하니, 점점 흐리고 풀어져 농판이 되어, 전일 씩씩 엄숙하던 기습이 일분도 없으니, 어사 곤계 이로써 주야 절민 초조함이 미우를 펼 적이 드물더라.

차시 장협은 대대 갑제거족(甲第巨族)으로 또 위인이 걸출한지라, 실중에 두 부인을 두었으니 원비 설씨 일남일녀를 생하고 차비 영씨 일자를 두었으나, 아들은 다 십 세요, 여아 설이 금년 십삼에 천생 품질이 비상 초출하여 백년용안(白蓮容顔)이 일월의 광휘를 이어받고, 온유한 성행이 숙녀의 방향을 사모하는 중이나, 숙엄 정대하여 흡흡(洽洽)히 군자의 풍을 겸하였는지라.

을 세웠다.

738) 주공(周公) : 중국 주나라의 정치가. 문왕의 아들로 성은 희(姬). 이름은 단(旦). 형인 무왕을 도와 은나라를 멸하였고, 주나라의 기초를 튼튼히 하였다. 예악 제도(禮樂制度)를 정비하였으며, ≪주례(周禮)≫를 지었다고 알려져 있다.

739) 토포악발(吐哺握發) : 민심을 수렴하고 정무를 보살피기에 잠시도 편안함이 없음을 이르는 말. 중국의 주공이 식사 때나 목욕할 때 내객이 있으면 먹던 것을 뱉고, 감고 있던 머리를 거머쥐고 영접하였다는 데서 유래한다

740) 공안(孔顔) : 공자(孔子)와 안자(顔子)를 함께 이르는 말.

741) 사서(士庶) : ①사대부와 서민 ②일반 백성.

장사마(司馬) 과애 귀중하여 아시로부터 앞에 두어 학문을 가르치니, 총명이 절인하고 재품이 기이하여 생이지지(生而知之)[742]하는 재주 있고, 성정이 상쾌하여 아녀자의 녹록(碌碌) 용졸(庸拙)함을 웃는지라. 장공이 갈수록 사랑하여 널리 가서(佳壻)를 택하다가, 윤직사를 보고 흠모하여 재실을 혐의치 않고 간구(懇求)하여, 결승(結繩)의 호연(好緣)을 이룰 새, 윤직사가 소분하고 옴을 알아 즉시 택일하여 윤부에 보하니, 길기 일삭이 가렸는지라. 장공과 설부인은 윤부 가사를 모르나, 재실 영씨는 유금오 부인 동생인 고로 위·유의 악행을 자세히 들었으나, 또한 영씨의 용심이 궁흉 부정하여 설부인 자녀를 없애지 못할까 골똘하매, 설아를 윤부에 속현함을 그윽이 깃거 유씨에게 보채여 자진할까 죄오니, 포악함이 유씨 아래 아니니, 이 또한 장소저의 액화 괴이하여 계모의 사나움이 응시(應時)함이더라.

이때 윤추밀은 직사의 재취 길일이 임하나 연석을 개장할 의사도 없고, 사인 곤계를 무단이 미안하여 자애함이 조금도 없으니, 더욱 삼부를 유념하리오. 위·유 승시하여 어사 부부 형제를 보챔이 날로 심하고, 그 부부의 동실지락(同室之樂)을 가장 꺼려, 어사 채봉각과 채영각에 출입하고 직사 채련각에 들어간 즉, 분노하여 반드시 부부 의논하고 태부인과 추밀 부부를 죽이려 한다고 작언(作言)하여, 차마 못들을 말로 보채기를 위주 하니, 직사는 놀라운 말로 인하여 하씨 침소에 일절 가지 않고, 어사는 흉참한 언사를 못 듣는 체하여 양인의 침소 왕래를 빈번이 하여 임의로 출입하니, 위태 정·진 양인을 불러 천만 수죄하여, 차후 일시도 사실을 가보지도 못하게 하니, 주야 앞에 앉히고 침선수치(針線

742) 생이지지(生而知之) : 삼지(三知)의 하나. 도(道)를 스스로 깨달음을 이른다. ≒생지(生知).

繡緻)를 재촉하여 시키고 온 가지로 보챌 뿐 아니라, 또한 조석에 밥을 주는 바 없어 일기(一器) 맥죽(麥粥)과 더러운 재강이라.

삼 소저 기아를 견디기 어려우나 조부인이 구차히 식반을 이따금 장만하여 그 기갈을 늦추더니, 위흉이 그 눈치를 알고 차후 측간 출입이라도, 세월 등을 껴 보내니 어디 가 고식(姑媳)이 만나 기아를 면하리오.

삼소저의 기갈이 측량없어, 정소저는 오히려 맥죽 재강이라도 강인(强忍)하여 먹으나, 진씨는 약한 비위와 지란 같은 기질이 차마 이런 것을 먹지 못하니, 어찌 잘 견디리오. 날로 화용이 초췌하고 옥골이 수척하며 미풍에도 부칠 듯하니, 조부인이 자닝 참연하여 자기 몸의 괴롭고 슬픈 것은 잊힘이 되고, 자부를 고렴(顧念)하는 심회 돌을 삼킨 듯하더니, 일일은 어사를 대하여 낙루(落淚) 왈,

"정·진 양부 너의 자주 출입하는 해(害)로 존고 침소를 일시를 못 떠나고, 약질이 여러 가지로 못 견딜 형세 많으니, 차라리 각각 그 본부에서 청하여 데려가면 일시 보전할 도리 될까 하노라."

어사 탄식 대 왈,

"저 양인의 신세도 가련타 하오려니와, 소자의 마음이 이런 곳에 겨를이 없어, 계부 환후 비경하심과 마음이 변하심이 경해 차악하고, 구조모 실혼한 병이 고칠 도리 없음을 절민 하는 바이오니, 진씨 형제의 곡경은 마음에 머물 사이 업나이다."

조부인이 정색 왈,

"네 처음 저같이 생각할진대, 사실 출입을 자주 않았던들 양부(兩婦)가 남다른 경계를 당하였으리오. 도시 네 탓이라."

어사 도리어 웃고 대 왈,

"자정은 무익한 과려를 마르시고 일이 되어 감을 보소서. 소자의 부부 녹발이 쇠할 때 멀었으니, 설마 매양 우수(憂愁)하리까? 호화로울 시절

이 있사올 것이니 관심물우(寬心勿憂)하소서."

부인 왈,

"너는 매양 좋은 말 말라. 여모(汝母)는 가중사를 살피매 평안한 시절이 없을까 하나니, 숙숙이 마저 변심하시매 누구를 의앙하리오."

어사 이성화기로 재삼 위로하고 차일 혼정을 맞고 자취를 가만히 하여 경희전 지게를 열매, 정 · 진 양인이 미처 피치 못하여 서연이 일어서는지라. 어사 협실 문을 막아 좌하고 조모를 모셔 두어 말씀하고 거짓 모르는 체하여, 고 왈,

"정 · 진 등이 근간 방소를 떠나 존당에서 소손을 내외(內外)하여 중회중(衆會中) 보기도 피하오니 일이 괴려(乖戾)하도소이다. 소손이 의복을 찾아 입을 길 없고, 빈객이 오는 때도 주찬지절(酒饌之節)을 염려할 이 없어, 환부(鰥夫) 형세나 다르지 않으니, 여자의 도리 방자함을 정 · 진 양공께 전하고, 각각 본부로 출거하여 개과케 하고, 일개 숙녀를 구하여 내사를 찰임케 하려 하나이다."

위노(老) 양 소저를 앞에 두어 조르고 보채여 제 소일거리를 삼고, 자진하여 죽기를 죄오는 바로써, 어사 문득 소저 부모에게 이 소유를 전하고 돌려보내기를 이르니, 위씨 영민치 못하고 한갓 궁흉할 뿐이니, 어사의 성정이 잔 곡절이 없으며 과격함을 아는 고로, 이 말을 정 · 진 양공더러 이를까 놀라며 양인을 보내어 편히 머물까 불열하여, 노안(怒眼)으로 보기를 양구히 하다가 왈,

"양 소부는 마침 시킬 일이 있어 근간 내 침전에 있거니와, 이 일이 무슨 대사라고 정공더러 이르고 돌아 보내도록 하리오. 노모를 역정하는 말이거니와 아내 비록 귀하나 주야 대하여 있을 바 아니라. 일시 못 봄을 그대도록 못 견디리오."

어사 왈,

"소손이 비록 불초하오나 대모께서 정·진을 불러 시키시는 일을 감히 역정하리까마는, 저의 행사가 괴려하여 근간 소손을 대함을, 장신(藏身)하는 규수가 외간 남자를 대함같이 하오니 소행이 통해하옵고, 설사 태모의 시키시는 바 바쁘오나 잠간 틈을 얻어 양인이 돌려가며 물러와 소손을 옷을 줄 사이도 없사오리까마는, 일야(日夜) 잠깐도 사실에 오는 일이 없고, 또한 모친께 신혼성정(晨昏省定)을 하는 바 없사오니, 성효의 천박하오미 분완하옵고, 자모, 대모께는 수해(手下)시나 소손 등의 받드는 도리야 어찌 왕모와 다름이 있으리까. 저의 인사가 자모를 층등(層等)하오니, 행실이 없삽기로 돌려보냄을 이름이로소이다."

위태 날호여 가로되,

"시작한 일이라 금명간 필역하거든 각각 사실로 돌려보내리니, 괴이한 말을 너의 악공(岳公)더러 이르지 말라."

어사 배사 수명하고 퇴하니 위태 차언을 유씨에게 밀통한대, 유씨 분노 왈,

"이는 정·진 등이 존고를 격동함이니 어찌 무상 불측치 않으리오. 차언을 저희 빙공(聘公)더러 이르라 하시고, 양인을 사침의 보내지 마소서. 정·진 양공이 들은들 존당이 그 딸을 앞에 두어 침선시키심이 무슨 허물 되리까?"

위씨 춘몽이 의연하여 흉한 성이 발하매, 어사를 불문곡직(不問曲直)하고 시노를 호령하여 큰 매로 결장하라 하니, 어사 무죄히 이런 거죄 종종하여 모친께 이우(貽憂)함을 더욱 한심하여, 문득 고 왈,

"소손이 비록 불초하오나 작죄한 사단을 생각지 못하옵나니, 원컨대 불초한 죄를 이르소서."

위태 팔을 뽐내어 노즐(怒叱) 왈,

"너의 흉함이 정연과 진광으로 더불어 모의하고 노모를 해하거니와,

빙공(聘公)의 세엄이 중하나 나를 무고히 해치 못하리니, 너 같은 불초손(不肖孫)을 다스리지 못하리오."

어사 이런 말을 처음 들음이 아니나, 새로이 경악하여 정색 대 왈,

"소손이 비록 불초하오나 정·진 양공으로 반자지도(半子之道) 있사온들, 타문 사람이거늘, 어찌 대모의 실덕하심을 이르리까? 연이나 이런 하교 이 번 뿐이 아니시니, 소손의 의견에는, 뉘 있어 대모께 허언(虛言)을 주출(做出)하옵는가 싶으오니, 밝히 이르사 가란을 평정케 하소서."

위태 익익 대로 왈,

"불초손이 무슨 발명할 말이 있으리오. 정·진 등을 내 앞에 둠을 원망하는 뜻이 있어, 처부(妻父)더러 이르고 양처를 보내렸노라 하니, 다시 생각하매 노모를 모해할 뜻이라. 네 불인 극악함이 한결같을진대 한갓 양 손부를 이르지 말고 여모까지 육장을 만들리라."

언파에 노기등등하여 시노(侍奴)를 호령하여 어사를 결박하고 결장할새, 매마다 고찰하니 어사 아픔은 여사(餘事)요, 모친이 아시는 바에는 심장이 떨어지는 듯하시리니, 다만 죽은 듯이 수장하여 이미 오십 장에 성혈이 낭자하고 피육이 후란하되 그칠 줄 모르고, 추밀은 해춘루에서 아무런 줄 모르고, 구파는 인사불성이 되었으니 뉘 있어 구하리오. 위씨 마음 놓아 아주 쳐 죽이려 하는지라. 이때 직사가 형이 오래 나오지 않음을 의심하여 들어가 보니 여차 경상이라. 대경 차악하여 계하에서 고두(叩頭) 주 왈,

"복망 태모는 형을 사하시고 소손을 대신 수장(受杖)케 하소서."

위씨 들은 체도 않고 다 함께 고찰하여 치니, 경애 말리는 체하여 그만치소서. 하니, 위태 비로소 어사 형제를 끌어 내치라 하고 양부를 엄책, 왈,

"다시 가부를 촉하여 사침에 갈 의사를 둔 즉 결단코 죄를 사치 못하리라."

양인이 천만 원억하나, 한 마디 발명을 아니하여 다만 재배 수명하더라.

직사 어사를 붙들어 외당에 나와 장처에 약을 붙이며 왈,

"형장이 어찌 말을 참지 못하시어 조모의 분노를 돋우시니까?"

어사 탄 왈,

"내 어찌 참지 못함이리오. 삼촌설이 병들지 않은 연고로다. 계부 점점 실혼하시어 운무 중 같으시니 장차 우리 등이 어찌 보전하리오."

직사, 척연 탄식 무언이러라.

이러구러 장부 길일이 다다르니 추밀은 정혼이 아득하여 무엇을 앎이 있으리오. 유씨 일가친척을 청하고 당중에 돗글[743] 열어 빈객을 접대하며, 신랑을 보내고 신부를 맞을 새, 정・진・하 삼 소저 단장을 잠간 이뤄 존당과 조・유 이 부인을 모셔 접빈대객 할 새, 날이 반오에 직사 들어오매 하소저 길복을 다스려 숙녀의 덕을 다하니, 추밀이 전일 마음이 일분이나 있으면, 오죽이나 두굿기고 아름다이 여기리오마는, 이때 한낱 굼벵이[744] 되어 사람의 마음이 아조 없으니, 다만 귀중이 아는 바 유씨 모녀니, 어린 듯이 좌하여 양안(兩眼)이 풀어져 거의 감길 듯하니, 깃거함도 없고 불열(不悅)함도 없으니, 자질이 그 거동을 볼 적마다 낙심천만하니, 직사 차혼(此婚)에 무슨 흥미 있으리오마는, 날이 이미 늦으니 마지못하여 존당 부모에게 하직하고, 위의를 휘동하여 장부에 이

---

743) 돗글 : 돗자리. 자리. 잔치. 연회

744) 굼벵이 : 매미, 풍뎅이, 하늘소와 같은 딱정벌레목의 애벌레. 여기서는 동작이 굼뜨고 느린 사물이나 사람을 비유적으로 이르는 말.

르러 옥상(玉床)에 홍안(鴻雁)을 전하고, 천지께 배례를 마치매 잠간 좌의 나아갈 새, 옥면 영풍이 더욱 기이 쇄락하니, 장공이 처음 봄이 아니로되 새로이 황홀 기이하여 집수 연애함이 측량없으니, 제객이 쾌서 얻음을 치하한데, 장공이 좌수우응하여 일호도 사양치 않더라.

신부 상교하매 친영우귀(親迎于歸)[745]할 새, 이윽고 본부에 다다르니, 청중의 금년(金蓮) 채석(彩席)이 정제하고 화촉이 명랑한데, 양 신인이 합근교배(合巹交拜)[746]할 새, 남풍여채(男風女彩) 발월 특이하여, 단봉교학(丹鳳皎鶴)[747]이 서로 희롱하며, 황금백벽(黃金白璧)이 서로 다투는 듯하니, 중객(衆客)이 흠복 칭찬하더라.

교배를 마치매 직사는 출외하고 신부는 현구고(見舅姑) 배사당(拜祠堂)할 새, 신부의 풍완호질(豊婉好質)이 선연윤택(鮮姸潤澤)하여 화왕(花王)[748]이 동풍에 웃으며, 향련(香蓮)이 초로(草露)를 떨친 듯, 아황봉미는 덕기 완전하고, 쌍안 추파는 효성이 밝았는 듯, 운환무빈(雲鬟霧鬢)과 홍협단순(紅頰丹脣)이 영롱무비(玲瓏無比)하여, 세상 연분(鉛粉)[749]을 더러히 여기니, 천태 만광이 광실에 바애고[750], 진퇴주선이 자유법도(自有法度)하고 행동거지 신중 단일하여 학리군자(學理君子)의 틀이 있어, 이른 바 치마 맨 열장부요, 비녀 꽂은 영걸이라. 범연한 시

---

745) 친영우귀(親迎于歸) : 혼인례에서 신랑이 신부의 집에가 전안례를 마친 후, 신부를 맞아 신랑의 집으로 돌아오는 일. '친영(親迎)' 또는 '우귀(于歸)'라고도 한다.

746) 합근교배(合巹交拜) : 전통 혼례에서, 신랑 신부가 서로 잔을 주고받고, 절을 주고받고 하는 의례.

747) 단봉교학(丹鳳皎鶴) : 붉은 봉황과 흰 학.

748) 화왕(花王) : '모란꽃'을 달리 이르는 말.

749) 연분(鉛粉) : ≒연화(鉛華). 얼굴빛을 곱게 하기 위하여 얼굴에 바르는 화장품의 하나.

750) 바애다 : 빛나다. (눈이) 부시다.

속 아녀자가 아니라. 조부인이 예를 받을 새, 촉처(觸處)에 유한지통이 일어나고 새로 무거운 근심이 아미에 맺혔으나, 신부의 특출한 위인을 사랑하여 잠간 희색이 있으되, 추밀은 어린 듯이 예를 받을 따름이요, 주견이 없고, 위・유는 들어오는 여자마다 비상함을 통완하여 기쁜 사색이 없으니, 전일은 추밀을 두려 매양 중목소시(衆目所視)에는 어사 부부 형제를 사랑하는 체하더니, 당차시하여는 추밀이 변심하고 구파 는 상성(喪性)하였으니, 두려워하고 조심할 곳이 없어 작심(作心)을 잘 머무르지 못하니, 중객이 괴이히 여기나 신부를 일컬어 직사의 처궁이 유복함을 일컬으니, 유씨 강인하여 기쁨으로 대하고, 조부인이 사사할 뿐이라.

추밀이 전일의 거동이 아주 없어 신부를 보나 한 마디 말이 없으니, 비컨대 의관(衣冠)한 신위(神位)라. 조부인이 그윽이 가없이 슬퍼 날호여 신부더러 왈,

"아자의 원비 재좌하였으니 신부로 더불어 사문일맥이라, 모름지기 처음 보는 예를 폐치 말라."

신부 배사 수명하고 하씨를 향하여 재배하니, 하씨 규구(規矩)를 버리고 천연이 답례하여 좌차를 가까이 정하고 어깨를 나란히 하니, 하소저의 승절한 태도 볼수록 찬란하여, 일분 물욕이 없어 어진 뜻뿐이라. 그 어여쁘고 고움은 신부의 위요, 기품이 장원하여 위인이 상쾌하며 여중호걸 같기는 신부가 하씨의 위라.

조부인이 사부(四婦)를 한가지로 두굿김이 극하나, 이런 현부 성녀들을 상서 보지 못하고, 유명이 격하여 위란한 형세를 앎이 없으니, 첩첩 비한을 이기지 못하여 쌍루(雙淚) 이음차니, 제객이 그 갖추 괴롭고 난처한 정사를 오히려 모르나, 석사를 추회함인 줄 알아 위하여 슬퍼하더라. 위씨 제객의 이목을 가리와 거짓 슬퍼하는 체하고, 유씨 척연한

안색으로 중객을 대하여 탄식, 왈,

"하늘이 윤문을 보조하시는 덕음으로 광질 형제를 저저(姐姐) 생하시니, 그 때 숙숙이 만리타국에가 별세하시니 가중사가 곳곳이 비황(悲況)한지라. 봉로시하(奉老侍下)에 저저 관억부지(寬抑扶持)하시고, 존고 희아 형제를 보사 참절한 심사를 관회(寬懷)하심이 되어 세월을 보내시고, 당차지시(當此之時)하여는, 저희 형제 등룡(登龍)하여 옥당금마(玉堂金馬)에 출입하여 각각 형제 현처를 쌍득하여 만사 바람 밖이라. 적료(寂寥)하던 가중이 번화롭고 비창하던 심사 영화로우나, 석사를 추회하니 감창함을 이기지 못하여, 숙숙이 천양지하(泉壤之下)에 앎이 없으시니, 첩심이 참연함을 이기지 못하나이다. 뉘 수숙지간 상변(喪變)이 없으리까마는, 숙숙의 지성우애와 성덕을 세세평생(世世平生) 앙망함이 엄구와 다름이 없거늘, 출세하신 충효 덕화로써 향수치 못하심을 생각하면, 좋은 일을 당하나 능히 즐거움을 알지 못하나이다."

중객이 그 공교로운 말을 정말로 알고 제성(齊聲) 답 왈,

"선상서 조세하심은 한갓 동기 친척의 슬픔은 이르지도 말고, 위로 천자와 아래로 만조(滿朝) 사서(士庶)가 다 한가지로 차석 비탄하는 바이니, 부인의 인자성심으로써 이러하심이 어찌 괴이하리까마는, 태부인과 조부인을 위하시어 과도히 비척치 마소서."

유씨 흐르는 말씀으로 인심을 취합하여 어진 덕을 나타내 종일 담화하다가, 석양에 파연하여 내외 빈객이 각각 집으로 돌아가고, 신부 숙소를 채순각에 정하여 보내니, 직사 부모 존당께 혼정하고 백화헌의 나오나, 신방을 찾을 의사 없으니, 어사 권하여 왈,

"아등 형제 사세(事勢) 남달라 부부 화락할 뜻이 나지 않으나, 신수(新嫂)의 초출하심이 장부의 쾌한 배우(配偶)요, 신혼 초야에 신방을 비움은 예(禮) 아니라, 모름지기 채순각에 가 밤을 지내라."

직사 미우에 수운(愁雲)이 모여 왈,

"소제는 원하는 바 일처로 집을 지켜 건즐이나 소임케 하려 하거늘, 의외 장씨를 취하니 위인의 선악은 아직 모르나, 사세(事勢) 일처도 화락이 어렵거늘, 번외(番外)의 사람을 얻어 주체[751]키 어렵도소이다."

어사 재삼 권하여 신방으로 가라 하니, 직사 마지못하여 채순각에 이르니, 신부 일어나 맞거늘 팔을 밀어 좌하고 날호여 눈을 들어 살피니, 신부 한갓 화월지색 뿐 아니라, 훤칠한[752] 미우에 수복이 완전하고 어위찬 거동과 침중한 위의 유풍(幼風)이 머물렀으나, 또한 온순 비약하여 숙녀의 청고함을 겸하였으니, 직사 그윽이 아름다이 여기나 만사에 무흥하여 양구 묵연이러니, 날호여 야심함을 일컬어 편히 쉼을 청하고 이성지친을 날회니, 이는 자기 이칠 소년이요, 하씨도 합친(合親)치 않은 고로, 각각의 상요에 지내니라.

장소저 구가에 머물러 존당 구고 받드는 효성이 출천하고, 군자를 예로 섬기며 금장을 화우하며 하씨로 더불어 지극한 정이 골육 같으며, 정·진 양소저의 명풍을 따르니 조부인이 연애귀중(憐愛貴重)함을 정·진 등과 같이 하니 위·유는 그 어짊을 밉게 여겨 보채는 뜻이 삼소저로 일양(一樣)이라.

추밀은 두굿거움도 알지 못하고, 그 사랑함을 잊어 한낱 농괴(聾瑰) 되었으니, 장씨 처음으로 들어와 서어하고 두려운 신세 범인으로 이른즉, 일시 머물기 어려우나, 상냥 쾌활함이 소소지사(小小之事)를 거리낌이 없고, 금옥 심장이 중산의 무거움과 창해의 깊은 것을 가져, 천수만한(千愁萬恨)이 있으나 헤치기를 위주하고, 생각지 않기를 위본(爲本)하

---

751) 주체 : 짐스럽거나 귀찮은 것을 능히 처리함.
752) 훤칠하다 : 길고 미끈하다. 막힘없이 깨끗하고 시원스럽다.

여 구구히 수척함이 없어, 옥 소리 같은 담소 아아히 쇄연하되, 한 마디 불법의 말씀이 없으며, 양춘화기 만물을 부생하는 조화를 가져 녹녹히 아녀자의 오소함을[753] 지키지 아녀, 훤대열일(喧大烈日))함이 규각 중 영걸이라. 강하되 모지지 아니하고 명쾌하되 굳세지 않아, 직사도 심리(心裏)에 탄복하여 정이 깊되, 사실(私室)에 자주 대하는 일이 없고, 중회 중 대하나 눈을 들어 봄이 없어, 공검정대하며 침중은묵함이 날로 새로우니, 위·유가 기색을 예탁(豫度)치 못하고, 그 뜻이 여관(女款)을 부운같이 여김으로 알아, 하·장 양인의 비홍을 자로 상고하며 직사를 원거(遠居)함을 당부하고, 동실지락(同室至樂)을 원수같이 말리려 하니, 그 마음이 이렇듯 음흉(陰凶) 해연(駭然)하더라.

묘랑이 옥누항에 자주 왕래하여 삼인의 악사를 도울 새, 유씨 추밀의 변심함과 구파의 그릇됨을 일러, 약효 신기함을 사례하고, 조부인 모자 고식을 빨리 해할 꾀를 물으니, 묘랑 왈,

"조씨를 해한 후 차례로 없애리니, 빈도의 소견은 조부인이 아무데나 나가시는 때를 타 도중에서 해코자 하나, 조씨 움직일 일이 없더이다."

유씨 침음 왈,

"조씨 동기 금능에 퇴거하였더니, 성상이 자로 돌아옴을 재촉하실 새 조서가 줄을 이었다 하니, 조인이 경성에 온 즉 조씨 왕래를 하리니, 그 때 사부 해할까 싶으냐?"

묘랑 왈,

"차계(此計) 마땅커니와, 빈도의 마음에는 일시가 급하이다."

경애 왈,

"정천흥이 문양을 취한 후 명아가 별원에 기인(棄人)이 되었다 하니,

---

753) 오소하다 : 도량이 좁고 작다.

대모께서 광천 등이 입번한 때를 타, 백모로써 명아를 보고오라 하시어, 비록 낙종(諾從)치 않아도 위력으로 보내시면 부득이 가리이다. 사부는 이 때를 타 해(害)하소서."

위・유 박장대소 왈,

"묘코 묘하니 그대로 하리라."

의논을 정하고, 묘랑을 경아 침소에 두어 어사 등의 입번을 기다리더니, 사오일 후 입번하고, 추밀은 해춘루에서 술에 취한 듯 만사 무념하니, 행지 괴괴하고 언어 차서가 없어, 가중인(家中人)이 눈에 뵌즉, 있음을 아나 다시는 깨닫지 못하니, 요약 먹은 후로 조부인을 어찌 기렴하리오[754]. 위・유 이제는 두려워하고 주저할 것이 없으니, 양미토기(揚眉吐氣)[755]하더라. 위태, 조부인을 대하여 가로되,

"손녀 근친한 지 사년이요, 정낭이 공주 길례 후로 손녀를 별원에 내쳐 아조 기인이 되었다 하니, 자닝한지라 모름지기 그대 운산의 나아가 명아를 보아 심회를 위로하며 오래 그리던 정을 펴라."

조부인이 존고의 졸연한 말씀이 인정에 당연하되, 필유묘맥(必有苗脈)함을 지기하고 나직이 대 왈,

"하교 마땅하시나, 양・이 등과 동거하고 밖에 정시랑이 머문다 하니, 능히 정리를 펴지 못할 것이요, 여아 또한 기뻐 않을까 하나이다."

위흉이 노왈,

"그대는 내 말인즉 듣지 아니하니 불초함이 이리 심하뇨? 정시랑이 밖에 있으나, 양・이 등이 동거하나, 자모의 정으로써 잠간 가 봄이 무

---

754) 기렴하다 : 보살피다. 유념하다.

755) 양미토기(揚眉吐氣) : '눈썹을 치켜뜨고 기를 토한다'는 뜻으로, 기를 펴고 활개를 치는 것을 이르는 말.

슨 허물이 되며 비편하리오. 내 비록 사리를 모르나 그대에게 해로운 말은 이르지 않으리니, 두 번 이르지 말고 명일 가보고 오라."

조부인이 다시 우기지 못할 줄 알고 다만 사례하고 물러나니, 정소저 그윽이 기색을 스쳐 존고의 화액(禍厄)이 급함을 경심(驚心)하여, 양계(良計)를 창졸에 생각지 못하고, 자기 일시 떠나지 못하니 착급하여 안서히 태흉께 고 왈,

"존고 명일 운산에 가려 하시니, 첩이 금야는 존고 침실에 가 의상을 다스려 입고 가시게 하여지이다."

위태 묘랑의 재주를 믿고 원래 슬겁기는[756] 유씨만 못한지라. 정씨 그 고모의 의상을 이뤄 보내려 함인가 곧이듣고 사실로 가라 하니, 정씨 배사 수명하고 차일 밤든 후 해월루에 이르니, 부인이 촉을 대하여 수운이 만첩하여 탄성이 자로 발하더니, 정소저를 보고 반겨 문 왈,

"내 바야흐로 대화가 당전(當前)한가 하나니, 현부의 여신한 총명으로 구함을 얻으랴?"

소저 대 왈,

"아해 존고의 행거를 그윽이 염려하오나 불민하여 성의를 저버릴까 하옵나니, 숙숙과 군자 입번한 때라 배행할 이 없으니, 더욱 절민(切憫)하나이다."

부인이 척연 탄식하고 주루(珠淚)를 뿌려 왈,

"위인식부(爲人息婦)하여 고모(姑母)의 부덕을 언두(言頭)에 일컬을 바리오마는, 현부 가중 한심한 경상을 이미 앎이 밝고, 고식지간(姑媳之間)의 정의 합한 바의 무슨 은휘할 바 있으며, 내 구차히 살았음이 위로 존고의 자식 해하시는 허물을 면케 하고자 함이요, 아래로 여등의 자

756) 슬겁다 : 슬기롭다. 영리하다.

닝함을 염려함이라. 전전곡경을 생각하여 무익하거니와, 이때를 당하여 현부 등의 보전할 도리를 밤낮으로 생각하나 계교 없고, 존고의 오늘날 하교를 헤아리매 대화가 임하였으니, 장차 어찌하리오."

소저 이성 화기로 위로 왈,

"존고는 첩 등으로 염려치 마르시고 성체를 보중하실지니, 명일 행거(行車)에 초인(草人)으로 대신하고, 존고는 잠간 피우(避寓)하심이 양책일까 하나이다."

부인이 깃거 왈,

"현부의 신기한 계교는 타인이 믿지 못하리니, 이로써 나의 급화를 제방할까 하나, 가변이 한심하도다."

소제 평생 재주를 나타내지 않고, 아는 바를 감추어 신출귀몰(神出鬼沒)하는 재주를 친생 부모도 모르게 하더니, 출천대효로써 존고의 대화를 제방하기에 이르러는, 재주를 발하여 초인을 만들고, 백옥안면(白玉顔面)이며 향신체지(香身體肢)를 완연이 조부인을 모습 떠, 백의소상(白衣素裳)을 가하니, 일호(一毫) 다름이 없어 미망인 명천공 부인이요, 어사의 자위라. 초인의 속으로 줄을 넣어, 서며 안기를 줄을 안에서 당기는 대로 하니, 완연이 사람의 체지가 움직이는 것과 같으니, 밤이 반이나 하여 필역하여 좌석의 놓고 존고께 고 왈,

"날이 밝지 않아서 존당에 하직하시고 침전에 물러오시어 매영 등이 임시응변이 신속하리니, 초인을 맡겨 거중에 넣어 가라 하시고, 존고는 후원 그윽한 곳에 피하여 계시다가, 숙숙과 군자 출번 후 의논하시어 안정하신 곳을 얻으시면, 첩 등이 이따금 승간하와 나아가 뵈려 하나이다. 이번 도중에 변이 있은 즉 초인으로 대신하나, 존당이 혹 방문하셔도 피하심이 마땅할까 하나이다."

부인이 소저의 재주를 신기히 여기고 피우(避憂)하라 말이 옳으나, 자

부를 홀로 위지에 두고 떠나기 망극하니, 다만 소저의 옥수를 잡고 눈물을 뿌려 이르대,

"현부는 진·하·장 삼부와 서로 의지하여 천금지신을 보중하라. 노모 잠간 피하였다가 돌아오리니, 양자와 현부 등을 홀로 위지에 두고, 미망여생(未亡餘生)은 홀로 살기를 도모하니, 상천이 그릇 여기실지라. 현부는 나를 염려치 말라. 미망 인생이 괴롭고 구차히 투생(偸生)함을 한하나, 현부가 지성 대효로 보신할 도리를 계교하니, 이 환(患)을 벗어나면 도로 들어와 현부 등과 사생고락을 같이 할 것이니, 현부는 부디 옥부방신(玉膚芳身)을 조심하라."

소저 또한 누수(淚水) 비 오 듯하여 유아(幼兒)가 자모를 떠남 같으니, 오열(嗚咽)하여 능히 말을 못하다가 취침하시기를 청하고, 이윽하 여, 계성(鷄聲)이 악악하니, 부인이 일어나 경희전에 신성(晨省)하고 돌아와, 정소저 부작(符作)을 초인에게 넣고, 마침 대령하였더니 위태(太)[757]가 조부인을 불러 묻되,

"그대 금일 운산에 가랴 하나냐? 사이 지근치 않으니 효명(曉明)의 가미 마땅하니라."

조부인이 염임(斂衽) 대 왈,

"존명이 이 같으시니 어찌 지체하리까? 이제 떠나려 하나이다."

위태 깃거 거륜을 바삐 대령하라 하니, 부인이 하직하고 물러나되 추밀은 유씨 침소에 잠겼으니, 유씨 일찍 일어나기 괴로워 위태께 신성(晨省)도 폐함이 되어 나오지 않았더라. 경아는 마지못하여 나와 당상에서 배송(拜送)하니, 정씨 그윽이 깃거하는 바는 유씨 모녀 하당 배송치 않

757) 위태(太) : '위 태부인(太夫人)'을 줄인 비칭(卑稱). 이외에 '위흉(凶)', '위(老)' 등으로도 비칭 되고 있다.

음을 암희하여, 진·하·장 삼 소저로 존고를 송별할 새, 부인이 천연이 거중에 오르니, 좌우 의심할 이 없더라. 매영 등 비자로 부인을 모셔 가게 하고, 부인은 시녀 초운을 데리고 가중인(家中人)이 모르게 후정 심벽한 데 피할 새, 네 며느리 비읍하여 친자모(親慈母)를 떠남 같더라.

부인이 떠난 후 해월루를 잠그고, 정소저 경희전에 들어오니, 위태 일분 타의 없이 조부인이 도중에서 묘랑에게 화를 입을 줄로 아더라.

시시에 묘랑이 재주를 믿고 조부인 행거를 따라 바람이 되어 휘장을 들치고 달려드니, 가(假) 조부인이 완연이 거중에 앉았으니, 짚 동[758]으로 만든 초인이 범연히 하였으면 어찌 속으리오마는, 숙렬의 비상한 재주 백 깁으로 얼굴을 싸고 풀로 몸을 만들었으나, 생기 유동하고 색광이 수려 침묵하여, 조부인과 일호 다르지 아니하고, 또한 부작을 써 넣어 묘랑의 정신이 황홀케 하였는지라. 요괴가 눈이 어리고 정신이 현황하니, 급히 몸을 변하여 대호(大虎)가 되어 초인을 업고 주렴(珠簾)을 거두치고[759] 급급히 공중의 솟아오르니, 윤부 교부들이 대경실색하고 혼불부체(魂不附體)하여 따라 잡고자 하나 미치리오. 경각 사이에 운무에 몸을 감추어 날아오르니, 빠름이 시위 떠난 살 같고, 급함이 표풍취우(飄風驟雨) 같으니, 어디를 향하여 따르며, 그림자나 얻어 보리오.

모든 교부와 시녀 가슴을 두드려 대성통곡 왈,

"이런 변고는 듯도 보도 못하였으니, 돌아가 양위 상공께 무엇이라 고하며, 무슨 낯으로 우리 등만 돌아가리오. 또한 우리 다 노야께 죽으리로다."

매영이 통곡 돈족 왈,

---

758) 동 : 굵게 묶어서 한 덩이로 만든 묶음.

759) 거두치다 : 걷다. 걷어 올리다. 아래로 늘어진 것을 말아 올리다.

"부인을 잃고 차마 어찌 그저 돌아가며, 양위 상공의 출천대효로 운절(殞絶)하시는 거동을 어찌 보리오. 내 산천과 방방곡곡을 두루 돌아 호표의 자취를 따르리니, 이에서 손을 나누노라."

중복(衆僕)들이 체읍 왈,

"우리도 그대와 같이 심산과 암혈을 심방코자 않으리오마는, 그 호표 공중에 솟아 갔으니 어느 산을 지향하여 가려 하느뇨?"

영 왈,

"사방 천하를 두루 돌아보리니 그대 등은 도중에서 지체 말고 돌아가 상공께 고하라."

제복(諸僕)이 울며 빈 교자(轎子)[760]를 메고 매영으로 분수하니, 경색이 참담하더라. 제노가 부중에 돌아와 위태께 고하되,

"주모를 모셔 오리를 행치 못하여서 공중으로서 호표(虎豹) 부인을 업고 운무 사이의 솟아올라 간 바를 모르오니, 소복 등이 따르고자 하였으나 경각간에 부지거처(不知去處)하오니, 도중에서 실혼 통곡하옵다가 돌아와 고하나이다."

삼대흉인(三大凶人)이 이 소식을 고대하다가 이 말을 듣고, 묘랑의 신기한 재주를 암탄하고, 즐거움이 청천에 비등할 듯하되, 거짓 놀라는 체하여 추밀에게 급보하니, 추밀이 일분도 정력이 없으니 비록 놀라나, 어찌 노복을 헤쳐 찾아나 보라 할 줄 알리오. 어린 듯 묵묵무언이오. 유씨 중인의 눈을 가리려 경참한 사색으로 어사 형제게 소찰(小札)로 통하고, 노복을 분부하여 사방으로 돌아 조부인 거처를 심방하라 하니, 제노(諸奴) 앙천대소(仰天大笑) 왈,

"유부인 명이 이러하시나, 나는 호표를 어디 가 잡아 부인의 거처를

---

760) 교자(轎子) : 가마. 사람을 태우고 갈 수 있도록 만든, 조그마한 집 모양의 탈것.

알리오. 각각 어디로 가 피하였다가 오리라."

하고 거짓 가는 체하고 숨으니라.

숙렬이 이미 짐작한 바나, 새로이 경악하고 존고의 피우하심을 깃거하며, 진·하·장 삼인의 놀람은 이르지도 말고, 하씨 심중에 생각하되 자기 촉지에서 요승이 후려 갔던 일을 생각하매, 이 반드시 이런 무리라. 장래를 생각하매, 사인(四人)이 각각 중심이 황황하여 여좌침상(如坐針上)이러라.

어사 곤계 숙모의 소찰을 보고, 채 다 보지 못하여서 청천의 벽력이 일신을 분쇄하는 듯, 혼백이 비월(飛越)하니, 가변의 망극함과 모친의 참화 입으심이 오내(五內)를 써는 듯한지라. 동관(同官)에게 번(番)을 대신하고, 말을 급히 몰아 돌아오더니, 도중에서 매영이 일봉서(一封書)를 올리거늘, 어사 마상에서 개간(開看)하니, 이 곳 모부인 수필이라 대강 쓰였기를,

"존고 날로써 운산의 가 여매(汝妹)를 보고 오라 하시거늘 수명하였으나, 세사를 난측이라. 초인으로 대신하여 거중에 넣어 보내고 여모는 후원의 숨었나니, 여등은 놀라지 말고, 또한 사색을 달리 말아, 나의 봉변을 정말 일로 아는 체하여, 사기(事機)를 비밀히 하라."

하였더라.

어사 비로소 심혼을 정하여 마혁(馬革)을 가까이 붙여 이를 직사를 보이고, 모부인 피화하심을 만심 환희하나, 가변이 이렇듯 층출하고, 자기 등이 거세(居世)함이 스스로 부끄러운지라. 일영삼탄(一詠三嘆)에 느낌을 마지아니하더라. 이에 매영을 원문(園門)으로 들어가 모부인을 모시라 하고, 부중에 이르니 위태 손벽치고 마주 내다르며, 이르대,

"여모가 여매를 벌써부터 가 보렸노라 하거늘, 매양 말리되 듣지 않고, 금일은 계명에 운산으로 가노라 하고 하직하거늘, 여매 또한 별원에

외로이 있어 고초함이 불쌍한 고로, 모녀 상봉하여 사년 이회(離懷)를 위로하고 돌아올까 하였더니, 도중의 봉변할 줄 어찌 알았으리오. 이것이 누가 한 짓이며, 이 무슨 변괴란 말이뇨? 내 마음이 쇠·돌이 아니라. 노모 차마 어찌 견디며, 여모를 호표에게 물려 보내고 시신도 찾지 못하니, 전정 만 리를 마쳤는지라. 노모 완명(頑命)이 지금 투생(偸生)하여 이 같은 참화를 볼 줄 알았으리오."

어사 형제 모친의 안강하심을 아나, 조모의 이 같으심을 한심 망극하여, 관옥(冠玉) 안모(眼眸)에 물결이 홍치는[761] 바에, 팔자를 슬퍼하며 천의를 탄하매 능히 말을 이루지 못하니, 위·유 등은 어미를 잃고 우는가 하여 쟁그럽고[762] 기쁜지라. 묘랑이 벌써 부인을 죽였음을 짐작하여 흔흔낙낙(欣欣諾諾)함을 이기지 못하되, 거짓 진진이 느끼며 읍읍히 부르짖어 설워하니, 어사형제 고 왈,

"자식된 도리에 자모를 잃고 안연이 고당에 안거(安居)치 못하올지라. 소손 등이 금일로부터 천하를 주류하여 쇠신[763]이 닳도록 돌아 자모의 거처를 찾으려 하나이다."

위태 손을 저어 말려 왈,

"불가 불가하다. 호표의 밥이 되었으니 어디 가 찾으리오."

하니, 이는 직사 등이 직임의 나아가지 않으면 녹봉을 잃을까 염려함이라. 유녀 내달아 이르대,

"여등은 조선의 봉사할 중한 몸이거늘, 산사(山寺)에 유락(流落)하며 천하를 주류(周流)하여 몸이 상함을 염려치 않으리오. 존당을 시봉할 다

761) 홍치다 : 튀다. 솟아나다.
762) 쟁그럽다 : 재미있다. 고소하다. 미운 사람이 잘못되는 것을 보고 속이 시원하고 재미있다.
763) 쇠신 : 쇠로 만든 신.

른 형제 없으니 너희 한 몸의 소임이 지중차대(至重且大)하거늘, 비록 자모를 위한 정이나, 천금처럼 귀한 몸을 스스로 염려치 않으며, 쇠신이 닳기를 그음[764]할진대 돌아올 지속을 정치 못하리니, 존당과 선세 사우는 장차 어느 땅에 두려 하느뇨?"

위태 우는 체하여 입을 비죽비죽하며 가로되,

"너희 어미를 위하여 천하를 돌려 할진대 노모 너희를 따라 가리라. 너희를 보내고 어찌 홀로 있으리오."

하니, 이는 어사 형제 나가 오래 들어오지 않은 즉 급히 서릊어[765] 죽임이 더딘 고로 이리 막지름[766]이러라. 어사와 직사가 타루(墮淚) 무언(無言)하여 맑은 눈물이 구름 빈상(鬢上)을 적시고, 조모의 실덕이 점점 더함을 통도(痛悼)하여 어사 대 왈,

"소손이 비록 자모를 찾으러 가오나 조모와 누대(累代) 사묘(祠廟)를 잊어 아주 아니 돌아오리까? 십년을 그음하여 일년에 일차라도 돌아와 조모와 사묘에 배현하오리니, 자식 된 정리(情理)로 차마 그저 있지 못할소이다. 아아는 조모와 숙당을 시봉하고, 소손만 가려 하오니 막지 마소서."

위태 왈,

"노모 너를 따라 동서로 분주하리라."

유씨 문득 내달아, 대언 왈,

"저저의 존망을 모르매 너희 등의 망극함이야 언어로 다 형언할 바리오마는, 여등의 팔자 괴이하여 조고여생(早孤餘生)[767]으로 슬픔을 절억

---

764) 그음하다 : 작정하다. 끝장내다. 결딴내다. 끝을 내다. 한계나 기한 따위를 정하여 무슨 일을 하다.

765) 서릊다 : 걷어치우다. 치우다. 없애다. 정돈하다.

766) 막지르다 : (남의 말을) 앞질러 가로막다.

하여 이미 장성하였거늘, 저저의 거처를 찾음이 쇠신이 달키를 그음하니, 학발 존당이 전전이 너를 좇으려 하시니, 저저의 봉변(逢變)은 이의(已矣)라, 이미 할일 없거니와, 심사를 관억하여 학발 조모의 성녀를 끼치지 말미 효도거늘, 문득 존당을 돌아보지 않아 성녀를 허비하시게 하니, 네 과연 저저께는 효자어니와 존당에는 불효함이 막심하도다. 가히 무상(無狀)치 아니랴."

어사 정색 대 왈,

"유자(猶子) 등이 명도 기박하와 엄안을 알지 못하옴이 종천지통(終天之痛)이오나, 시체를 고토의 모셔 장(葬)하오니, 지통을 이로써 절억하옵는 바라. 하늘이 혹벌(酷罰)하시어, 청평세계(淸平世界)에 도중에서 자모를 실산하와 사생거처(死生去處)를 모르오니 유자 등이 죄인이라. 어찌 하늘의 태양아래 설 수 있으리까? 태모 슬하의 계부 계시고 아이 있으니, 유자가 일시 나가기로 태모께서 따르시도록 하리이까?"

추밀과 구파는 이런 말을 다 참청하되 '꿀 먹은 벙어리'[768]같이 참예함이 없더니, 추밀이 유씨의 말을 가장 옳이 여겨 직사더러 이르대,

"가중의 여등이 없으면 사정이 그렇지 아니랴. 사방으로 찾아보고 자정의 우려하심을 돕삽지 말라."

어사 계부의 날로 그릇되시미 더함을 한심 통절하니 관을 숙여 다시 말을 않으니, 위태 여러 번 책하여 가기를 금하니, 어사 진실로 모친 거처를 모를진대 일시도 앉아있으리오마는, 후정에 계심을 영행하나 위·유의 의심을 이루지 않으려, 거짓 가기를 다투다가 누누이 말리므로 중

---

767) 조고여생(早孤餘生) : 일찍 고아가 되어 살아옴.
768) 꿀 먹은 벙어리 : 속에 있는 생각을 나타내지 못하는 사람을 비유적으로 이르는 말.

지하여, 날이 늦으매 외당에 나와 형제 상의하여 모부인 머무르실 곳을 생각할 새, 조승상 택중이 남문 밖 옥화산에 있으니, 제(諸) 조씨는 다 금릉에 있고 집이 비어 노복만 지켜 있으므로 그리 모셔가랴 하니, 직사 왈,

“구씨(舅氏)와 제 종형이 황명을 매양 거역하지 못하여, 작위를 받자와 상경하는 날은 이목이 번거로워 자위 은신하시기 어려울까 하나이다. 삼위 표숙이 다 남다르신 우애시고, 표형 등이 예현군자(禮賢君子)니 비록 가솔(家率)들이 많으나 염려할 바 아니로되, 오문(吾門) 참덕(慙德)이 영인불사(令人不伺)[769]라. 조씨 가중이 알까 두렵나이다.”

어사 침음 왈,

“오문(吾門) 참덕(慙德)을 뉘 모르리오. 한갓 조문(門) 조숙(叔) 등만 부끄러우랴. 그곳에 가 계셔야 적료(寂寥)하시기 덜하고, 우리 시봉할 길 없으니 표숙이 상경하시면 자연 위회(慰懷)하시리니, 너는 숙모의 허물이 들어날까 염려하나, 오가(吾家) 변고를 자연 모를 사람이 없으리라.”

직사 그러히 여기나 양항루(兩行淚) 자로 떨어져 양모의 실덕을 탄하고, 모부인이 후정에 오래 머물러 계심이 두려운지라. 야심 후 형제 가만히 후정에 이르니, 이때 조부인이 초인으로 대신하고 도상(道上) 변고를 측량치 못하더니, 매영이 빨리 몸을 감초와 원문으로 들어와 호표의 변고를 자시 고하니, 부인이 대경 차악하여 양자의 망극하여 할 바를 염려하여 일봉서(一封書)를 이뤄 매영을 주어 보냈더니, 영이 서간을 전하고 왔는지라. 고요히 심당의 앉아 천수만한이 가슴의 쌓여 정히 양자를 기다리더니, 반야에 양자 이르러 자안(慈顔)을 반기고 옥수를 받들어 피

769) 영인불사(令人不伺) : 남이 엿보게 할 수 없음. 남이 알게 할 수 없음.

화하심을 천만 행심하니, 부인이 탄식 왈,

"사는 것이 죽음만 같지 못한지라. 구차히 투생하리오마는, 여등의 정경과 존당의 실덕을 다 감추기 어려워 정히 민박하더니, 정현부의 천균대량(千鈞大量)과 지혜가 공명(孔明)과 같아서, 초인을 스스로 이뤄 내 몸을 대신하고 이리 은신함이 다 정현부의 지휘로 화를 면하였으니, 광아는 처자라도 네게 은인이라, 수하처실(手下妻室)[770]로 알지 못하리니, 정현부 아니면 네 어미가 어찌 평안함을 얻었으랴?"

인하여 태부인이 운산의 가 여아를 보고 오라 급촉(急促)하던 설화를 전하니, 직사는 수수의 지혜를 탄복하여 은혜를 일컫고, 어사는 아름다이 여기더라. 어사 대 왈,

"여자의 공교한 재주 혹 다행한 곳에 미치오나, 자위 성덕으로 액회(厄會)를 스스로 면하심이니, 천의(天意) 도우심이라. 한갓 정씨의 공이리까? 다만 이곳에 오래 계시지 못하시리니, 소자 등이 이제 옥화산으로 모시려 하나이다."

하고, 노자 계충으로 교자를 대령하였는지라, 부인 왈,

"저적 거거(哥哥)의 서간을 얻어 보니, 사명(詞命)[771]이 여러 번 이르매 인신지도(人臣之道)에 고사치 못하여 상경하기를 일렀으니, 비록 원이 아니나 합문이 다 올라올지라. 내 먼저 옥화산에 가 있다가 남매 모여 지내면 기쁘려니와, 여등 부부를 위험한 곳에 두고 내 몸만 피하기를 구치 않노라."

하더라.

---

770) 수하처실(手下妻室) : 손아래에 있는 아내.

771) 사명(詞命) : 임금의 말이나 명령.

ꕥ

명주보월빙 권지이십

차설 조부인 왈,

"저적 거거의 서간을 얻어 보니, 사명이 여러 번 이르매 인신지도에 고사치 못하여 합문이 다 올라오기를 정하였노라 하니, 내 먼저 옥화산에 가 있다가 같이 지내면 좋겠지만, 오직 여등 부부를 위험한 곳에 두고 내 몸만 편키를 원치 않노라."

어사 형제 연성(連聲) 대 왈,

"해아 등 부부를 우념(憂念)하시나 화복(禍福)이 관수(關數)하오니 인력이 미칠 바 아니요, 오는 액은 성인도 면치 못하시니 자위 이런 일에 성녀(聖慮)를 마시고 타일 길운을 기다리소서."

부인이 탄식 무언이거늘 어사 형제 재삼 이성화기로 위로하고, 매영 초옥으로 계충 혜준을 부르고, 어사 친히 편한 교자를 얻어 거장(車帳)을 두르고 모친께 드심을 청하니, 부인 왈,

"때 오히려 일러 문을 여지 않았으면 어찌하리오."

대 왈,

"문을 비록 여지 않았으나 급히 부중을 떠나심이 옳으니, 바삐 거중에 드소서."

부인이 부득이 상교하매 계충 등을 재촉하여 교자를 모시고 어사 등은 좌우로 따라 원문(園門)을 나, 남문에 이르러는 개문하기 멀었거늘

어사 교자를 내려 놓고 모친께 고 왈,

"이 경색이 완연이 난중이라 어찌 권도 없으리까? 자위는 잠간 소자에게 업히시면 월성(越城)하리이다."

부인 왈,

"월성이 중죄니 순나(巡邏)의 들킨 즉 어찌하리오."

어사 소이대왈,

"해애 비록 무능하나 어찌 순라에게 잡히리까?"

부인이 마지못하여 어사에게 업히니, 직사는 시노로 교자를 들고 좇아 월성할 새, 어사 모친을 없고 험준한 성곽을 평지같이 넘으매, 부인이 다시 교중에 들어 옥화산에 이르니, 조부 문을 닫았거늘 어사 지킨 비복을 불러 차차 문을 열고, 내당에 들어가 안정한 당사를 치우고 모친을 머무시게 하니, 조부 비복이 부인의 불의 야행(夜行)을 경의(驚疑)하나, 부인의 성덕이 비복에게 덮여 앙망함을 가주(家主)와 다르지 않은 고로, 택 중에 이르심을 다 깃거하는지라.

어사 등이 비복 등을 당부하여 부인의 오심을 전설(傳說)치 말라 하고, 모전에 모셔 즉시 돌아가지 않거늘, 부인이 재촉 왈,

"내 이미 편한 처소를 얻었으니 여등의 한 근심을 덜었는지라. 모름지기 사기를 비밀이 하여 가내에 의심을 이루지 말고, 바삐 돌아가 신성(晨省) 때를 어기지 말라."

양자 부득이 하직하고 성체 안강하심을 청하고 승간하여 자로 옴을 고하니, 부인 왈,

"여등이 오지 않을지라도 몸이 무사한 즉 영행이니, 사정을 참지 못하여 자로 나아오다가 방인(傍人)의 앎이 된 즉, 화란이 급하리니 다만 조심 보호하여 어미 바라는 바를 끊지 말라."

어사 등이 수명하나 가변이 점점 차악하고, 자위 빈 집에 외로이 계시

어 자기 등이 시봉치 못하고 돌아서매, 항루(行淚) 산산(潸潸)한[772]지라. 이에 마음을 굳게 하여 바삐 부중에 돌아오매, 비로소 효고(曉鼓) 동하고 계성이 잦거늘, 즉시 관소(盥梳)하고 경희전 해춘루에 신성하니라.

어시에 신묘랑이 초인을 조부인으로 알아 교중에서 업고 공중에 치달아 문강(江)으로 나오니 때 춘말하초(春末夏初)라. 강수 창일하여 사람이 빠지매 살기 어렵고, 묘랑이 초인을 던져 익수함을 보매, 암자로 돌아와 쉬고, 정씨의 부작이 신기하여 묘랑의 정신이 어둡고 눈이 아득하여 진가(眞假)를 불분하고, 가쁘기 심하여 몸에 땀을 흘리고 숨을 내쉬기 어려우니, 황겁하여 생각하되,

"수한(壽限)이 장원하고 팔자 존귀한 부인을 죽이매 이러하니, 명일 윤부의 가 유씨를 보고 공을 일컬어 금보를 다시 징색하리라."

하고 명일 윤부에 이르니, 유씨 모녀 반겨 행사함을 묻되, 묘랑 왈,

"빈도 조부인을 거중(車中)에서 업고 내다르니, 무겁기 산이 짓누르는 듯하되, 겨우 참고 암자에 가 깊은 방의 넣고 칼로 일신을 쑤셔 형체도 온전치 못하게 한 후, 멀리 강수에 띄우되, 빈도 일신이 다 앓던 중 관음이 현성, 왈,

"유씨 비록 불공을 많이 하였으나, 무죄한 사람을 죽이매 재앙이 없지 않으리라 하시거늘, 즉시 일어나 불전에 고두빈축(叩頭頻祝)[773]하여 부인의 수복과 빈도의 무사키를 빌었거니와, 조부인 원혼(冤魂)이 염라왕(閻羅王)께 발괄[774]하여 설한(雪恨)코자 하는가 싶으니, 부인이 황금 미곡을 드려 크게 수륙(水陸)[775]한 즉, 복록이 장원할까 하나이다."

---

772) 산산(潸潸)하다 : 눈물 빗물 따위가 줄줄 흐르는 모양.
773) 고두빈축(叩頭頻祝) : 수없이 머리를 조아려 빔.
774) 발괄 : 민속 신앙에서, 신령이나 부처에게 구원을 빎. 또는 그런 일.
775) 수륙(水陸) : 수륙재(水陸齋). 물과 육지의 홀로 떠도는 귀신들과 아귀(餓鬼)에

유씨 묘랑의 허언을 듣고 조씨 참사(慘死)를 깃거하나 관음(觀音)[776]의 현성지설(顯聖之說)은 대경하여, 혜오대,

"원내 조씨 성심 숙덕이 남다르거늘, 이제 원사(寃死)하매 영백(靈魄)이 유탕(遊蕩)하여 설한(雪恨)할진대, 나의 큰 근심이니 바삐 수륙하여 조씨 원혼을 위로하고 관음께 사죄(謝罪)하리라."

하여, 묘랑의 수고함을 만만 사례하고, 즉시 자장패산(資裝貝珊)을 전전(全全)이 팔며 협사의 금은을 낱낱이 털어, 묘랑을 다 주어 수륙(水陸)하라 하니, 묘랑이 대희 왈,

"조씨 원혼이 비록 함독(含毒)하나, 부인이 금보를 아끼지 않아 내세를 닦고자 하시니, 부처께서 어찌 감동치 않으리오. 빈도가 명산대천에 수륙치제(水陸致祭)하리니, 부인은 물우(勿憂)하소서."

유씨 묘랑을 당부하여 수륙제(水陸祭)를 지낼 때에 어사 곤계 부부 육인을 다 죽기를 축원하라 한대, 묘랑이 순순 응낙고 금보를 욕심에 차도록 가지고 가니, 위·유가 이후로 어사 등 보채기를 위주하여, 위노(老)의 시포(猜暴)한 호령과 흉험한 질책이 날로 더하여, 어사 부부 형제를 재강(滓糠)과 맥죽(麥粥)도 끼를 차려주지 아니하고, 의복을 다 거두어 감추고 때에 입지 못하게 하여, 어사 등을 측간과 마구를 치우게 하고, 뜰을 쓸리며, 새끼를 꼬이고, 마소를 먹이게 하되, 몸이 옥당 한원 명사인 고로 붕당이 많은지라, 자기 고식(姑媳)의 불인이 나타날까 두려워함으로 천역을 시키되, 일절 남이 알게 않으며, 사(四) 소저를 태부인 침전에서 일시도 떠나지 못하게 하고, 유씨 하·장 이소저의 비홍(臂紅)을

게 공양하는 재.

776) 관음(觀音) : 관세음보살(觀世音菩薩). 불교에서, 아미타불의 왼편에서 교화를 돕는 보살. 사보살의 하나이다. 세상의 소리를 들어 알 수 있는 보살이므로 중생이 고통 가운데 열심히 이 이름을 외면 도움을 받게 된다.

날마다 상고하여 직사를 원거(遠居) 하라 당부하고, 직사를 본 즉 하·장 등과 동심하여 저를 죽이려 꾀한다 하여 조르고 보채니, 직사 양모의 뜻을 지기하매, 근로를 끼치지 않으려 하여 악악한 질책을 면코자, 하·장을 타문 여자 보듯 하여, 중회 중 눈도 듦이 없으니, 유씨 모녀 가장 다행하여, 부디 그 금슬을 베어 일점 골육을 끼치지 못하고, 청춘에 속절없이 자진케 하려 정하고, 정·진 양인은 비홍이 없으니 위노가 지키기를 더욱 엄히 하여, 부부가 일시도 상대하지 못하게 하고, 조르고 보채기를 그칠 사이 없게 하니, 정·진·하·장 사 소저의 비고(悲苦)한 신세가 혈육지신(血肉之身)이 보전치 못할 것이로되, 천신(天神)이 성녀 철부를 가만히 보호하여 수복을 누리게 하나, 하소저는 화란에 상하고 남다른 약질이라, 정씨의 철옥지심(鐵玉之心)과 장씨의 송백지기(松柏之氣)를 바라지 못하여, 옥골이 날로 수경(瘦鯁)[777]하여 보기 위태하나 뉘 있어 염려하리오. 어사 등 부부 육인의 정사가 참절함이 가없더라.

어사 곤계 상의하여 자모 실산(失散)을 주(奏)하고 어미 거처 모르는 죄인으로 자처하여 기직(棄職)하고자 하더니, 정병부 악모 실산함을 듣고 놀라 옥누항에 와 어사 등을 보고 허실을 물으니, 어사 형제 몽롱이 답하고 기직하고자 하거늘, 병부 기색을 스치고 이목이 번거치 않음을 틈타, 어사 등의 손을 잡고 왈,

"사원 사빈이 타인은 기여도[778] 나와는 내외할 바 아니니, 악모 만일 실산하여 계시면 사원 등이 안연이 집에 있지 않으리니, 필유묘맥(必有苗脈)[779]이라. 모름지기 곡절을 이르라."

---

777) 수경(瘦鯁) : 몸이 몹시 야위고 말라 뼈만 앙상함.
778) 기이다 : 어떤 일을 숨기고 바른대로 말하지 않다.
779) 필유묘맥(必有苗脈) : 반드시 까닭이 있음. 묘맥(苗脈); 일이 나타날 단서. 실마리. 까닭.

직사는 고개를 숙인 채 말이 없고, 어사는 일성삼탄(一聲三嘆)에 왈,

"형이 우리 집 일은 듣지 않아도 밝히 알지라. 자위 실산지화는 없어 옥화산의 옮으시나 가변이 괴이하여 두려운 의사 가득하여, 아무 데도 전치 못하였더니, 형의 물음을 소제 어찌 은닉하리오마는, 형은 차사를 함구하고 자위 실산이 옳으므로 실해오소서[780]."

병부 역탄 왈,

"사원 등의 남다른 심우와 가변의 괴이함은 묻지 않아 알거니와, 다만 근간 추밀 합하 신관이 환탈(換奪)하고 양안(兩眼)에 정명지기(精明之氣) 없으니 사원 등의 근심이로다."

어사 척연 왈,

"계부 환후가 수월이 지나고 자위 실산을 실해오는 날은 소제 등이 안연이 옥대 아홀로 조항의 나지 못하리니, 원간 환욕이 사연하니 뜻을 결하여 기직하고자 하나이다."

병부 왈,

"사원 등의 하해지량(河海之量)으로 어찌 일을 생각지 못함이 이 같으뇨? 악모 실산지사 진실이면 천정에 사정을 주달하고 사해구주(四海九州)를 다 돌아 거처를 찾음이 옳거니와, 지금 형세는 그렇지 않아 악모 무사하신데 자모 거처 모르는 죄인으로 자처하여 기직하였다가, 영존당(令尊堂) 부덕이 나타나는 날에, 사원 등이 악모를 감추고, 거짓 실산을 일컬어 천문에 주달하고 기직함이, 인인(人人)이 영존당을 너무 기망함을 이를 것이니, 모름지기 기직할 의사를 내지 말라."

어사 왈,

"형언이 옳으나 내 집이 미세한 문호 아니요, 일가친척이 번성하니 전

---

780) 실해오다 : 실답게 하다. 참된 것으로 믿게 하다.

설하여 자위 실산을 모를 이 없을 바거늘, 아등이 작직을 탐하여 행공을 한결같이 하면 인인의 꾸짖음이 될 것이요, 또 계부 환후 비경하시니 약재를 하려 하되, 형제 다 공총(倥傯)하여 약석을 정성과 같이 못하니, 절민함이 이 밖에 또 있으리오."

병부 소왈,

"사원이 광풍제월지상(光風霽月之相)으로 세쇄지려(細碎之慮)를 아니하더니, 이제 어찌 인언을 두리며, 합하의 환후를 관사 공총함으로 의약을 못한다 핑계하느뇨? 천만인이 사원 등을 질매(叱罵)한다 하여도 앙이 굽지 않은 후는 부끄러운 일 없고, 만조 백료와 일가 족당이 사원 등을 아는 자는 차사로써 묘맥이 있음을 짐작할 것이요, 합하 질환은 약치로 고칠 바 아니라, 내당을 떠나 수삼 월만 독처하시면 쾌복하실지니, 어찌 이로써 기직하리오."

어사 사왈,

"형언이 옳으니 아등이 어찌 받들지 않으리오. 사람들의 소소한 말들을 물외의 던지고 찰직하려니와, 실로 쾌한 뜻이 없나이다."

직사는 오직 관을 숙여 옥면이 참연하여 대인(對人)함을 부끄러워하니, 병부 호언으로 위로하고 옥화산 조부를 물어 승간하여 악모께 배현하려 하더라.

어시에 문양공주 하가(下嫁) 오 삭에 부마 왕래 무상하며, 춘풍화기(春風和氣)와 유수지언(流水之言)이 정의관관(情誼款款)한 부부나, 일침지하(一枕之下)에 연리지락(連理之樂)[781]은 몽리(夢裏)에도 없어, 매양

781) 연리지락(連理之樂) : 부부가 화합하는 즐거움.'연리(連理)'는 연리지(連理枝) 곧 두 나무의 가지가 서로 맞닿아서 결이 서로 통한 것을 뜻하여 화목한 부부나 남녀의 사이를 비유적으로 이르는 말.

신병이 괴이함을 일컬어, 삼가 조심하여 신질(身疾)이 낳은 후 유자생녀(有子生女)하고 백수해로(白首偕老)할 바를 이르니, 공주 그 마음을 측량치 못하여 다만 상사지심(相思之心)이 분분(紛紛) 초사(焦思)하여 애달프고 괴이함을 이기지 못하니, 최상궁이 공주를 권하여 밖으로 덕을 잃지 말라 하고, 금은을 흩어 인심을 취합하며, '부마 별원에 왕래하는가.' 동정을 살피대, 공주 하가한 후(後) 자취 별원에 감이 없는지라. 공주 왈,

"부마 만일 윤·양·이 등에게 중정이 있은 즉, 반드시 별원에 왕래할 것이로되, 한번 감이 없다 하니 일로 본 즉, 신병이 있는 듯하되, 거동이 심침굉위(深沈宏偉)[782]하여 변화가 많아 뵈니 미쁜 뜻이 적도다."

최녀는 한낱 흉한 별물이라 머리를 흔들어 왈,

"첩이 처음은 주군 신병을 곧이들었더니 오래 행지를 살피니 의심이 많은지라. 주군의 양기(陽氣) 우주를 받들 듯 하시니, 좀 질환이 없을 듯하고, 소년 남아가 무슨 조심이 그대도록 하여 옥주의 자미운치(姿美韻致)를 대하여 은애를 동(動)치 않으리오? 거짓 신질(身疾)을 일컬어 이성지친(二姓之親)을 날회니, 이 반드시 염박하나 황녀의 존귀를 괴로워, 짐짓 후한 빛을 지으니 옥주는 믿지 마시고, 범사를 상심하여 허물을 눈에 뵈지 마시고, 세세히 기모비계(奇謀秘計)로 적인을 소제하고 통일천하하는 쾌함을 가지소서."

공주 칭찬 왈,

"보모의 원려 무궁함과 지감이 여차하니, 내 적인이 많으나 보모를 두었으니 무슨 근심이 있으리오. 다만 부마 신질(身疾)이 옳은즉 근심이 없거니와 허언인즉 분완함을 어찌 참으리오."

---

782) 심침굉위(深沈宏偉) : 깊고 조용하며 넓고 큼.

최녀 왈,

"첩의 의심이 혹 탁질(託疾)인가 하되, 분명치 않으니 아직 구가 합문 명예를 모으소서."

공주 응낙하고 은악양선(隱惡佯善)을 위주하여 구고존당(舅姑尊堂)의 신혼성정(晨昏省定)에 때를 맞추고, 화색 이성으로 구고를 받들며 하천 비배에게도 교오자존(驕傲自尊)함이 없으니, 범인은 공주의 내외 다름을 모르되, 오직 금후 부자의 일쌍 안광이 그 교사(狡邪)함을 지기하고 매양 윤・양・이 등의 전정(前程)을 염려하더라.

병부 절강 경소저를 잊지 못하여 개춘 후 상경함을 바라다가, 의외에 원치 않는 공주를 취하니, 경공이 서간을 부쳐 이제는 여아의 전정이 볼 것이 없으니, 다만 정씨 성명을 의지하여 심규의 맟고 감히 공주와 동렬치 못할 바를 베풀었는지라. 부마 답간을 닦아 천만 위로하고 쉬이 상경함을 청하되, 자기 서간(書簡)이 효험이 없을 줄 알고, 일일은 천정에 종용이 근시한 때를 타, 주왈,

"참지정사 경침이 기직 사오년이요, 학사 춘기와 한림 환기 다 삼년을 마쳤삽거늘, 성상이 어찌 수용(收用)치 않으시니까? 신이 차언(此言)을 주함이 빙가(聘家)라 사정인 듯하오나, 경침의 재덕과 춘기 등의 아름다움으로써 향리에 오래 버림이 가련(可憐)하와, 국가의 현량(賢良)을 수용하심을 원함이요, 일자는 경침의 합가 상경하온 즉 신의 체(妻) 올라옴도 사정이라. 경침이 신을 위서(爲壻)치 아녔던들 금춘의 상경하올 것이로되, 공주 하가하시므로 결단하여 그 딸을 도장[783]에 늙히려 하오니, 신이 공주를 취하온 후 여러 처실을 모음과 달라, 공주 수(雖) 존(尊)하나 차례인 즉 다섯째로 하가하시니, 성상 위엄으로 공주를 원위

---

783) 도장 : 규방(閨房). 부녀자가 거처하는 방.

(元位)에 두게 하시나, 신의 마음은 차례로 돌아가옵나니, 폐하는 신의 외람함을 용서하소서."

상이 청파의 어히 없이 여기사 도리어 소왈,

"경침 등 수용은 옳거니와, 공주를 다섯째 아내로 아노라 말은 가장 방자외람(放恣猥濫)하니 차후 이런 말을 다시 말라."

부마 돈수 왈,

"성교 마땅하시나 신의 일단 정심이 세엄(勢嚴)의 붙좇지 못하옵나니, 오직 군신대의는 부자유친에 더함으로 알아, 우충(愚衷)이 몸을 죽여 나라를 위해 갚삽고자 하오나, 공주 하가하시므로 일분 정성이 더할 리는 없삽나니, 원간 천고(千古)에 사처와 양자를 두고 작차가 열후(列侯)에 있는 신료가 부마 된 이는 없삽는지라. 감히 공주를 경시함이 아니오되, 신의 형세 여느 부마와 다른지라, 구태여 방자함이 아니니이다."

상 왈,

"비록 십처와 백자식이 있다 하여도 문양은 짐의 기출(己出)이니 가벼이 못하리니 괴이한 말을 말라."

부마 배사이퇴(拜謝而退)하였더니, 상이 즉시 경침으로 참지정사를 시키시고, 학사 춘기로 이부시랑을 시키시고, 한림 환기로 춘방학사를 시키시어 바삐 상경함을 재촉하시니, 부마 그윽이 깃거 절강에 서간을 부쳐 미구(未久)에 상경함을 베풀어 부촉(咐囑)하니, 행사가 능려하여 가중이 알 리 없더라.

차시 경공부부 정병부의 부마 됨을 듣고 여아의 일생을 염려하되, 소제 태연자약(泰然自若)하여 사기 안상(安詳)하니, 부모 어루만져 탄 왈,

"우리 그릇 창백으로 동상을 삼아 이제 전정이 글렀으니, 우리 근심이 숙식을 편히 못하거늘. 너는 어찌 무사무려(無思無慮)하여 장래를 생각

지 않느뇨?"

소저 옥면(玉面)에 화기(和氣)를 띠어 대 왈,

"소녀의 연기(年紀) 아직 삼오(三五)도 차지 못하여 전정이 만리라, 정군이 비록 부마(駙馬) 되나 소녀는 향리에서 부모를 모시고 있으면, 공주의 위엄을 당치 아니하오리니, 소녀의 몸이 편하고 남매 상의하여 부모감지(父母甘旨)를 봉양함이 여자의 얻지 못할 영화라. 부모는 절념 소려하소서."

공의 부부 여아 아직 나이 어려 부부 사정을 모름으로 알아, 더욱 애련하더니, 문득 사명(詞命)이 이르러 은지를 전하고 부르심이 가장 급하니, 경공이 환욕이 적을 뿐 아니라, 소제 부모께 고왈,

"대인이 기직하신 지 오래고 상경하매 소녀의 몸이 위태키 쉬운지라. 대인이 양거거(兩哥哥)만 데리고 황성에 가시어, 질환이 잦고 사환에 분주할 근력이 없음을 진정 소달(疏達)하시어, 사직(辭職)하시고 양 거거만 두고 하향(下鄕)하심이 좋을까 하나이다."

공의 부부 옳이 여겨, 내행(內行)[784]은 가지 않기로 정하거늘, 시랑이 고왈,

"이제 창백이 소매 상경함을 희망하는 눈이 뚫어질 듯하니, 어찌 저의 중정을 끊으며, 공주의 세엄이 중하나 금평후도 창백의 작용을 모르는데 공주 어찌 소매 유무를 알리까? 부질없이 당치 않은 일을 미리 근심하여 무익하고, 여자의 평생 고락이 가부에게 있으니, 소매의 도리 가부의 뜻을 승순함이 부덕이요, 공주를 두려 향리의 숨음이 불가하오니, 원(願) 부모는 혈육이 여러 곳에 갈리는[785] 일이 없게 하소서."

784) 내행(內行) : 부녀자가 여행길에 오름. 또는 그 부녀자.
785) 갈리다 : 나뉘다. 쪼개거나 나누어 따로따로 되다.

학사 또 합가가 상경함을 청하니, 공이 여아더러 왈,

"너의 소원이 아니거니와 여형 등의 말이 옳은 듯하니 부득이 솔가(率家)코자 하노라."

소제 대 왈,

"소천이 비록 중하나, 소녀는 형세 남과 다르오니 어찌 구태여 일도를 지켜 화란을 자취하리오. 합가가 상경치 아닌 후는 정군이 위력으로 못하리니, 소녀 정군의 불고이취(不告而娶)하는 거조를 한심하여 하옵나니, 소녀 상경한 즉 자연 저의 왕래 잦아, 공주 알면 누란지위(累卵之危) 급하리니, 이 형의 말씀을 듣지 마소서."

시랑이 소왈,

"소매 창백을 원거(遠居)하여 피화코자 하나 그릇 생각함이라. 오는 액은 성현도 면치 못하시니 길흉화복이 천정(天定)이라. 상경치 않음으로 소매 일생이 안한(安閒)하고, 상경함으로 몸이 위태할 줄 어찌 알리오? 오직 운수에 매인 바를 생각고 무익지려(無益之慮)를 두어 가부의 뜻을 어기오지 말라."

학사 이어 왈,

"종매(從妹) 공주를 두려 가부를 원거(遠居)코자 하나, 화복길흉이 막비천야(莫非天也)라. 인력으로 면할 바 아니니 백부모는 소매의 말을 듣지 마소서."

공의 부부 자질(子姪)의 말이 그르지 않음을 보고 다만 웃고 말이 없으니, 시랑 등이 재삼 간하여 일가 상경함을 결단하니, 소저 우기지 못하여 팔자아황(八字蛾黃)이 적적(寂寂)하여 탄 왈,

"양 거거는 쾌활한 장부라. 여자의 괴로운 심사를 모르시는도다. 이미 상경하기로 결정하시니 소매 세우지 못하나, 기쁜 의사 몽리에도 없으니, 소매는 조·주 양형으로 더불어 모친 행차와 상경하고, 부모와 양

거거는 정군더러 조·주 양형과 소녀는 향리에 두고 오시므로 일러, 정군의 자취 자로 오지 아니케 하소서."

부모 왈,

"네 진정으로 창백을 원거코자 하나, 춘기 등의 말이 옳으니 일가가 가기로 정하나, 정군을 속여 이르기야 무엇이 어려우리오."

시랑이 잠소 고왈,

"창백의 여신한 총명으로 곧이듣든 않으려니와, 소매 절박하여 하니 잠간 속이기야 관계하리까?"

이에 행리(行李)를 수습하여 발행할 새, 공과 시랑 형제는 화부인을 호행하여 압서 행하고, 시랑 처 조씨와 학사 처 주씨는 소저로 더불어 수일을 떨어져 서숙 경담이 배행할 새, 일로에 영광이 조요(照耀)하여 관광자 흠앙하더라.

공의 상경 선성(先聲)이 경사의 이르니 부마 알고 문외에 맞으려 할 새, 부전에 고 왈,

"경참정 부자 숙질이 명일 입성한다 하오니, 해애 문외에 나가 맞고자 하나이다."

금후 아자의 작용을 모르고, 경공이 부집(父執)[786]이매 맞으려 함으로 알아 허하니, 부마 명일 조참한 후 문외로 나아가니, 경공 부자 숙질이 일로에 무사 득달하여 경사에 이르러 남문을 바라보니, 허다 하리(下吏)가 전차후옹(前遮後擁)하여 일위 소년 재상을 껴 나오니, 거상(車上)에 자포 금관으로 늠연 단좌한 자는 곧 정부마라. 경공 삼부자가 크게 반겨 바삐 나오매, 부마 하리로 장막을 이루고 하거(下車)하여 공을 맞

---

786) 부집(父執) : 부집존장(父執尊長). 아버지의 친구로 아버지와 나이가 비슷한 어른의 지위에 있음.

으니, 공과 학사 형제 장막에 들어 좌정할 새, 부마 경공께 예필에 천리장정(千里長程)에 무사 득달함과 청현대작(淸賢大爵)으로 상경함을 치하하고, 또 합문 평부를 물으며 내행을 살피매 다만 한낱 화교(華轎)라. 가장 의괴하나 사색치 않고, 왈,

"악장이 개춘(改春) 후 즉시 상경하실 줄로 알았더니, 그 사이 무슨 호의(狐疑)로지지(遲遲)하시어 이제야 오시나니까? 소생이 전후 여러번 상경함을 청하되 신청치 않으시니까?"

공이 부마의 선풍이질(仙風異質)을 대하여 은근위곡(慇懃委曲)한 정이 반자(半子)의 예(禮)를 다하매, 더욱 반갑고 사랑함을 이기지 못하나, 여아의 지원(至願)이 병부를 거절코자 하는지라. 다만 집수 탄 왈,

"나의 택서(擇壻)가 외람하여 그릇 일녀의 전정을 마친지라, 이제 군이 전일과 달라 금전녀서(禁殿女壻)로 초방(椒房)[787]에 승은(承恩)하니, 우리 무리로 칭악(稱岳)함이 가장 외람한지라. 개춘 후 상경함을 기약하였더니 군이 이미 문양도위 되어, 비질(卑質)이 난봉(鸞鳳)에 동렬(同列)치 못할지라. 인신의 비박한 자식이 어찌 만승지녀(萬乘之女)와 동렬하리오. 감히 상경할 의사(意思)를 못하여, 오직 소녀로써 군의 성명을 의지하여 도장[788]에 늙을 따름이라. 군의 서사를 보나 능히 그 말을 듣지 못하더니, 천은이 횡가(橫柯)[789]하시어, 초모(草茅)의 무용지신(無用之臣)을 대작(大爵)으로 부르시니, 망극한 은조(恩詔)를 위월(違越)치 못하

---

787) 초방(椒房) : 산초나무 열매의 가루를 바른 방이라는 뜻으로, 왕비가 거처하는 방이나 궁전, 또는 왕실 등을 이르는 말. 산초나무는 온기가 있고 열매가 많은 식물로서, 자손이 많이 퍼지라는 뜻에서 왕비의 방 벽에 발랐다.

788) 도장 : 규방(閨房). 부녀자가 거처하는 방.

789) 횡가(橫柯) : 가로 벋어 나간 나뭇가지. 여기서는 임금의 은혜가 지방에서 지내고 있는 전직 관료에게까지 미침을 이르는 말.

고 자질을 데리고 오대 일개 다 오든 못하고, 내 본디 질양(疾恙)이 잦고 의수대절(衣袖帶節)[790]에 내정(內庭)[791]이 없이는 어려운 고로, 부인만 올라오고 녀부(女婦)[792]를 고향에 두었으니, 경사에 오래 있지 못하여 쉬이 돌아가려 하노라."

시랑 형제 연성(連聲)하여 금평후 존후를 뭇고 반김이 융흡(隆洽)하니 병부 또한 반가움을 이기지 못하나, '자기를 속이는가.' 의심이 발하니 소왈,

"악장이 소생으로써 금전여서(禁殿女壻)라 비소하시니, 천만고 이래에 사처와 양자를 두고 부마됨을 듣지 못하였나니, 소생이 천위를 비록 두려워하나 먼저 취한 바를 버려 금슬을 끊으리오. 가엄이 지금 알지 못하시니 그 밖 다른 염려 없나니, 악장이 영녀의 전정을 마침을 한하여 도장에 늙히려 하시나, 생이 죽지 아닌 전은 임의치 못할지라. 악장이 생을 삼세 척동으로 알아 속이시미 이 같으시니, 평일 믿던 바 아니라. 영녀 무슨 사람이라 부모 다 올라오시는데 홀로 향리의 머물며, 공주 아니라 황명이 계시나 영녀의 앙망자(仰望者)는 소생이라. 어찌 공주를 두려 소천(所天)을 원거(遠居)하리까? 소생이 영녀를 이런 인물로 알지 않았사오니, 온 가지로 속이셔도 곧이듣지 않으리다."

공이 저의 쾌활한 말을 두굿기나 여아의 절민한 바를 생각고, 저를 자주 오지 않게 하려하여 웃고 왈,

"내 구태여 군을 속임이 아니라 실로 그러하니 절강에 사람을 보내어 소녀의 유무를 알아보라."

---

790) 의수대절(衣袖帶節) : 옷을 입고 띠를 두르는 제반 절차.

791) 내정(內庭) : 아낙네. 아내.

792) 녀부(女婦) : 딸과 며느리를 함께 이르는 말.

부마 자약히 웃으며 왈,

"악장이 은닉하시니 소생이 구구히 알려 아니하나이다."

시랑 형제 그 거동을 보고 소매 두고 온 소유를 전하되, 병부 미미히 웃고 구태여 우기지 않으나, 일호 믿음이 없으니 삼인이 그 총명을 기대(期待)하더라.

날이 늦으매 공이 양자로 더불어 바로 궐정으로 가고, 병부는 거륜을 몰아 경부에 이르러 악모께 배현을 청하니, 화부인이 방사를 겨우 정돈하였더니 부마의 청알함을 듣고 반김이 넘쳐, 즉시 청하여 볼 새, 부마 들어와 배필(拜畢)에 천리원정(千里遠程)에 무사 득달함과 합문이 평안함을 치하하고, 개춘 후 상경하심을 기다리던 바를 고하여, 경순지례(敬順之禮) 지극하고, 추천지기(秋天之氣)와 추월(秋月) 같은 용화(容華)가 풍완수려(豊婉秀麗)하여 남전백벽(藍田白璧)이 티끌을 씻은 듯, 일만 버들이 춘풍을 띠었으니, 동탕한 풍류 볼수록 기이한지라. 부인이 두굿기나 제 금전여서 되매 여아의 신세 그릇됨을 애달아, 다만 부운 같은 공명으로 마지못하여 상경하며, 순태부인 기력을 뭇고 병부의 자녀 무사함을 물으니, 병부 흠신 대답하고 부인께 묻자와, 가로되,

"실인(室人)이 악모행차(岳母行次)를 따름이 옳거늘, 어찌 사이를 치지(差池)하여[793] 행하니까?"

부인이 청필에 가장 수상히 여겨, 추후 옴을 일렀는가 하되, 오히려 몽롱이 답 왈,

"상공과 아자 등이 사환에 뜻이 없고 전야에 호미 잡기를 익혀 경사를 피하니, 금번은 부득이 행하매 잠간 머물러 도로 하향코자 하니, 첩만 올라옴이라."

---

793) 치지(差池)하다 : 모양이나 시세 따위가 들쭉날쭉하여 일정하지 아니하다.

병부 미소 왈,

"형인의 옴을 들었삽거늘 악모 이렇듯 은닉하시나니까?"

부인이 제 이미 알고 묻는 바를 속임이 불가하나, 성도 단엄 정직한지라. 이에 탄 왈,

"거추(去秋)에 군을 동상에 맞으매 소망이 과의(過矣)라. 스스로 영행 희열하더니, 조물(造物)이 다시(多猜)하고 우리 명도 기험하여 문양옥주 하가하시니, 정문 높은 복경과 도위 처궁이 남다름을 치하하거니와, 돌아다 소녀의 신세를 생각한 즉 정씨 성명만 의지하여 공규의 늙을 뿐이라. 일생이 무광함을 참지 못하나니, 경향(京鄕) 거래(去來)의 무슨 쾌함이 있으리오."

병부 흠신 대 왈,

"소생이 비록 원치 않는 공주를 취하였으나 실로써 깃거 않사오니, 생이 연소하여 호신을 삼가지 못하고 영아(令兒)를 불고이취(不告而娶)하매 부모 지금 모르시니, 민박할지언정 기여는 염려 없는지라. 성상께 사취(四娶)함을 진달(進達)하였으니, 공주 비록 황녀이나 소생의 처실 차렌 즉 다섯째라. 소생의 여러 처첩을 다 절혼이이(絶婚離異)하신 명이 없고, 영애 이칠 청춘에 녹발이 쇠할 때 멀었거늘, 공후의 부인으로 즐거운 사람이라. 악부모 하고(何故)로 그 일생이 무광타 슬퍼하시니까? 소생의 용우함이 영아의 배우(配偶)로 불사(不似)함을 탄하실진대, 새로이 후회하실 바 아니요, 영아의 적인(適人) 많음을 근심하시나, 그 사이 공주 일인 뿐이요, 윤·양·이와 여러 처첩은 모르지 않으시리니, 이제 우환(憂患)을 당함같이 하시니 소생이 우민하와 능히 깨닫지 못하나이다."

부인이 청파에 공주가 여아의 금슬에 마장이 됨을 탄하나, 병부의 위곡(委曲)한 마음은 조금도 변치 않았음을 보매, 만복(滿腹)한 근심이 다

사라져 잠소(潛笑)하고 두굿김이 가득하니, 병부 여신한 총명으로써 악모의 거동을 보매, 소저 분명히 옴을 짐작하고 이윽히 말씀하다가 일어 하직하고 돌아갈 새, 부인이 저 같은 서랑으로 여아와 봉황의 쌍유(雙遊)함을 보지 못하고, 도리어 그 자취를 거절코자 함이 인정 밖이로되, 소녀의 몸이나 무사키를 바람이러라.

병부 밖에 나와 절강서 올라온 노복더러 묻되,

"조・주 양부인과 소저 행거(行車) 사이 띠어 오는데 뉘 배행하느뇨?"

노자가 저 병부 속 뽑는 줄 어찌 알리오. 다만 고 왈,

"조・주 양부인과 소저 행차는 소주(小主) 경상공이 호행하시나이다."

병부 비로소 쾌히 알고 웃음을 띠어 본부로 돌아오니라.

경공 부자 숙질이 궐하에 사은숙배하오니, 상이 인견(引見) 사주(賜酒)하시고, 각별 은유(恩諭)하시어 은영이 융중하시니, 경공 등이 감은각골하여 배사이퇴(拜謝而退)하여 환가하매, 부인이 병부의 말을 전하고

"여아와 식부(息婦)의 사이 띠어 오는 말을 뉘 이른고?"

공이 소왈,

"우리는 여아와 식부 다 절강에 있음을 이른데 창백이 곧이듣지 않아 저를 속임으로 치우니, 총명이 남다른 후는, 좀 생각으로 속일 길이 없고, 우리 부자가 궐정으로 간 후, 부인을 와 보아 여아의 거처를 자세히 알려 함이라. 부인이 몽롱이 대답하매 제 더욱 의심하리로다."

시랑이 소이고왈(笑而告曰),

"소자는 처음부터 창백을 속이지 못할 줄 알았으되, 소매 하 절박히 여기매 그 뜻을 우기지 않았삽더니, 창백의 짐작함이 이 같으니 어찌 속이리까? 차후 진정으로 이르시어 자주 오지 말라 하소서."

공의 부부 여아의 장래를 염려하는 바, 공주 어질지 못하여 지란 같은

약녀를 보챔이 있을까 근심하매, 시랑형제 호언으로 위로하더니, 수일 후 삼위 소저 무사히 들어오니, 공이 각각 방사(房舍)를 정하여 들게 하고, 자질 부부 쌍유함을 보매 여아의 신세를 더욱 슬퍼, 주야 부인 앞에 두어 애련함이 지극하니, 소저 부모의 우려를 근심하여 매양 춘풍화기로 담소자약(談笑自若)[794]하니, 공의 부부 그 효의를 두굿기더니 소저 상경한 십여 일 후, 부마 이르러 배현을 청할 새, 공의 부자 내당에 있다가 나가보려하니, 부인 왈,

"정낭이 이미 왔으니 내당에도 다녀갈지라. 상공이 나가 보시면 첩이 아니 보려함으로 알 것이니, 일시 박절치 못할지라. 내당으로 청하소서."

공이 응낙하매 시랑형제 나가 부마의 소매를 이끌어 들어가니, 소저는 조부인 침실에 있는 때라, 부마 들어와 예필한훤(禮畢寒暄)에 시랑형제로 담화하며, 악부모께 반자지례(半子之禮) 지극하니, 공이 애중하여 집수 탄 왈,

"인정이 딸의 부부 화락을 깃거 않을 재 없으나, 창백의 형세와 나의 도리 언연이 옹서로 칭함이 외람하고, 성상이 비록 여러 처첩을 허하시나 공주 하가시에 군의 처실을 다 친정으로 보내라 하신 것을, 영엄(令嚴)이 아뢰어 별원에 옮기다 하니, 이는 성의 반드시 군의 부부 화락치 말게 하고자 하심이니, 인신지도에 군의 왕래 빈빈하여 좋이 화락함을 구함이 방자 외람하니, 청컨대 군은 자주 왕래치 말고, 여아의 유무를 마음에 거리끼지 말라."

부마 소이대왈(笑而對曰),

---

794) 담소자약(談笑自若) : 근심스럽거나 놀라운 일을 당하였을 때도 보통 때와 같이 웃고 이야기함.

"소생이 형인(荊人)의 상경함을 벌써 알았으되, 그사이 존부에 오지 아니하옴은 어린 뜻에 악부모 신방을 배설하고 소생을 청하시어 작소(鵲巢)[795]에 깃들이는[796] 재미를 보려하실까 하여, 소명을 등대하되, 십여 일이 되나 매몰하시매[797] 참지 못하여, 스스로 청알하고 부부 이회(離懷)를 펴고자 하더니, 뜻밖에 깊이 거절하시어 비루한 자취 귀부에 옴을 불열하시니, 소생이 비록 용우하오나 팔척 장부요, 처실이 영애 뿐 아니라 이다지도 괴로이 여기시는 바를 감심(甘心)하여 왕래하리까마는, 부부는 오륜(五倫)의 중사(重事)라. 영녀의 일생 화복이 생의 장리(掌裏)에 있는 고로, 사람을 취하여 정이 맥맥함은 아들 된 자의 도리가 아님으로, 청하지 않으시나 잠간 이르러 원로행역(遠路行役)을 위로코자 하였삽더니, 악장이 거짓 공주 하가를 일컬어 소생을 막지르려 하시니, 양평장과 이학사이신들 천륜자애 악장만 못하여 염려치 않고 일이 되어감을 보고 있으리까? 소소(小小)한 호의(狐疑)와 세쇄지절(細瑣之節)을 생각하지 않아, 장부의 기상을 녹록(碌碌)[798]케 않음이라. 공주 하가시(下嫁時)에 윤・양・이 등을 친정으로 보내라 하심은, 공주 유년(幼年)에 적인(敵人)을 많이 보면 불평함이 있을까 염려하심이요, 소생의 화락을 막으시미 아니니, 악장이 소생의 불민함을 나무라 버리려 하시면, 금일부터 영영 오지 않을 것이니, 진실로 공주로써 소생의 왕래를 절박히 여기시면 이는 아녀자(兒女子)의 마음이니이다."

---

795) 작소(鵲巢) : 까치집. 신방(新房). 『시경』〈소남(召南)〉 작소(鵲巢)편은 까치집에 비둘기가 들어가 사는 것처럼 여자가 시집가 남자의 집에서 가정을 이루고 사는 것을 노래하고 있다.

796) 깃들이다 : '새가 보금자리에 들어 산다.'는 뜻으로, 사람이 집을 짓고 그 안에서 단란하게 사는 것을 이르는 말.

797) 매몰하다 : 인정이나 싹싹한 맛이 없고 쌀쌀맞다.

798) 녹록(碌碌) : 만만하고 보잘 것 없음.

공이 부마의 장설(長說)을 듣고 어이없어 왈,

"창백이 날로써 세쇄하고 호의 많아 아녀자의 녹록함 같다 하거니와, 이곳에 빈빈 왕래하여서는 진실로 여아의 신세 편할 줄 기필치 못하나니, 나의 말을 괴이히 여기지 말라."

부마 소이대왈(笑而對曰),

"거추(去秋)에 악장이 의혼(議婚)할 때에, '딸을 일생 안전(眼前)의 두겠노라.' 하시거늘, 생이 가장 괴이히 여겨 '여자유행(女子有行)은 원부모형제(遠父母兄弟)임'[799]을 고하였삽더니, 이제로 보옵건대 존택 풍속이 딸을 성가(成嫁)한 후 서랑을 거절하는가 싶거니와, 실로 그럴진대 부화처순(夫和妻順)[800]하여 유자생녀(有子生女)하고 백수해로(白首偕老)함이 어디 있으리까?"

언파에 대소하니 시랑 등이 꾸짖고, 공의 부부는 어린 듯이 그 용화를 바라보아 사랑함을 참지 못하여, 부인이 천천히, 탄 왈,

"첩이 여아의 전정을 근심하다가도 군자의 쾌어(快語)를 들은 즉, 만념(萬念)이 풀어지는지라. 딸과 서랑(壻郞)이 화락하는 경사를 보고자 아니하고, 무고히 거절하는 풍속이 있으리오마는, 실로 공주의 위엄을 두려워함이라. 졸약함을 웃지 말고 금일은 이미 왔으니 밤을 지내고 가시나, 후일은 자로 왕래치 말아 아직 소녀의 유무를 공주 모르시게 하소서."

부마 흠신(欠身) 사왈(謝曰),

---

799) 여자유행 원부모형제(女子有行 遠父母兄弟) : '여자는 시집가면 부모형제와 멀어진다'는 뜻으로, 『시경(詩經)』 〈패풍(邶風)〉 '泉水'편에 나오는 말이다. 예전에 부모가 딸을 시집보내면서 딸에게 '친가의 부모형제를 생각지 말고, 시가의 부모형제를 공경하고 우애하여 잘 살 것'을 당부하며 이르는 말.

800) 부화처순(夫和妻順) : 남편은 너그럽고 아내는 따름.

"악모의 지극하신 말씀이 영녀의 장래를 염려하심을 모르리까? 생이 봉친지하(奉親之下)에 관사(官事) 다첩(多疊)하여 일시 한가함을 얻지 못하거늘, 어찌 매양 이곳에 왕래할 겨를이 있으리까? 형인(荊人)의 유무는 부모도 모르시니 공주 더욱 알 길 없는지라. 너무 근심 마소서."

공의 부부 그 풍채와 기상을 새로이 두굿겨, 종일 담화하다가, 석반을 파한 후 시랑으로 병부를 인도하여 소저 침소로 보내니, 시랑이 부마를 데리고 소저 숙소로 가니, 소저 오히려 조씨 방에서 오지 않았는지라. 시랑이 전어 왈,

"정군이 현매를 위하여 누월 사상하던 심장이 거의 마르기에 미처, 금일 이르러 상견코자 하는 정이, 대한(大旱)의 운예(雲霓)도곤 더한지라. 모름지기 급히 와 그 마음을 위로하라."

소저 문파에 단연(端然)이 불열하나 마지못하여 침당에 이르니, 시랑이 소왈,

"창백이 오후에 와 정당에서 말씀하다가 금야를 이에 머물려 하나니, 창백의 지극한 뜻을 사례하라."

소저 묵연 불응하고 수색(羞色)을 띠어 부마에게 예하니, 부마 답례하고 좌정하매 시랑이 일어나며, 왈,

"창백이 소매를 대하매 타인을 내쫓고자 하리니, 내 남의 고객(苦客)이 되지 않으려 돌아가거니와, 군은 오늘 밖에 이곳에 머물 의사를 말라."

부마 완소(莞笑) 왈,

"천유 대 군자의 변수(便水)를 맛보았으되 오히려 전습(前習)이 많아 출가(出嫁)한 누의를 총단(總斷)하여 매부의 거취를 형의 말대로 할까 여기니, 어림이 심한지라. 인사(人士)[801] 이제도 늘지 못하였으니 군자의 변수를 연속부절이 먹게 하리라."

시랑이 꾸짖고 가거늘, 소저 일어나 거거를 보내니, 부마 앉기를 청하여 촉하에 대하매, 소저의 빙자아질(氷姿雅質)이 새로이 쇄락하여 풍완윤택(豊婉潤澤)함은 전자에 더한지라. 반갑고 아름다움을 이기지 못하여 황홀한 은애 가득하되, 천성이 엄준 씩씩한 고로 과도한 사색을 나타내지 않고, 다만 이르대,

"개춘 후 악장이 솔가(率家) 상경하심을 기다리더니 잔호의[802] 많으심으로, 사명(詞命)이 난 후 비로소 오신지라. 생이 그대를 취하고 돌아와 친전에 고치 못하였으므로, 그대 매양 부모 슬하에 있으니 여자의 얻기 어려운 복이라 하리로다."

소저 수용(修容) 정금(整襟)하여 들을 뿐이요, 말이 없으니, 병부 본디 여자로 다설(多說)하기를 못하는 고로, 오직,

"약질이 원로(遠路) 구치(驅馳)에 잇블지라[803], 편히 취침하라."

소저 묵연부답이러니, 날호여 존당구고 존후를 묻자오매, 옥성이 낭랑하여 옥반에 진주를 굴리고, 봉음(鳳吟)이 쇄연하여 가슴을 시원케 하는지라. 병부 더욱 애중하여 흔연히 존당 부모 성체 안강하심을 전하고, 시녀로 침금을 포설하매 촉을 멸하고 부부 금리(衾裏)에 나아가매, 은애 여산약해(如山若海)하더라.

명일 부마 관소하고 즉시 돌아갈 새, 악부모(岳父母)[804]께 하직하니, 공의 부부 여아의 쌍유(雙遊)함을 두굿기나, 다시 오기를 청치 못하고

---

801) 인사(人士) : '사람'을 낮잡아 이르는 말

802) 잔호의 : 자질구레한 의심. *호의(狐疑); 여우가 의심이 많다는 뜻으로, 매사에 지나치게 의심함을 이르는 말. *잔-: '가늘고 작은' 또는 '자질구레한'의 뜻을 더하는 접두사

803) 잇브다 : 고단하다.

804) 악부모(岳父母) : 악부(岳父)와 악모(岳母)를 함께 이르는 말로 아내의 친정 부모. 곧, 장인과 장모를 이른다. =처부모(妻父母)

애달픔을 이기지 못하니, 병부 재삼 위로하고 승간하여 오기를 일컬어 하직하고, 바로 조참(朝參)하고 본부에 돌아가 부모 존당께 뵈옵고 야래 존후를 묻자오니, 금후 갔던 곳을 묻거늘, 부마 부복 대 왈, 작일 도중에서 경춘기를 만나 위력으로 데려가니, 부득이 경부에서 경야(經夜)[805]하고 옴을 고하니, 금후 그 소행을 모르고, 다만 이르대,

"남아가 벗을 따라 밤을 지냄이 괴이치 않으나 봉친지하에 어찌 무상히 나가리오. 차후는 부질없이 나가 밤을 지내지 말라."

부마 배사 수명하나, 다시 경부에 자주 가지 못할 바를 그윽이 애달아하더라.

차시 정사인 인흥이 십오 세 되매 이씨로 이성지친(二姓之親)을 이뤄 관저지락(關雎之樂)이 가작하고[806], 이씨 잉태 십삭에 순산생자(順産生子)하니, 신아(新兒)의 골격이 비상하여 부풍모습(父風母襲)하니 존당구고 사랑함이 병부의 자녀와 일반이요, 이씨 산후병이 없으니 정사인이 더욱 깃거 유아를 사랑하고 부인을 중대하더라.

윤·양·이 삼부인이 별원에 옮은 지 오륙 삭에 이씨 잉태 칠삭이라. 삼인이 서로 의지하여 정의 황영(皇英)의 자매 같으니, 금후 매양 못잊어 일삭(一朔)에 사오 순(順)[807]씩 와 보고, 태부인과 진부인이 시절 향기로운 과품(果品)과 유미(有味)한 찬선(饌膳)이 있으면 순순(順順)[808] 보내어 시녀 등의 왕래 빈빈하고, 아주소저 일시도 삼 부인을 떠나지 않으매 별원이 고요 안정 하여 몸이 반석 같으니, 양·이 두 부인은 각별한 근심이 없으나, 윤부인은 소고 등의 불평한 신세를 잊지 못하여 주야

---

805) 경야(經夜) : 밤을 지냄.
806) 가작하다 : 가지런하다. 갖추다. 구비하다.
807) 순(順) : 번(番). 차례.
808) 순순(順順) : 매번. 그 때마다.

근심하더니, 문득 모친의 시녀 매향이 옥화산으로부터 와 모친 봉서를 올리고, 모친이 여차여차 피화하여 옥화산에 감초인 곡절을 고하니, 부인이 모친 수서(手書)를 반기며 피화하심을 영행하나, 정・진・하・장 등이 모친을 마저 떠나 천만 고경(苦境)을 고할 곳이 없음을 슬퍼하며, 본부 변괴 점점 망극함을 더욱 처연하니, 양・니 등이 위로함을 마지 아니터라.

윤부인이 답간을 이뤄 매향을 보내고 때를 타 옥화산에 가 모녀 반기고자 하나 감히 엄두를 내지 못하고, 이따금 어사 등이 와 매저를 본즉, 모친 존후를 묻잡고 계부 일절 안 와 보심을 괴이히 여기니, 어사 등이 계부의 변심하심을 차마 매저께도 못하고, 다만 환후 미류(彌留)[809]하심을 전하니, 부인이 가장 근심하더니, 숙렬의 비자 홍선 등이 자주 별원에 왕래함으로, 가중 사고를 물어 추밀의 변심함을 듣고, 대경차악(大驚且愕) 왈,

"가중에 아무 변괴 있으나 오직 계부를 믿더니, 이제 변심하시니 다시 바랄 곳이 없는지라, 피창차천(彼蒼且天)[810]이 어찌 오가를 이렇듯 미워하시느뇨?"

말을 마치자 상연(傷然) 유체 하니, 설난・현앵 등이 좌우에 모셔 위로하더라.

차시 유녀 조부인을 없애고 묘랑으로 더불어 천흉만악지사(千凶萬惡之事)를 생각할 새, 위방이 주영을 윤소저만 여기다가 영이 스스로 본사(本事)를 쾌설(快說)하고 돌아간 후, 세월이 오래되 미색(美色)을 사상하여 간간이 위부인을 배견(拜見)하고, 미인을 얻어주면 만금을 아끼지

809) 미류(彌留) : 병이 오래 낫지 않음.
810) 피창차천(彼蒼且天) : 저 푸른 하늘.

않겠노라 하니, 유씨 그윽이 정・진・하・장 중 하나를 후려 주고, 금을 취코자 하여 가만히 묘랑과 의논 왈,

"존고의 서질 위방이 부요하여 금은이 뫼 같으나, 상실(喪室) 후 일등 미인을 구하나니, 우리 자질부(子姪婦) 사인이 다 절염 미색이라. 남자가 한번 본즉 만금을 아끼지 않으리니, 사부 그 중 일인을 잡아 위방을 주면 금은을 많이 얻으리라."

묘랑이 눈썹을 모으고 이윽히 생각다가 왈,

"정부인은 천지수출지기(天地秀出之氣)와 산천영채(山川靈彩)를 모았을 뿐 아니라, 성현 도덕과 신기한 재주 있으니, 빈도의 변화로도 간대로 범치 못하고, 그 밖은 다복완전지상(多福完全之相)과 성신정채(星辰精彩)라, 하나도 범인이 아니요, 하씨를 촉에서 구상공 청으로 금강까지 데려가나, 빈도가 하마 죽을 번한지라. 이제는 더욱 나이 차고 몸이 자랐으니 만금(萬金)을 득하나 가장 어렵도소이다."

유씨 왈,

"사부 조씨를 서릊는 재주로 저 소녀 등 처치함이 창승(蒼蠅)이나 다르며, 이는 죽임과 달라 위방의 집의 데려다가 둘지라. 저 사인의 용색이 기특하나 무슨 재주 그대도록 하며, 남다른 정기 있으리오?"

묘랑 왈,

"부인이 모르시는도다. 정소저는 고왕금래(古往今來)에 둘 없는 철부성녀(哲婦聖女)요, 진・하・장 이 또한 무쌍(無雙)한 숙녀라. 천신이 복록으로 도우시니, 인력으로 못할지라. 조부인은 요행 죽였으나 저 사인은 죽이기 가장 어려운지라. 원래 부인이 어느 소저를 먼저 없애고자 하시느뇨?"

유씨 왈,

"희천 등 늒인을 다 한날 죽이고자 하거니와, 사부 정씨를 하 기특다

하니 어려운 자를 먼저 없애고, 차차 없이함이 좋을까 하노라."

묘랑이 정씨를 해치 못할까 두려워하나 재보(財寶)에 욕심이 흉한 고로 감히 하수(下手)할 뜻을 두어 왈,

"부인이 이리 바빠하시니 빈도가 수고를 생각지 않고 정씨를 후려 위관인을 주리이다."

유씨 희왈(喜曰),

"사부 만일 여차(如此) 즉, 재보는 소원대로 얻을 것이요, 정씨 관인의 말을 듣지 않아 죽은 즉, 나의 원이라. 진·하·장 삼인을 또 죽이지 말고 천하 호색자에게 금보를 받고 파는 것이 좋을까 하노라."

묘랑이 옳다 하니, 유씨 깃거 위태를 권하여 위방을 불러 여차여차 이르라 하니, 위태 오직 유씨의 지휘대로, 방을 불러 그윽한 곳에서 이르대,

"전일 너를 위하여 손녀를 취케 하고자 묘계를 가르치되, 네 잘못하여 도리어 저의 꾀의 빠지니 분한 마음이 어찌 없으리오. 손아 광천의 원비 정씨는 금자(金字)로 정문포장(旌門褒獎)하신 바 숙렬비(淑烈妃)라. 색광 기질이 손녀 위니, 성행덕질(性行德質)이 천만고(千萬古)에 없는지라. 네 기특한 이승(異僧)을 얻어 정씨를 후려다가 부부 화락을 이루되, 혹 불순하거든 즉시 죽이고, 또 진·하·장 삼부 다 절염숙완이라. 다시 너를 주리니 너는 이승을 보고 예폐(禮幣)를 후히 하여 진심 극력하게 하라."

방이 청필에 그 법호를 물으며 재주를 들으매 어리고 망측한 마음에 정씨를 얻을까 대희하여 사례 왈,

"천질(賤姪)을 위하시어 매양 외람한 혼사를 지교(指敎)하시되, 서질(庶姪)이 박복하여 뜻을 이루지 못하는지라. 지성(至誠)이면 감천(感天)으로, 이번에나 금선법사 덕에 숙녀를 만나오면, 만금을 허비하나 아까

우리까?"

위씨 희희(喜喜) 소왈,

"네 정성을 신명이 감동할 바라. 정씨를 취한즉 너의 복록이 하늘같으리니, 기쁘고 즐거움이 그 밖에 무엇이 있으리오. 금선법사는 귀신을 부리며 몸을 화하여 공중에 출입하니, 정씨를 데려가거든 좋이 화락하라."

방이 순순 배사하고 바삐 묘랑을 데리고 돌아와, 황금 일정과 채단 옥보를 가득이 주어 그 욕심을 채우고, 날을 맞추어 정씨 데려오기를 정하니, 묘랑이 윤부에 와 유씨와 금보를 나누고, 밀밀히 행계할 새, 묘랑 왈,

"숙렬이 매양 태부인 침소에 있으니, 빈도가 여러 이목 중 변화하여, 침소에 돌아 보낸 후, 삼경반야에 들어가, 천만 무심 중 공중으로 업고 가리이다."

유씨 옳이 여겨 태부인께 고하니, 위씨 기약하고 취침하기를 당하여, 정씨더러 왈,

"아부 달포 이에 있어, 몸이 고단할 것이니 모름지기 금야는 사침에 가 쉬라."

하고, 또 진·하·장을 각각 침소로 보내니, 정씨 금야에 무슨 사고 있음을 짐작하되 오직 존명을 승순하여 천연 사사하고 채봉각에 물러오니, 숙직 시녀 야심하매 벌써 문을 닫고 잠이 바야히라[811]. 소저를 모신 시아가 이들을 깨와 촉을 밝히고 침금을 포설하니, 소저 의상을 끄르지 않고 촉을 물리지 않아 침변에 비겨 있으나, 여신한 총명으로 태부인 수상한 기색을 스치매[812], 방심치 못하여 반점 졸음이 없고, 가중사세 차

811) 바야히다 : 무르녹다. 한창이다.
812) 스치다 : 생각하다. 상상하다.

악하여 한 차례 대액을 면치 못할 바를 그윽이 탄하나 사색치 않고, 시녀 등은 장외(帳外)에서 다시 잠드는지라. 유씨 모녀며 묘랑이 합장 뒤에서 동정을 살펴, 반야에 묘랑이 담을 크게 하고 화(化)하여, 오색 빛의 큰 호표 되니 보기에 무서운지라. 유씨 모녀 암소(暗笑) 왈,

"정씨 비록 대담이나 차물(此物)을 본 즉, 아니 두려워 할 자가 없으리니, 속절없이 잡혀 가리로다."

하고, 문틈으로 보니, 묘랑이 급급히 지게를 열치고 들이달아 정씨를 범코자 하다가, 문득 정씨의 당당한 정광(精光)이 찬란하여 요사(妖邪)를 제어함으로, 묘랑의 양목(兩目)이 황홀하고 정신이 아득하여 두골이 때리는 듯 아프니, 어디 가 요사를 발뵈리오. 양양하던 뜻이 없어 잠간 물러서거늘, 소저 만일 범인 같으면 어찌 경겁지 않으리오마는, 유약함이 신류(新柳) 같으나, 본디 여력(膂力)[813]이 강맹하고 재주 만사를 능통하는지라. 조금도 요동함이 없어 베개에 기대었다가, 몸을 일어 묘랑을 향하여 팔자아미(八字蛾眉)를 거사리고[814] 옥성(玉聲)이 맹렬하여 왈,

"네 반드시 각별한 요정(妖精)으로 인형(人形)을 써 세상 허박한 사람을 많이 속이고, 금야에 내 침실에 저 모양으로 들어옴이 적지 않은 묘맥이 있으니, 내 비록 네 근본을 듣지 않았으나 밝히 지기하나니, 전전(前前) 악사(惡事)를 일일이 직고하라. 불연(不然) 즉 일각에 마치리라."

언필에 후일 증험을 삼고 다시 자가를 범치 못하게 하려 하여 옷고름[815]에 찼던 장도(粧刀)[816]를 빼어 묘랑의 왼 귀를 베니, 위풍이 늠름

---

813) 여력(膂力) : 근력(筋力). 육체적으로 억누르는 힘.

814) 거사리다 : 긴 것을 힘 있게 빙빙 돌려서 포개어지게 하다. 여기서는 '눈을 부릅떠 눈썹을 위로 치켜 올리다'의 의미.

815) 옷고름 : 저고리나 두루마기의 깃 끝과 그 맞은편에 하나씩 달아 양편 옷깃을

하여 추천(秋天)에 음애(陰靄)를 지으며, 열일(烈日)이 한빙(寒氷)에 바애니[817], 일개 연약한 부인이 강맹한 장부를 압두하는지라. 묘랑이 이상한 요정이나 저의 당당한 정명지기(精明之氣)를 쏘이매, 일신이 떨려 황황할 사이에 귀를 베이니 아프고 분함이 극하나, 할 일없어 정히 달아나려 하되, 정씨 그 머리를 잡고 들어온 곡절을 직고하라 호령하니, 도망할 길도 없어 오직 거짓 짐승인 체하고 머리를 조아리며 말을 않으니, 정씨 혜오대,

"이 요물이 존당과 숙모를 도아 가변을 지으니 살생(殺生)이 비록 여행(女行)이 아니나 아조 죽여 없애야 존당과 숙모를 찬조할 이 없으리라."

의사 이에 미치매 홍선 등으로 철삭을 가져 묘랑을 매고, 즐 왈,

"네 날을 속이려 거짓 말 못하는 짐승인 체하나 본디 사람은 아니요, 요정이로되, 소진(蘇秦)[818]의 구변을 가졌고, 저리하고 내 당중(堂中)에 옴은 의사 심상치 않을 것이니, 빨리 간정(奸情)을 고하고 본형을 내라."

이리 이르며 한 모금[819] 물을 묘랑에게 뿜으며 제요가(制妖歌)를 외오니 경각에 오색흉호(五色凶虎) 화하여 금빛 같은 여우[820]되거늘, 정

여밀 수 있도록 한 헝겊 끈.

816) 장도(粧刀) : 주머니 속에 넣거나 옷고름에 늘 차고 다니는 칼집이 있는 작은 칼. 칼집과 자루는 금, 은, 밀화(蜜花), 대모(玳瑁), 뿔, 나무 따위로 장식을 한다. ≒장도칼.

817) 바애다 : 빛나다. (눈이) 부시다.

818) 소진(蘇秦) : 중국 전국 시대의 유세가(遊說家). 산동 6국의 합종(合從)을 설득, 진(秦)에 대항했다.

819) 모금 : 액체나 기체를 입 안에 한 번 머금는 분량을 세는 단위.

820) 여우 : 『동물』 갯과의 포유류. 개와 비슷한데 몸의 길이는 70cm 정도이고 홀쭉하며, 대개 누런 갈색 또는 붉은 갈색이다.

씨 또 꾸짖어, 왈,

"너의 본형이 여우로소니 심산에 숨었음이 옳거늘, 경사(京師)까지 오기는 인형(人形)을 썼음이라, 전후 묘수(妙手) 있으리니 간정(奸情)을 바삐 고하라."

묘랑이 스스로 본형을 냄이 아니로되, 정씨의 제요(制妖)하는 정기를 당하여 전율자축(戰慄自縮)하여 요술이 줄어지고 만신이 뒤틀려 하염없이[821] 본형을 감추지 못하고, 저의 악사를 본 듯이 수죄(數罪)하니 별물대담이나 망극 경황하니, 차시 경아 모녀 규시하다가 대경낙황(大驚落黃)[822]하여 서로 이르대,

"묘랑이 정씨를 해 함은커녕, 제 도리어 화를 만나 왼 귀를 베이고, 경황한 거동이 우리 악사를 직고할 듯하니, 바삐 존당을 모셔와 묘랑을 구하리라."

하고, 급히 경희전에 가 묘랑의 급함을 고하고 구하심을 청한대, 위노가 대경하고 유씨 말인 즉 신청(信聽)하니, 반야 삼경에 노인의 자취 불사(不似)한 줄 어찌 생각이나 하리오. 경아 모녀와 전경(戰驚)하여 봉각에 이르니, 정소저 꾸짖어 간정을 물을 즈음에 태부인과 숙모 모녀 들어오니, 벌써 그 뜻을 지기하고 안서히 일어 맞은 대, 위노가 묘랑을 보고 양경(佯驚) 왈,

"아부 금야나 사침에 쉬고자 하더니, 실중에 변괴 있음을 듣고 놀라 유현부 등을 데리고 이르렀나니, 흉한 짐승이 방중에 있음을 보매 가장 큰 변이라, 어찌 일시나 머무르리오. 세월 비영 등으로 여우를 쫓아 내

---

821) 하염없다 : 속절없다. 시름에 싸여 멍하니 이렇다 할 만한 아무 생각이 없다. 또는, 단념할 수밖에 달리 어찌할 도리가 없다

822) 대경낙황(大驚落黃) : 너무 크게 놀라 얼굴이 노랗게 변함. *낙황(落黃); =황락(黃落); 나뭇잎이 누렇게 되어 떨어짐.

치라."

소저 그 용심을 모르는 듯 나직이 고 왈,

"차물(此物)이 한갓 여울 뿐 아니라, 요술이 불측(不測)하여 처음 오색 흉호(凶虎)가 되어 들어왔다가 또 여우되니, 각별한 요정이라. 저적[823] 존고께서 취운산 행도에 봉변하시어 지금 가신 곳을 모르니, 첩 등의 망극 통절한 심사는 의논치 말고, 나는 범이 사람을 후려감은 천고에 희한한 변괴(變故)라. 이 반드시 차물의 작용이니 차요(此妖)를 잡아 다스리면, 존고의 거처를 알까 하나이다."

위노, 행혀 묘랑을 저주어 조부인 죽임을 알아낼까 대경하여, 변색 왈,

"노모 행년(行年) 육순에 사람의 침실에 이런 짐승이 들어옴을 듣지 못하였나니, 보기에도 심골(心骨)이 경한(驚寒)한지라, 바삐 좇아 내침이 옳거늘 어찌 저주자 하느뇨?"

유씨 제 뜻을 이루지 못하고 묘랑이 잡혀 악사 발각키 쉬움을 보고, 통완하여 존고를 눈개며 정씨를 향하여, 냉소 왈,

"우리 가중에 이런 변괴 없어 고요 안정하니, 저 짐승을 방중에 일시 머묾이 가장 흉하거늘, 그대는 범범(凡凡)한 일로 알아 일호 경동함이 없으니, 아지못게라! 그대 전일 저런 요물을 앎이 있더냐?"

소저 심리(心裏)에 통해하여 묘랑의 수단인 줄 알되, 이때를 당하여 그 형적을 분명이 판단할 길이 없으매, 다만 웃고 왈,

"사람이 어찌 요정과 사귀리오. 더러운 요물을 일각인들 가까이 두오며 오래 보고자 하리까마는, 저것을 저주어[824] 전후 악사를 명핵(明覈)

---

823) 저적 : 저때. *적; 그 동작이 진행되거나 그 상태가 나타나 있는 때, 또는 지나간 어떤 때.

고자 하옴이거늘, 오히려 소첩더러 요물을 결납(結納)[825]하다 하시나뇨? 첩의 행사가 불민하여 괴이한 요괴 드오나, 사람이 어찌 차마 요정과 동심하여 작변코자 하리오. 존당이 엄히 다스리시면 첩의 무죄함을 아시려니와, 요정의 변화를 보오니 잘못하면 잃기 쉽사오니, 첩이 그 몸에 부작(符作)을 붙이리이다."

위노 정씨의 신기함을 어려이 여겨, 부작을 붙이면 묘랑이 달아나지 못할까 두려, 위력으로 꾸짖어, 요사(妖邪)를 가내에 들여 장난코자 하는 바로 치부해, 세월 등으로 바삐 여우를 끌어가라 하니, 묘랑이 숙렬의 면전을 나매, 비로소 살 곳을 얻어 다행하여 한번 소리하고, 아아히 공중으로 치달아 가니라.

824) 저주다 : 형신(刑訊)하다. 형문(刑問)하다. 심문(審問)하다.
825) 결납(結納) : 일정한 목적으로 서로 마음이 통하여 도움.

최길용

문학박사
전북대학교 겸임교수
전북대학교 인문학연구소 전임연구원

● 논 문
〈연작형고소설연구〉외 50여편

● 저 서
『조선조연작소설연구』 등 13종

현대어본 명주보월빙 2

초판 인쇄 2014년 4월 20일
초판 발행 2014년 4월 30일

역 주 | 최길용
펴 낸 이 | 하운근
펴 낸 곳 | 學古房

주 소 | 서울시 은평구 대조동 213-5 우편번호 122-843
전 화 | (02)353-9907 편집부(02)353-9908
팩 스 | (02)386-8308
홈페이지 | http://hakgobang.co.kr/
전자우편 | hakgobang@naver.com, hakgobang@chol.com
등록번호 | 제311-1994-000001호

ISBN 978-89-6071-385-7 94810
978-89-6071-383-3 (세트)

값 : 18,000원

이 도서의 국립중앙도서관 출판시도서목록(CIP)은 서지정보유통지원시스템 홈페이지(http://seoji.nl.go.kr)와 국가자료공동목록시스템(http://www.nl.go.kr/kolisnet)에서 이용하실 수 있습니다.(CIP제어번호: CIP2014014233)